D0835465

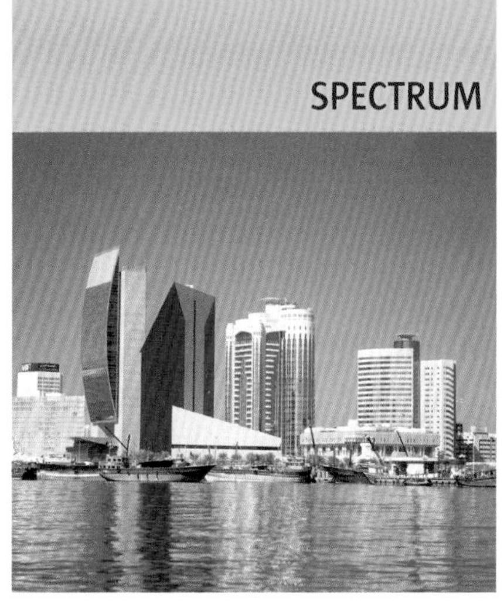

Verenigde Arabische Emiraten

Auteur:
Henning Neuschäffer

LIJST VAN KAARTEN

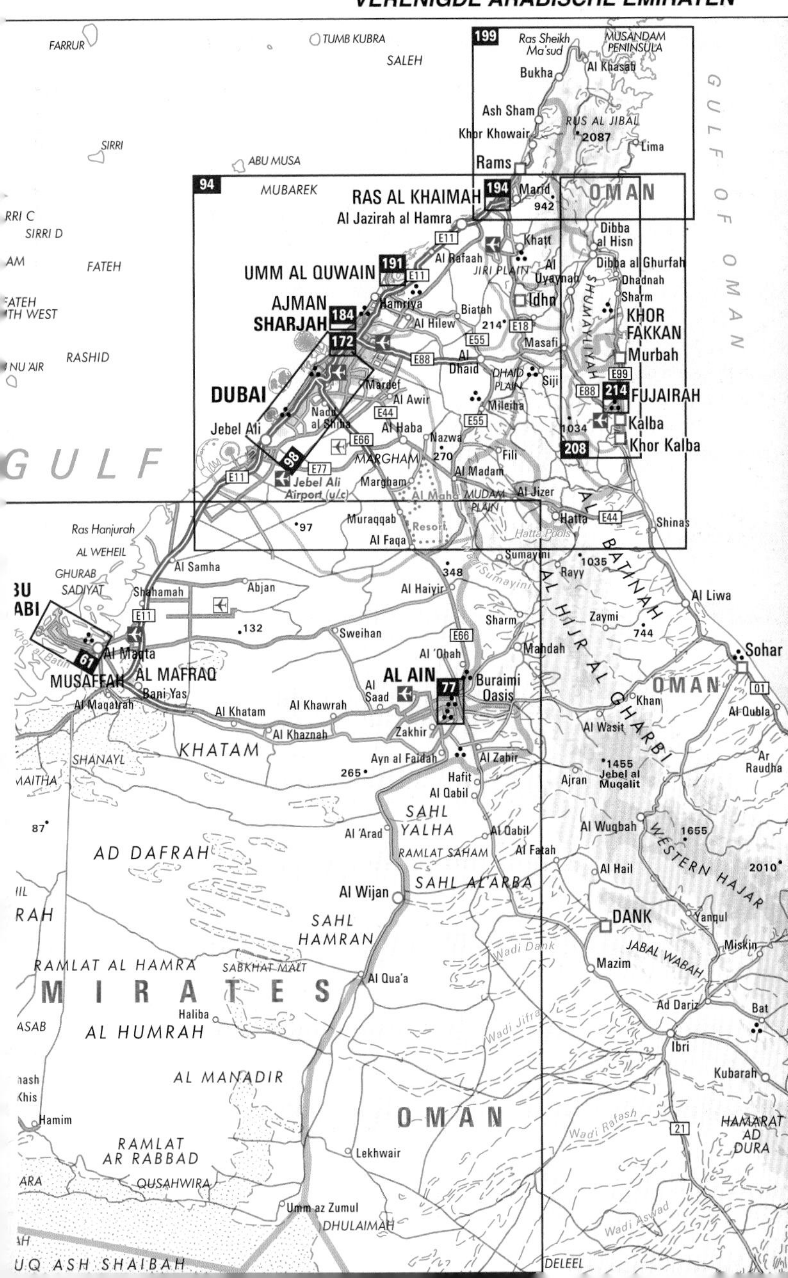

RAS AL KHAIMAH
UMM AL QUWAIN
AJMAN
SHARJAH
DUBAI
Jebel Ali
Fujairah
KHOR FAKKAN
Kalba
Khor Kalba
AL AIN
Buraimi Oasis
ABU DHABI
MUSAFFAH
AL MAFRAQ
OMAN
GULF
GULF OF OMAN
EMIRATES
Sohar
DANK
Ibri

Geachte lezer,

Actualiteit is een van de belangrijkste kenmerken van de *Nelles Guides.* Een groot aantal correspondenten, verspreid over de wereld, houdt de redactie op de hoogte van de laatste ontwikkelingen in de reiswereld. Een team van cartografen staat ervoor garant dat de kaarten in overeenstemming zijn met de tekst. De reiswereld is echter steeds in beweging. Daarom kunnen we niet garanderen dat alle informatie juist is. Mocht u afwijkingen constateren van wat in deze gids staat beschreven, dan zouden we het zeer op prijs stellen als u ons dit laat weten op een van de volgende adressen: Nelles Verlag, Machtlfinger Str. 11, D-81379 München, tel. +49 (0)89 3571940, fax +49 (0)89 35719430, Duitsland, of Het Spectrum B.V., Postbus 97, 3990 DB Houten.

LEGENDA

topattractie
★★ *(op de kaart)*
★★ *(in de tekst)*
bezienswaardigheid
★ *(op de kaart)*
★ *(in de tekst))*
8 oriëntatienummer in tekst en op kaart
(8) oriëntatienummer in tekst en op plattegrond
openbaar / belangrijk gebouw, monument
hotel, resort
restaurant, bar
winkelcentrum, ambassade
markt / souk
post, hospitaal

(plaats) SHARJAH *Desert Park* *(bezienswaardigheid)* de geel gemarkeerde namen worden in de tekst vermeld
internationale luchthaven / nationale luchthaven
strand, duiklocatie
J. Hafeet 1240 bergtop (hoogte in meters)
bron
olieveld
historische plaatsen
uitkijkpunt
vesting, fort
golfterrein, politie
moskee, kerkhof
informatiecentrum
bushalte, parkeerplaats

staatsgrens met grensovergang
administrative grens
autosnelweg
autoweg
grote verkeersweg
secundaire weg, piste
voetgangerszone
Deira metro met station
18 afstand in kilometers
veer
wildlife resort met gate
E11 wegnummer

VERENIGDE ARABISCHE EMIRATEN
© Nelles™ Verlag GmbH,
81379 München
All rights reserved
ISBN 978-3-922539-75-9

Druk 2009
Uitgeverij het Spectrum
Postbus 97, 3990 DB Houten
NUR 517, ISBN 978-90-274-4636-7
Print: Bayerlein, Germany

Uitgever: Günter Nelles
Hoofdredactie: Berthold Schwarz
Projectleider: Henning Neuschäffer
Beeldredactie: K. Bärmann-Thümmel
Litho's: Priegnitz
Cartografie: Nelles Verlag GmbH, München
Nederlandstalige editie:
Vertaling: Marleen de Vries
Eindredactie: Peter Drehmanns

 - N05 -

1 LAND EN VOLK

2 EMIRAAT ABOE DHABI

3 Emiraat Doebai

4 EMIRAAT SJARDJA

5 NOORDELIJKE EMIRATEN / MUSANDAM

6 EMIRAAT AL-FOEDJAIRA EN OOSTKUST

7 THEMA'S

8 PRAKTISCHE TIPS

De schrijfwijzen van Arabische begrippen (zoals bv. Zayed / Saeed; al- / Al) wijken deels af van elkaar, aangezien zowel in de Emiraten afzonderlijk als ook in het Europese toeristenverkeer uiteenlopende transcriptie-systemen worden gebruikt.

HOOGTEPUNTEN

★★Emirates Palace / Aboe Dhabi (zie p. 65): Alleen al de omvang van dit ca. 2 miljard petrodollar kostende hotelpaleis (exploitant: Kempinski) is overweldigend. Met een blik op het interieur van de centrale koepel ziet u de luxe waarmee de decoratie werd uitgevoerd (u moet u aanmelden, entreegeld). Aansluitend is een wandeling over de nieuwe strandpromenade **★Corniche Park** van Aboe Dhabi aan te bevelen.

★★Sheikh Zayed-moskee (Grand Mosque) / Aboe Dhabi (zie p. 72): Reeds van verre ziet de grootste moskee van het land er imposant en bekoorlijk uit. Het interieur is zonder meer luisterrijk, ook al doen de talrijke kroonluchters aan kleurige weckpotten denken.

★★Creek-tour / Doebai (zie p. 110): Een Creek-tour is een must – laat u gewoon overvaren met een **abra** (watertaxi) naar Deira, glij op een gecharterde abra langs de flats of dineer op een **dhow** tijdens een **★dinnercruise** op het water.

★★Dubai Museum (zie p. 121): Onder Doebais oude burcht (uit1787) kunt u in het nieuwe souterrain het bazaarleven uit de jaren vijftig navoelen – tot aan de originele geuren toe.

★★Burj Al Arab / Doebai (zie p. 139): U hoeft echt niet meteen met een helikopter te landen op het platform op 200 meter hoogte om daar het restaurant **Al Muntaha** of de **Skyview Bar** te bezoeken (reserveren met creditcard verplicht; geen vrijetijdskleding).

★★Madinat Jumeirah / Doebai (zie p. 141): Madinat Jumeirah heeft zich ontwikkeld tot een van de populairste trefpunten voor jong en oud, Arabieren en Europeanen. In de steegjes van de nagebouwde markt vindt u weliswaar vooral dure souvenirs, maar er is voor bijna elke smaak wel een fraai gelegen en passend restaurant.

Voorgaande pagina's: Kamelen aan de woestijnhorizon. Bar 360° van het hotel Jumeirah Beach. Rechts: Het Burj al Arab – symbool van voortreffelijke hotellerie.

★★Vu's in de **Jumeirah Emirates Towers / Doebai** (p. 147): het uitzicht vanuit deze bar op de 51ste verdieping is spectaculair (dresscode aanhouden!)

★★Jumeirah Bab Al Shams / Doebai (zie p. 150): Dit woestijnhotel heeft de charme van een voortreffelijke karavanserai. Vanaf het dakterras een prachtig uitzicht op de woestijn bij zonsondergang, daarbij een cocktail. Wie niet wil overnachten, moet op zijn minst de Arabische keuken van het woestijnrestaurant proberen. Dagelijks om 17 uur valkenshow!

★Specerijensouk en **★goudmarkt / Doebai** (zie p. 104 en 108): Op de specerijenmarkt vindt u de ingrediënten uit de Arabische keuken en oriëntaalse afrodisiaca. Ernaast glanzen en glitteren de 300 winkels van de goudmarkt – edelmetaal bijna belastingvrij!

★Local House en **★Basta Art Café / Doebai** (zie p. 125): het restaurant Local House in de **★★Bastakia-wijk** is het gezelligste adres om authentiek voedsel zoals kameelgoulash te proberen; het Basta Art Cafe ernaast serveert snacks op een smaakvol ingerichte binnenplaats van een historisch huis.

★Dubai Mall / Jumeirah (zie p. 130): het momenteel grootste winkelcentrum van Doebai onder aan de Burj Dubai, het hoogste gebouw ter wereld, heeft behalve 1200 winkels een omvangrijk recreatie-aanbod en een van 's werelds grootste aquaria.

★Bait al Wakeel / Doebai (zie p. 155): In een historisch gebouw in Bur

Dubai, pal aan de Creek, biedt dit restaurant met terras voortreffelijke oosterse gerechten en vers gevangen zeevruchten.

***Rooftop lounge & terrace / Doebai** (zie p. 156): De lounge op het dak van het One & Only Royal Mirage Arabian Court Hotel op het Jumeirah Beach is een van de beste plaatsen om een mooie dag met cocktails, sterrenhemel en uitzicht op de zee te laten eindigen.

***Dubai Shopping Festival** in het voorjaar (zie p. 159): tijdig reserveren, want tijdens deze vier weken breekt de hel uit in Doebai. Zelfs als u niets wil kopen: het bijprogramma met shows, concerten, straatfeesten, sportevenementen en loterijen is de moeite waard!

****Sharjah Heritage Area** en **Art Area** (zie p. 171): Alleen al vanwege deze grote Heritage Area moet u overwegen een keer naar Sjardja te rijden. De musea hebben veel te tonen, net als de kunstenaars en het kunstmuseum van de Art Area.

***Vismarkt / Sjardja** (zie p. 170): In de 'visbraderij' aan het eind van de markt kunt u voordelig uw verse aankoop laten bereiden. Zitgelegenheid bieden de plaatsen in de schaduw op het Ittihad Square aan de andere kant van de Al Arouba Street.

***Ras al Khaimah Museum** (zie p. 196): Op het vlak van technische spelletjes kan dit museum het niet opnemen tegen het Dubai Museum, maar het is met liefde voor details ingericht. Als u toch in Ras al-Chaima bent, is een bezoekje de moeite waard.

***Kameelraces**: Tussen de 50 en 60 dieren gaan van start bij een race, en alleen al deze tohuwabohu, tot alle hun plaats hebben gevonden, is een bezoek waard. De beste racestadions zijn het **Al Wathba** (35 km ten zuidoosten van Aboe Dhabi), **Nad al Sheba** 10 km ten zuiden van Doebai en **Al Maqam** bij Al Ayn. In **Al Ayn** is de combinatie **kameelmarkt** en -races aan te bevelen, er is echter geen vaste agenda. Veel races vinden plaats op feestdagen.

Rond 4000 v. Chr. Ongeveer rond deze tijd vestigden de eerste mensen zich in het gebied van de huidige Emiraten.

3500-2700 v. Chr. Hafeet-periode, genoemd naar de graven aan de voet van de Jebel Hafeet bij Al Ayn; vroegste beschaving die hier metaal gebruikt.

2500-1800 v. Chr. Umm al Nar-periode. In delen van de Emiraten en Oman ontwikkelt zich een land, genaamd Magan, dat vanwege zijn koper een belangrijke handelspartner van Mesopotamië wordt. Het handelsnet op het Arabisch Schiereiland strekt zich uit van Al Ayn tot aan de kust van de huidige Emiraten.

1250-350 v. Chr. IJzertijd, talloze vondsten.

550 v. Chr. Onder Cyrus II de Grote wordt de Perzische invloed groter in het gebied van de Emiraten; *falaj*-bewateringskanalen ontstaan.

324 v. Chr. Alexander de Grote geeft zijn navigator Nearchos opdracht de Perzische Golf te verkennen; vermoedelijk houden enkele antieke Griekse nederzettingen in en rond Doebai verband met deze vaart.

2. Jh. n. Chr. De voorvaders van de huidige Arabische stammen verlaten Jemen en verspreiden zich in de eeuwen daarna over het gehele Arabisch Schiereiland.

570-632 Leven van de profeet Mohammed, stichter van de islam.

622 Mohammed vlucht uit zijn geboortestad Mekka naar Medina. Met deze vlucht (*hidjra*) begint de islamitische jaartelling.

633 Arabieren uit Mekka en Medina onderwerpen de Golfkust van de huidige VAE.

711 Arabische veroveraars creëren een islamitisch wereldrijk dat reikt van de Indus tot aan Spanje; de kaliefen resideren in Damascus.

8ste eeuw. De stad Julfar (nabij het huidige Ras Al-Chaima) bezit een belangrijke haven, waarover ook de handel met China verloopt.

1497 De Omaanse navigator Ahmed bin Majid wijst de Portugees Vasco da Gama de weg naar India.

1507-1650 Dankzij betere wapens lukt het de Portugese vloot de kust van Oman en van de Perzische Golf te veroveren.

1515 Portugezen veroveren de haven Julfar.

1761 Stichting van nederzetting Aboe Dhabi door leden van Bani Yas-stammenfederatie, waarvan het nederzettingsgebied aan de rand van het Lege Kwartier bij de Liwa-oase ligt.

1800 De aanhangers van het wahhabisme (een aartsconservatieve stroming van de Soenna-islam) vallen vanuit het gebied van het huidige Saoedi-Arabië de oases rond Al Ayn binnen. In later jaren meerdere aanvallen, voor het laatst in 1952 – toen vanwege de aardolie.

1805 Militaire actie tegen de 'piratenstam' van de Qawasim bij Ras al-Chaima.

1820 Ras al-Chaima wordt volledig verwoest door beschietingen van de Engelse marine in de strijd tegen de piraten, daarop worden verdragen met de emirs gesloten.

Een deur met houtsnijwerk en beslag toont het vakmanschap van eerdere generaties.

1833 Ca. 800 leden van de Bani Yas-federatie verlaten na interne geschillen Aboe Dhabi en trekken weg naar Doebai. Daar bezetten ze de vesting, proclameren hun 'onafhankelijkheid' en stichten een eigen emiraat: Doebai.

1853 Ondertekening van het 'altijddurende vredesverdrag' tussen Groot-Brittannië en de emirs van de golfkust; de Piratenkust verandert in 'Verdragskust'.

1855-1909 Zayed I bin Khalifa al Nahyan, 'Zayed de Grote' genaamd, regeert in Aboe Dhabi.

1902 Perzische kooplieden vermijden de hoge tolbedragen in hun thuishaven en vestigen zich overwegend in Doebai.

1928 Sjeik Shakhbut wordt heerser van Aboe Dhabi.

1930 De uitvinding van de cultivéparel in Japan leidt tot het einde van de traditionele parelduikerij. Indiase kooplieden vestigen zich en Doebai begint met de handel in goud.

1932 In Sjardja wordt het eerste vliegveld geopend: voor het Britse Imperial Airways en de route Engeland – India – Australië.

Sjeik Saeed al Maktoum regeerde over het emiraat Doebai van 1912 tot 1958.

1939 De Britse Iraq Petroleum Company krijgt de olieconcessie voor Aboe Dhabi.

1946 Opening eerste bank in Doebai.

1952 Saoedische troepen bezetten de Buraimi-oase nabij Al Ayn, motiveren dit met territoriale aanspraken uit de eeuw daarvoor – maar het gaat om aardolie. Ze worden gesteund door de Amerikaanse firma ARAMCO.

1958 Aardolievondsten in Aboe Dhabi. Sjeik Rashid bin Saeed al Maktoum wordt heerser van Doebai en stichter van de moderne stad.

1966 Eerste vondsten van olie in Doebai. Sjeik Zayed II bin Sultan al Nahyan volgt zijn broer sjeik Shakbut op als regent van Aboe Dhabi.

1968 Engeland maakt bekend dat het alle bezittingen ten oosten van Suez opgeeft. Begin van de onderhandelingen over de stichting van de VAE; de eerste volkstelling resulteert voor de Emiraten in een inwonertal van 180.000.

1971 Na moeizame onderhandelingen komen de zes emiraten Aboe Dhabi, Doebai, Sjardja, Adjman, Oem al-Koewain en al-Foedjaira tot overeenstemming en op 2 december wordt het verdrag tot het oprichten van de staat ondertekend. Het emiraat Ras al-Chaima sluit zich drie maanden later aan bij de federatie. Hoogste staatsorgaan wordt de 7-hoofdige 'Opperste Raad van sjeiks', met een vetorecht voor Aboe Dhabi en Doebai.

1973 Eerste aardolievondst in Sjardja.

1981 De zes staten langs de Perzische Golf – Saoedi-Arabië, Bahrein, Qatar, Koeweit, VAE en Oman – stichten met het oog op de Iran-Irak-oorlog de Gulf Cooperation Council (GCC); eerst een militair bondgenootschap, nu ook een economische coöperatie.

1985 Doebai richt Emirates Airline op.

1990-91 De Emiraten steunen de internationale alliantie ter bevrijding van Koeweit.

2002 Om buitenlandse kopers te werven kondigt het emiraat Doebai aan dat met het kopen van een luxewoning een 99-jarig woonrecht zal worden verleend.

2003 De bevolking van de VAE is tot 4,04 miljoen gegroeid, met meer dan 75% buitenlanders. De Amerikaanse interventie in Irak wordt door de regering van de VAE afgekeurd.

2004 Op 2 november sterft de eerste president en stichter van de VAE, sjeik Zayed bin Sultan al Nahyan; opvolger wordt zijn zoon sjeik Khalifa bin Zayed al Nahyan. Aboe Dhabi richt een eigen airline op: Etihad.

2006 De emir van Doebai sterft; erfprins is sjeik Mohammed bin Rashid al Maktoum.

2008 Het eerste van de geplande drie kunstmatige eilanden in palmvorm, The Palm Jumeirah, wordt in gebruik genomen in Doebai.

2009 De Burj Dubai, met 818 m het hoogste gebouw ter wereld, nadert zijn voltooiing. De kredietcrisis raakt ook de Emiraten; enkele bouwprojecten zijn voorlopig stopgezet. Doebai heeft voor het eerst in de geschiedenis een begrotingstekort.

GESCHIEDENIS VAN DE VERENIGDE ARABISCHE EMIRATEN

In 1953 was de Britse archeoloog Geoffrey Bibby (1917-2001), samen met Deense onderzoekers, op zoek naar het legendarische *Dilmun*. Dat was een antiek rijk uit de periode rond 2500 v. Chr. Sinds het begin van de 19de eeuw was de wetenschap op de hoogte van het bestaan van dit rijk, dankzij het ontcijferen van Mesopotamische teksten in spijkerschrift. Wat men lange tijd niet wist, was waar men Dilmun en de beide andere in de teksten vermelde rijken, *Meluhha* en *Magan*, moest zoeken. Bibby veronderstelde dat Dilmun op het huidige eiland Bahrein lag en kon dit aan de hand van talrijke vondsten inderdaad bewijzen. Dat duurde lang, want vanwege de hoge zomertemperaturen kon hij alleen in de wintermaanden werken. Bovendien was er weinig tijd en het eiland was groot. Daarom kwam het telefoontje van een vriend, die hem vroeg naar Aboe Dhabi te komen, uiterst ongelegen. De vriend had tijdens de speurtocht naar aardolie iets gevonden wat vermoedelijk interessant was. Pas nadat hij Bibby een vliegticket en accommodatie aanbood, stemde deze toe. Bibby heeft dit uitstapje niet betreurd: op een eiland naast Aboe Dhabi lagen 50 graven die getuigden van een onverwacht hoogontwikkelde cultuur. Voor intensief onderzoek ontbrak in eerste instantie de tijd, maar het kleine eiland gaf een heel tijdperk haar naam. Omdat de grond was bezaaid met vuurstenen doopte men het *Umm al Nar*, moeder van het vuur.

Graven als getuigenissen

Wat begonnen was als een weekenduitstapje, werd een paar jaar later voortgezet met intensief onderzoek. Er werden fragmenten uit diverse tijdperken opgegraven, waaronder pijlpunten, aardewerk, stenen gereedschap en soms ook waardevolle grafgiften. Graven vormen zo'n beetje de hoekstukjes van deze geschiedenispuzzel. Ze helpen bij het oriënteren omdat er nauwelijks nederzettingsresten zijn gevonden. Genoemd naar hun eerste vindplaatsen, staan hun namen tegelijkertijd voor de periode waarin ze zijn ontstaan.

Het beeld, dat grote hiaten vertoont, laat rond 5000 v. Chr. de eerste nederzettingen zien op de plaats van de huidige Emiraten. Waarschijnlijk leefden de mensen van veeteelt, zoals de gevonden botten in wat ooit stookplaatsen waren, doen vermoeden. Pijlpunten en botten van wilde dieren geven aan dat er soms vermoedelijk gazelles werden gebraden. Raadselachtig zijn scherven van potten die worden toegeschreven aan het type Obeid dat rond 4500 v. Chr. in het afgelegen Irak werd vervaardigd. Tot op de dag van vandaag is onduidelijk hoe ze bij de vindplaatsen bij onder andere Oem al Koewain en Ras al-Chaima terecht zijn gekomen.

Umm al Nar, moeder van het vuur

In het team van Bibby werkte een Duitse, Karin Frifelt, die ook het binnenland introk en aan de voet van de Jebel Hafeet zeldzame graftorentjes vond die qua vorm lijken op een bijenkorf. Ze vormen, samen met nieuwere scherven van potten en de eerste metalen voorwerpen, het eenduidige bewijs van een verdere culturele ontwikkeling, die rond 3500 v. Chr. begon. Daarvoor begroef men de doden in eenvoudige graven van aarde, nu bouwde men uit grof gehouwen stenen graven met muren uit twee lagen. Van koper en brons maakte men wapens. In de daaropvolgende duizend jaar, die deze *Hafeet-periode* omvat, werden de keramiek en de graven verfijnder en vanaf 2500 v. Chr. maakte het gebied van de VAE deel uit van het

Links: Spinnen met een handwiel, gedemonstreerd door een vrouw in traditionele kleding, een boerka.

cultuurgebied *Umm al Nar*, waarvan Bibby later de overblijfsels zou vinden. Die zijn niet zo indrukwekkend als de in deze tijd in Egypte ontstane piramides, maar ze geven de VAE wel een plaats in de prehistorie. Het heet dat de toenmalige gouverneur van Al Ayn, tevens latere president van de Emiraten, sjeik Zayed, zich begin jaren 1960 verwonderde over zeldzame quadersteen die hij in de buurt van zijn woonplaats in het zand ontdekte. Hij nodigde de op Umm al Nar werkende archeologen uit om zijn 'vondst' te bekijken en die waren opgetogen. Ze stonden voor precies dezelfde graven als die langs de kust. Zo werd duidelijk hoe groot dit cultuurgebied moet zijn geweest, temeer omdat later ook in alle andere Emiraten nieuwe bovengrondse graven werden gevonden. Hun ronde muren bestonden uit precies passende blokken kalksteen, de ingangen waren gesloten en versierd met afbeeldingen van kamelen, oryx-antilopen of stieren. Binnenin waren meerdere kamers die generaties lang met doden werden gevuld. Op Umm al Nar zijn ook nederzettingen uit deze periode bewaard gebleven. Daarin bevonden zich onder andere koperen vishaakjes en zorgvuldig bewerkt aardewerk, op pottenbakkersschijfen gemaakt. Geoffrey Bibby schreef daarover: 'We moeten onze mening over ongeciviliseerde vissers uit het prehistorische Aboe Dhabi zeker herzien.'

Boven: Opgravingen van een oeroude nederzetting bij Hili (Al Ayn). Rechts: De Great Hili Tomb, een gerestaureerd rond graf, is meer dan 4000 jaar oud.

Prehistorisch handelsnet

Teksten in spijkerschrift berichten over drie grote rijken, die samen met Mesopotamië een dicht handelsnet vormden. Daartoe behoorde, behalve Dilmun, ook Meluhha, dat in het Indusdal (Pakistan) lag en dat met de Harappacultuur in verband werd gebracht. Vierde in het verbond was het koperland *Magan*, waarvan de mijnen lagen in het Hajjargebergte van de huidige staten Oman en VAE. Blootgelegde smeltovens, gietmallen en staven laten

zien hoe het begeerde koper in een handzaam formaat werd gegoten. Daarna ging het per karavaan van Al Ayn naar de kust, waar meerdere havens lagen. Afgaande op de vondsten werd vermoedelijk het merendeel vanuit Umm al Nar naar Mesopotamië verscheept. Dilmun, Meluhha en Magan waren echter niet alleen 'leverantielanden' van de Soemeriërs in Mesopotamië, maar leverden ook druk aan elkaar, zoals talloze keramiekvondsten van de Harappacultuur langs de kust van de Emiraten laten zien.

Rond 2000 v. Chr. stortte het net in. Het Indusdal werd geteisterd door overstromingen en Indogermaanse stammen en ook Magan verdween in deze periode uit de annalen van de Soemeriërs. Waarom is onduidelijk. Men vermoedt dat de koperproductie tot stilstand kwam omdat er geen brandhout meer was om de ovens te stoken. Alleen het door Geoffrey Bibby opgegraven Dilmun bleef bestaan, het einde daarvan is niet precies gedateerd. De nederzettingen langs de kust van de Emiraten bleven weliswaar bestaan, maar hun bloeitijd was voorbij en in de daaropvolgende eeuwen, toen koper door ijzer werd vervangen, speelden verschillende Perzische dynastieën een gastrol in de VAE.

De Perzen

Een begin maakten de Achaemeniden, wiens koning Cyrus II, ook wel de Grote genoemd, rond 550 v. Chr. de kust domineerde. Aan deze Perzische invloed was het geniale bewateringssysteem (*falaj*) te danken, waarmee de oases met grondwater uit de bergen konden worden voorzien. Toen Alexander de Grote na de slag bij Issos (333 v. Chr.) Perzië overvleugelde, nam hij genoegen met het verkennen van de Perzische Golf door zijn officier Nearchos.

Later waren het de Parthen die vanuit Perzië tot in de 3de eeuw n. Chr. de Golf beheersten. Uit deze beginperiode zijn interessante dingen opgegraven uit de bodem van de Emiraten, waaronder mallen om munten te gieten, graven van kamelen en paarden – de laatste met gouden amuletten versierd. Uit de peri-

odes na de geboorte van Christus zijn zelfs Griekse amforen en Romeinse wijnglazen bewaard gebleven – een aanwijzing voor de ontspannen levenswijze van de Parthen. Een beetje te ontspannen, zoals blijkt: rond 240 n. Chr. werden ze door de uit Perzië afkomstige Sassaniden opgevolgd, die het land Mazun doopten en het tot aan de islamisering van het Arabisch Schiereiland in de 7de eeuw beheersten.

Voor de latere bevolking van de Emiraten is een andere gebeurtenis van belang, die moeilijk precies is te dateren, maar die ongeveer rond 200 n. Chr. begint. Op het gebied van het huidige Jemen verslechterde door de neergang van de wierookhandel de economische situatie en de in stammen georganiseerde bevolking begon te emigreren. Delen van de Azd-stam weken uit naar het noorden en oosten van het Arabisch Schiereiland. De laatste groep handhaafde zich tegen de in het huidige Oman wonende Perzen en vestigde zich ook aan de oostkust van de Emiraten. De naar het noorden uitgeweken stammen bevolkten eerst het binnenland van het Arabisch Schiereiland. In latere eeuwen trokken afzonderlijke stammen opnieuw naar het zuiden en bevolkten de woestijnregionen bij Aboe Dhabi. Veel van de tegenwoordig in de Verenigde Arabische Emiraten levende stammen kunnen hun afkomst terugvoeren tot deze Azd-stam.

Boven: Na de dood van Mohammed in 632 vestigde de islam zich op het Arabisch Schiereiland (moskee in Hatta). Rechts: Al in de 13de eeuw brachten Arabische schepen specerijen uit India naar de Golfkust.

De periode van de islam

Rond 430 n. Chr. legde bisschop Nestorius in het verre Constantinopel de grondslag voor de leer van de twee naturen van Jezus Christus – menselijk en goddelijk. Dat was voor het Concilie van Ephesos reden om hem in 431 af te zetten. Maar de Sassaniden liepen niettemin warm voor de christelijke leer van Nestorius die naast die van Zarathustra tot de tweede religie van de Sassaniden werd. In de Emiraten vonden archeologen op het eiland Sir Bani Yas, ca. 170 km ten westen van Aboe Dhabi, de resten van een Nestoriaans klooster uit de zesde eeuw. Of het geloof zich ook op het vasteland heeft verspreid, is niet overgeleverd. Daar was ook niet veel tijd voor, want uit het hart van het Arabisch Schiereiland ontstond een nieuwe religie: de islam. Die kreeg snel aanhangers, ook bij de mensen langs de kust van de Golf, maar het is niet zeker wanneer en door wie hen deze nieuwe leer werd bijgebracht. Bepalend was de periode na de dood van de profeet Mohammed in 632. Toen kwam het tot twisten over de opvolging binnen de jonge gemeenschap, maar vanaf 650 zorgde de dynastie van de Umayyadenkaliefen vooralsnog voor stabiliteit. Weliswaar lagen de Emiraten ver weg van het toenmalige machts- en religieuze centrum Damascus, maar in het dichterbij gelegen Perzië vestigden zich the-

ologische scholen die niet alleen de islam consolideerden, maar ook de Arabische taal verspreidden in de buurlanden.

Vanaf 750 heersten de Abbasiden in Bagdad. Hun beroemdste kalief was Haroen al-Rashid (786-809), bekend uit *De sprookjes van 1001 nacht* en de daarin voorkomende verhalen over Sinbad de Zeeman. Die was weliswaar oorspronkelijk afkomstig uit de stad Sohar in Oman, maar zijn verhalen spelen in een tijd waarin de overzeese handel een hoge vlucht nam.

In Arabische geschriften uit deze periode duikt steeds opnieuw de naam van een stad op, *Julfar.* Die lag in de buurt van het huidige Ras al-Chaima. De bewoners leefden er in houten huizen, behoorden tot de stam van de Azd en dreven levendige handel tot in het verre China. Hun schepen keerden rijk beladen met zijde en porselein terug. Het was een goede tijd, maar met weinig bijzondere gebeurtenissen. In het binnenland beleefde de koperwinning door verbeterde smeltovens een korte wederopleving en in de zee van de Perzische Golf werd naar kostbare parels gedoken.

Alleen de gewapende conflicten tussen de beroemde havens uit die periode zorgden voor onrust. Het Perzische Basra, Julfar en Sohar streden om de hegemonie en halverwege de 10de eeuw lukte het de Perzische Boewaihiden om niet alleen Julfar, maar ook Sohar samen met zijn vloot te verwoesten. De Boewaihiden konden zich echter niet lang handhaven en in de komende eeuwen beheerste het koninkrijk Hormoez de Perzische Golf en de zeehandel.

Waar ligt India?

Tijdens zijn reis naar China bezocht Marco Polo in 1272 de stad Hormoez, die hij als zeer welvarend beschreef. ‘Handelaren kwamen uit India, hun schepen volgeladen met specerijen, edelstenen, parels, zijden stoffen, goud, ivoor en veel andere waren, die ze aan de handelaars van Hormoez verkochten.’ Een Perzisch spreekwoord luidde: ‘Als de wereld een ring zou zijn, dan zou Hormoez daarop glanzen als een

edelsteen'. Tot dit koninkrijk behoorde ook de stad Julfar; zijn beroemdste inwoner werd rond 1432 geboren en zou de beste zeevaarder en navigator uit zijn tijd worden: Ahmed bin Majid. Op de leeftijd van 65 jaar kende hij de Indische Oceaan als zijn broekzak en ontmoette hij tijdens een verblijf aan de Oost-Afrikaanse kust een Europese collega, die niet wist hoe hij verder moest. Dat was de Portugees Vasco da Gama.

Europa kende pas dankzij de beschrijvingen van Marco Polo alle schitterende waar die via de gevaarlijke weg van de zijderoute werd getransporteerd, vervolgens door Arabische tussenhandelaars verder werd vervoerd en onder andere in Venetië tegen enorme bedragen werd verkocht. Daarom koesterde iedere Europese staat al heel lang de wens om zelf bij de bronnen te komen, de handel te controleren en op die manier rijk te worden. Maar de zijderoute lag buiten de Europese controleposten. Noord-Afrika, het Nabije en Midden-Oosten werden beheerst door moslims, en de enige oplossing was om de zeeroute naar India te ontdekken. Terwijl een Italiaan in opdracht van Spanje de verkeerde kant op zeilde en vervolgens in 1492 Amerika ontdekte, tastten de Portugezen de Afrikaanse kust af richting het zuiden, tot Bartholomeus Diaz in 1487 de Kaap de Goede Hoop rondde. Zijn bemanning wilde echter niet verder en zo liet hij de zoektocht naar het laatste deel van de route over aan zijn collega Vasco da Gama, die in 1497 op de Oost-Afrikaanse kust landde en naar de weg moest vragen. Volgens de legende ontmoette hij daar de genoemde Ahmed bin Majid, die zich bereid verklaarde hem de weg te wijzen. Op 20 mei 1498 aanschouwde Vasco da Gama de Indiase stad Calcutta. En nog tijdens zijn leven zou Ahmed bin Majid voorvoeld hebben hoe het christelijke Europa hem zijn dank zou betonen voor zijn hulpvaardigheid.

Boven: Vasco da Gama profiteerde van de navigatiekennis van Ahmed bin Majid uit Julfar. Rechts: Elizabeth I van Engeland richtte de East India Company op om de handelsroutes naar India veilig te stellen, concurrerend met Holland en Portugal.

De Europeanen

Slechts vijf jaar later dook een vloot van zes schepen op in Arabische wateren onder commando van Afonso de Albuquerque. Deze benutte zijn wapentechnische overwicht en bracht met zijn zware kanonnen elk Arabisch schip tot zinken dat hij tegenkwam. Een paar steden, zoals Khor Fakkan, boden tegenstand, maar ze werden verwoest, de bevolking uitgemoord. Andere gaven zich zonder enig verzet over. Vanaf 1507 beheerste Portugal de zeeroute en handel langs de Arabische kust en groeide uit tot een Europese grootmacht. De basis van de Portugezen lag op het eiland Hormoez. Julfar was eveneens in Portugese handen en de komende 70 jaar bleef Portugal de enige Europese zeemogendheid in deze contreien.

Vanaf 1580 begon de neergang, toen

verschillende naties de onbeperkte machtspositie van Portugal in Arabië en Europa aantastten. In dat jaar viel Portugal het Habsburgse Spanje aan. Vervolgens brak de beurt aan van de Engelse koningin Elizabeth I. Die liet eerst haar rivale Maria Stuart onthoofden. Een jaar later, in 1588, zonk de Spaanse armada in de kruitdamp van Engelse kanonnen. Op die manier aangemoedigd, richtte de koningin de handelsmaatschappij East India Company op om zich te mengen in het pokerspel rond India. In 1601 stuurde ze een eerste schip uit, dat twee jaar later terugkeerde, volgeladen met kostbare peper uit 'Oost-Indië' (het huidige Indonesië). Daarmee daagde ze een derde zeemogendheid uit, die uiterst succesvol handel dreef met het verre Oosten. Sinds 1595 opereerden Hollandse kooplieden in Azië, die zich nu eveneens organiseerden en de Verenigde Oost-Indische Compagnie (VOC) oprichtten. Portugal, Engeland en Nederland stonden daarmee als vijanden tegenover elkaar in de strijd om de zeeën rond Arabië. Maar ook ter plekke veranderde er iets. Sinds ca. 1500 regeerde het geslacht van de Perzische Safawiden in Iran, waarvan de belangrijke haven Bander-e-Abbas door de Portugezen was bezet. In 1602 wonnen de Perzen met de verovering van het eiland Bahrein een eerste slag tegen Portugal.

Ooit verscheen ook een Ottomaanse vloot voor de kust van Oman die rond 1581 kort de havenstad Muskat veroverde. De Turken konden zich echter niet handhaven en werden definitief door de Portugezen verjaagd. Eerst waren het de Engelsen die de Safawiden als partners terzijde stonden bij de verovering van hun haven Bander-e-Abbas en hiermee invloed kregen in de Perzische Golf. Een belanrijker succes was de Anglo-Perzische expeditie in 1622 tegen Hormoez, waardoor de Portugezen de hoofdbasis van hun vloot kwijt raakten, die daarop naar Muscat werd verplaatst. De Britten waren hard op weg Portugal als enige macht op te volgen. Want in 1650 slaagde de sultan van Oman erin Muscat te veroveren en de Portugezen definitief uit de wateren van Arabië te verdrijven.

In Europa begon een oorlog tussen Engeland en Holland om de hegemonie op zee, die zijn schaduw vooruitwierp tot aan Arabië. Holland had zich daar tot dan toe weinig vertoond. De annalen vermelden slechts een verkenningsvaart van de 'Zeemeeuw' onder kapitein Claes Speelman in het jaar 1645. Hij had de opdracht naar nieuwe handelsplaatsen te zoeken. Aan hem zijn de eerste Europese gegevens te danken over steden uit de Emiraten, zoals Dibba aan de oostkust.

De gesel van de Indische Oceaan

In de laatste Portugese documenten voor hun vertrek duikt voor het eerst de naam op van een stam uit de Emiraten die later meer van zich zal laten horen: de Qawasim. Maar eerst was het tijd voor de Omaanse zeevaarders. Met de verovering van Muscat viel de Omani's een deel van de Portugese vloot in handen. Ze werden zo machtig dat ze door de Europeanen als de gesel van de Indische Oceaan werden gevreesd. De Safavieden betreurden de neergang van hun handelszaken in Bander-e-Abbas omdat Muscat al het handelsverkeer naar zich toetrok. Ze vroegen niet de Engelse maar de Hollandse vloot om steun, wat de rivaliteit tussen de beide Europese mogendheden aanwakkerde. Om de Hollandse belangen veilig te stellen stuurde de Gouverneur van Sri Lanka, Rijklof van Goens, in 1666 de 'Meerkat' naar de Perzische Golf. Het kwam niet tot gevechten, maar er ontstonden wel nieuwe gedetailleerde beschrijvingen over de kust van de Emiraten.

Tot begin 18de eeuw heerste er een min of meer harmonisch evenwicht tussen Perzen, Engelsen en Hollanders. Daarna veranderden verschillende gebeurtenissen de situatie, waardoor Engeland uiteindelijk nog slechts één tegenstander zou hebben, de stam van de Qawasim uit de Emiraten.

Rechts: Tot aan de uitvinding van de cultiveparel in Japan in 1930 deden de Emiraten goede zaken met de parelhandel.

Eerst brak in Oman een burgeroorlog uit die het voorlopige einde van deze grote zeevaardersnatie betekende. De Qawasim namen de gelegenheid waar en probeerden hun invloedssfeer uit te breiden door het oprichten van handelsposten in de Perzische Golf. Het rijk van de Safavieden was door binnenlandse conflicten verzwakt, probeerde zich tegen de oprukkende Qawasim te verdedigen en ging voor korte tijd een bondgenootschap aan met de Hollanders. Maar in Europa won Engeland definitief terrein in de oorlog tegen Nederland, dat zich daarop langzaam uit Arabië terugtrok. Ook het Perzische Safaviedenrijk overleefde niet en vanaf 1750 waren alleen nog Engeland en de Qawasim over in de strijd om de suprematie.

Van Piratenkust naar Verdragskust

De geschiedenis uit deze tijd concentreert zich op de zee, aan land gebeurde weinig. Terwijl in Europa een zekere Mozart op de leeftijd van zes jaar zijn eerste muziekstuk componeerde, trok in 1761 een bedoeïenenstam uit het binnenland van de Emiraten naar de op 180 km afstand gelegen kust en stuitte daar op een eiland dat beviel als nieuwe nederzettingsplaats vanwege het daar aanwezige zoete water. Daaruit ontstond later de hoofdstad Aboe Dhabi.

Vier jaar later reisde de Duitser Carsten Niebuhr langs de oostkust van Zuid-Arabië en berichtte over de plaats Khor Fakkan die in bezit was van de Qawasim. Die hadden steeds schermutselingen met de Engelsen, omdat ze de Perzische Golf beschouwden als hun geboortegrond, waar de Engelsen niets te zoeken hadden. Die op hun beurt waren van mening recht te hebben op het uitbuiten van India en op een veilige weg erheen en betitelden hun Arabische tegenstanders als piraten. De Arabieren dreven bovendien traditioneel slaven-

handel wat het christelijke Groot-Brittannië in de 19de eeuw langzamerhand niet meer wilde dulden. De Britten maakten daarom jacht op de slavenschepen van de Arabieren en de Qawasim overvielen Britse handelsschepen.

Rond 1819 ten slotte vielen de Engelsen onder het commando van William Grant Keir de als Piratenkust aangeduide regio aan rond Ras al-Chaima, de thuishaven van de Qawasim. Die verdedigden zich eerst met succes, maar een jaar later werd de plaats volledig verwoest. Voor de zekerheid beschoot de Engelse vloot ook meteen Sjardja en Doebai om zijn macht te demonstreren. Aansluitend werden de eerste overeenkomsten met lokale sjeiks gesloten. Uiteindelijk ging het Engeland erom de lange zeeweg naar India veilig te stellen. Die was steeds opnieuw blootgesteld aan nieuwe bedreigingen, dat had de Fransman Napoleon Bonaparte hen duidelijk laten zien. Weliswaar mislukte diens onderneming om via Egypte vanuit het noorden in het Britse koloniale rijk door te dringen, maar Engeland was gewaarschuwd.

Nieuwe verdragen met de lokale heersers van de Golfkust volgden, zoals het in 1853 bereikte 'altijddurende vredesverdrag'. Op landkaarten veranderde de Piratenkust nu in de gewaardeerde 'Verdragskust' (*Trucial States*). Omdat zich in het nabije Perzië aan het einde van de 19de eeuw nieuwe Europese naties, zoals bijvoorbeeld Duitsland, hadden gevestigd met handelsnederzettingen en Rusland en Frankrijk grote interesse vertoonden voor de regio, probeerde Engeland zijn bondgenoten door middel van exclusieve verdragen dichter aan zich te binden. In 1892 zegden de emirs de Britten toe met geen andere natie diplomatieke of economische betrekkingen aan te gaan. Als tegenzet garandeerde men hen zich niet te mengen in interne aangelegenheden.

De moderne tijd breekt aan

Economisch ging het de emirs voor de wind. De parelhandel bloeide en alleen al in de haven van de Emiraten lag een vloot van bijna 1000 boten van parelduikers. Het emiraat Doebai ontwik-

kelde zich na zijn oprichting in 1833 tot een van de belangrijkste handelsplaatsen van de streek. Maar toen in 1930 in Japan de cultivéparels in serie werden geproduceerd, stortte de parelhandel in en de sjeikdommen zakten weg in armoede, afgezien van Doebai. De speurtocht naar aardolie wekte verwachtingen maar pas in 1966 spoot uiteindelijk de eerste, langverwachte zwarte fontein uit de grond.

De sjeikdommen vielen weliswaar niet onder Brits protectoraat, want deze politieke status zou een inmenging van Engeland in de interne conflicten tussen de stammen hebben betekend, niettemin waakte het empire heel goed over de verdere ontwikkeling. Men plaatste een vertegenwoordiger van de Britse regering in Doebai en organiseerde tegelijkertijd een regelmatige vergadering voor de hoogste sjeiks, de *Trucial States Council*, om omstreden vragen gezamenlijk op te lossen. Een essentiële vraag was de toekomstige loop van de grens, zowel tussen de afzonderlijke emiraten als tussen de buurlanden. In 1955 hadden Saoedi-Arabische troepen een paar oases bij Al Ayn bezet en dit verantwoord met historische aanspraken op het gebied. Een betere smoes viel de Amerikaanse oliemaatschappijen, die erachter staken, niet in. Ondanks een geslaagde diplomatieke oplossing maakte dit voorval duidelijk dat er nieuwe spanningen te verwachten waren. Zorgen baarden ook de ontwikkelingen in Iran, waar de sjah na onlusten en een kort ballingschap in 1953 met ijzeren hand (en Amerikaanse steun) maatregelen nam en zijn land bewapende. Hij maakte geen geheim van zijn verering voor het grote Perzische rijk uit de klassieke oudheid en de Golfkust vreesde territoriale aanvallen. In deze situatie kondigde Engeland in 1968 zijn terugtocht aan uit alle gebieden ten oosten van het Suezkanaal en veroorzaakte daarmee in eerste instantie ontzetting. Nadat men van de eerste schrik was be-

Boven: Sjeik Zayed II bin Sultan al Nahyan uit Aboe Dhabi, eerste president van de VAE. Rechts: Sjeik Rashid bin Saeed al Maktoum uit Doebai was de eerste minister-president van de VAE.

komen, zochten de leiders uit Bahrein, Qatar en de zeven emiraten naar een oplossing.

Daar zaten zodoende negen eerbiedwaardige stamleiders, die gewend waren onafhankelijk en soeverein de lotgevallen van hun territoria te leiden. De economische condities waren volledig verschillend, want niet in alle emiraten werd olie gevonden. Bahrein en Qatar verlieten al snel de onderhandelingen, omdat zij tot de gelukkige oliebezitters behoorden en op grond van de geografische afstand hun toekomst zagen in een eigen soevereine kleine staat. De zeven overblijvende onderhandelingspartners twistten erover hoe een gemeenschappelijke regering kon worden gevormd en hoeveel bevoegdheid ieder aan deze centrale regering zou moeten afstaan. Eind 1971, kort voor het vertrek van de Britten, werden de heren uit Aboe Dhabi, Doebai, Sjardja, Adjman, Oem al-Koewain en al-Foedjaira het eens en zo werd op 2 december de nieuwe federatie onder de naam *Al Imarat al Arabiyya al Muttahida*, Verenigde Arabische Emiraten (VAE), in het leven geroepen. Drie maanden later ondertekende vervolgens ook sjeik Saqr bin Mohammed al Qasimi, emir van Ras al-Chaima, de toetredingsacte. Naar men zegt, had hij eerst het resultaat van een boring naar aardolie afgewacht, die echter zonder resultaat bleef.

Het regeringssysteem van de VAE

Leest men in westerse tijdschriften over de politieke systemen van het Nabije Oosten, dan wordt vaak 'meer democratie' geëist. Dat mag – uit westers oogpunt – gewettigd zijn, niettemin wordt daarbij vaak over het hoofd gezien dat deze landen een andere traditie, andere denkbeelden over mensenrechten en een andere historische achtergrond hebben. In het oosten hebben bovendien juist de democratische westerse staten met hun koloniale machtspolitiek, intriges (in Arabische optiek 'samenzweringen') en gebroken beloftes (zoals het Brits-Franse Sykes-Picotverdrag uit 1916, dat de Arabieren destijds al onafhankelijkheid beloofde) niet de allerbeste indruk achtergelaten.

Tegenwoordig ziet de Arabische wereld zich geconfronteerd met de eis uitgerekend democratieën zoals de VS of Groot-Brittannië tot voorbeeld te nemen, die – vermoedelijk om redenen van energiepolitieke en strategische aard – hun soldaten onder een dubieus voorwendsel naar de soevereine Arabische staat Irak sturen, terwijl het langdurige vraagstuk over de Palestijnse kwestie, dat de Arabische ziel kwelt, zonder bevredigend antwoord blijft.

Arabische landen hebben sinds 1950 al het een en ander uitgeprobeerd: feodalisme, dictatuur, nationalisme, socialisme, communisme en islamisme – en veel blijkt de verkeerde weg te zijn geweest. De Arabieren willen hun eigen regeringsvormen vinden. Daarbij kan het westen weliswaar helpen, maar het moet niet willen beslissen. Het politieke systeem in de olierijke VAE lijkt in ieder geval stabiel.

De positie van een emir aan de Golfkust laat zich op grond van de historische stammenmaatschappij vereenvoudigd beschrijven als die van een landsheer. Hij was verantwoordelijk voor het wel en wee van zijn volk, en door bedachtzaam te regeren en rechtvaardig te handelen, soms ook door pressie, onderwierpen andere stammen zich aan hem. Hoe groter de gemeenschap, des te groter de kans om in de strijd om weiderechten en drinkplaatsen te winnen. Tegen een meedogenloze despoot zouden de stammen zich snel hebben verzet. Bovendien moest hij over een zekere welvaart beschikken, want er werd van hem ook verlangd zijn 'onderdanen' in tijden van nood te onderhouden. Hoe meer aanzien een emir had, des te voornamer en daarmee invloedrijker werd zijn familie. In de loop van de tijd bepaalde ze als een soort gewoonterecht de opvolger, waarbij elke nieuwe emir aan zijn voorganger werd gemeten en zich moest bewijzen.

Boven: Deze vlag symboliseert de gemeenschappelijke staat van de zeven emiraten.

Het huidige regeringssysteem is in gewijzigde vorm gebaseerd op dit systeem. Bij de stichting van de staat in 1971 groeide uit het voormalige 'Trucial Council' de Opperste Raad (Supreme Council), waarin alle zeven emirs zijn vertegenwoordigd. Ieder heeft een stem, vijf zijn genoeg voor een besluit. In de Opperste Raad wordt een gemeenschappelijke economische, buitenlandse- en defensiepolitiek vastgelegd. Ook op het gebied van gezondheid en onderwijs neemt de raad wezenlijke en voor alle emiraten bindende besluiten. De zeven emirs blijven vooral autonoom op het gebied van de wetgevende macht voor hun machtsgebied. Daaruit vloeiden in het verleden bijvoorbeeld verschillende toelatingsbepalingen voort.

Op grond van hun economische overwicht hebben de emirs van het olierijke Aboe Dhabi en van het handelscentrum Doebai een vetorecht. President en 'landsheer' van de gekozen monarchie werd sjeik Zayed, lid van de machtige Al Nahyan-familie en emir van Aboe Dhabi, het rijkste emiraat dat de federatie ook daadwerkelijk financiert. Na zijn dood leverde deze familie – en zal dat ook in de toekomst doen – zijn opvolger, sjeik Khalifa bin Sultan. De door de president benoemde vice-president is tegelijkertijd minister-president en afkomstig uit de machtige Maktoum-familie uit Doebai. Tussen 1958 en 1990 was dat sjeik Rashid bin Saeed al Maktoum, van 1990 tot 2006 sjeik Maktoum bin Rashid al Maktoum, sinds 2006 sjeik Mohammed bin Rashid al Maktoum. De president uit Aboe Dhabi en de minister-president uit Doebai benoemen de leden van de 21-koppige ministerraad, die weliswaar allen een academische opleiding hebben genoten, maar belangrijker voor hun benoeming is hun afkomst uit een van de heersende families of families die daarmee nauw verwant zijn.

De derde belangrijke raad is de Nationale Federatieraad, waarvan de veertig leden door de emirs worden benoemd (de helft daarvan in de toekomst indirect door kiesmannen). De raad heeft weliswaar 'slechts' een adviserende functie, desondanks moet de ministerraad de leden toch zijn wetsontwerpen voorleggen, die vervolgens kunnen worden verworpen. Partijen en vakbonden bestaan niet en de vele gastarbeiders hebben geen rechten. De immense rijkdom aan olie speelt een niet te onderschatten rol bij het functioneren van dit systeem en de vraag hoe het na het opdrogen van de oliebronnen verder moet, blijft open.

De Gulf Cooperation Council

Na de stichting zocht de nieuwe staat snel aansluiting bij de internationale statengemeenschap, niet in de laatste plaats op grond van de sterker wordende bedreiging door Iran, dat in 1971 drie tot het emiraat Sjardja behorende eilanden met veel aardolie bezette. Aboe Dhabi was al sinds 1967 lid van de OPEC, nu werden ook de VAE lid; nieuwe lidmaatschappen volgden in de VN en de Arabische Liga. Inmiddels worden er diplomatieke betrekkingen onderhouden met zo'n 150 landen. Terwijl de Emiraten tijdens de Irak-Iranoorlog tussen 1980 en '88 nog de agressor Saddam Hussein financieel ondersteunden, steunden ze in 1991 het internationale bondgenootschap ter bevrijding van Koeweit na het binnentrekken van het Iraakse leger door vluchtelingen op te nemen en militaire steunpunten voor geallieerde troepen en eigen soldaten beschikbaar te stellen. Net als in veel andere Arabische landen echter vond het binnenmarcheren van VS- en Britse troepen in Irak in 2003 bij de burgers van de Emiraten geen grote bijval.

De Irak-Iran-oorlog was een wezenlijke reden voor de aan de Golf gelegen staten, Verenigde Arabische Emiraten, Saoedi-Arabië, Koeweit, Qatar, Bahrein en Oman, om in 1981 aan de onderhandelingstafel te gaan zitten en een unie te stichtten: de Gulf Cooperation Council (GCC). Was oorspronkelijk een nauwere militair-strategische samenwerking het doel, allang is de raad veranderd in een economische unie die op dit moment ook over een gemeenschappelijke muntsoort beraadslaagt.

Welvaartsstaat voor ingezetenen van de Emiraten

De burgers van de Emiraten gaat het goed, want de welvaartsstaat stelt hen (in tegenstelling tot gastarbeiders) al het noodzakelijke ter beschikking. De medische voorzieningen zijn uitstekend en zoveel mogelijk gratis – indien nodig ook een speciale behandeling in het buitenland. De ziekenhuizen zijn uitgerust met de nieuwste technische apparatuur. Kinderen betalen in de Emiraten vanaf de basisschool tot aan het diploma van een universiteit geen les- of collegegeld. Hoe familievriendelijke politiek wordt bedreven, laat het emiraat Aboe Dhabi zien: daar krijgen pasgetrouwden een eigen huis evenals een startte-goed van 17.000 euro – niet alle VAE-burgers zijn immers oliesjeiks.

CULTUUR

Bevolking

Bedoeïen: het woord wekt associaties op met kampvuur, vrijheid en kameelritjes door uitgestrekte woestijnlandschappen – maar slechts voor Europeanen. Honger, hitte en permanente dorst passen niet in het romantische beeld dat men zich in de westerse wereld vormt van het leven in de woestijn. Praat men met de oudere generatie in de Emiraten, dan blijkt de romantische rit op een kameel een dagenlange kwelling en een zoektocht naar koele weidegrond. Zelfs T. E. Lawrence, van de beroemde roman *Lawrence of Arabia*, beschreef dit bestaan als een leven aan de rand van de dood.

Tot aan de stichting van de staat in 1971 en totdat de oliewinning begon, leefden de mensen onder deze zware omstandigheden. De nieuwe staat telde precies 180.000 inwoners. Aboe Dhabi en Doebai waren dorpjes van palmbladhutjes (*barastis* of *areesh*). Alleen welgestelde kooplieden in parels en de regerende sjeiks konden zich solide huizen uit koraalsteen permitteren.

Langs de kust leefde men van de visvangst, de schaarse opbrengst van minimale landbouw en de parelduikerij. Dat laatste was een zwaar levensonderhoud. Het werk was levensgevaarlijk. De soms honderd duiken per dag tastten de longen aan, het zoute water beschadigde de ogen, kwallen en haaien vormden een andere bedreiging. Om hun families tijdens hun afwezigheid, die meerdere maanden duurde, te kunnen onderhouden, lieten de duikers hun loon vooruit betalen. Stierf een van hen, dan moesten broers of zonen hem vervangen. In het binnenland voedden de oases met hun dadelbomen de vaste bewoners en rondtrekkende bedoeïenen.

Links: De bevolking van de Emiraten bestaat overwegend uit soennitische moslims.

In deze omgeving had een enkeling amper overlevingskansen, daarom was de gemeenschap zo belangrijk. De kleinste eenheid binnen deze maatschappij was de familie. Meerdere families vormden een clan. Wanneer diverse clans zich aaneensloten vormde men een stam waarvan de verbindende schakel een gemeenschappelijke voorvader was. De stammen heersten niet over een samenhangend territorium, maar claimden alle regio's waar de bijbehorende clans en families gevestigd waren. Dat had o.m. de stichting van de VAE tot gevolg, waardoor de stad Khor Kalba werd toegevoegd aan het bestuursgebied van de emir van Sjardja, hoewel het territorium eromheen tot het emiraat al-Foedjaira behoort.

Hoewel met het creëren van een moderne staat ook een nationaal gevoel ontstond, spelen de oude structuren nog altijd een belangrijke sociale rol. Terloops zij opgemerkt dat ook bij het bezetten van belangrijke ambten in de politiek en economie een historische band met bepaalde stamfamilies van de heersende clans tot voordeel strekt.

De familie is nog altijd het sterkste bindende element en het is vanzelfsprekend dat men elkaar onderling steunt. Zo zegt de broer misschien een reis naar het buitenland af, omdat hij liever een financiële bijdrage levert aan het huwelijksfeest van zijn zus.

Tegenwoordig leven meer dan vier miljoen mensen in de VAE. Meer dan de helft daarvan in de drie grote metropolen Aboe Dhabi, Doebai en Sjardja. Maar slechts een kwart daarvan zijn 'locals', dus autochtonen, de rest, de zogenaamde 'expats', (van *expatriate*, gastarbeider) komt uit bijna 140 verschillende landen. Met het begin van het aardolietijdperk begon de massale toevloed van buitenlandse arbeidskrachten die het veelal ontbrak aan technische know how. In de eenvoudige beroepen werken Indiërs als metselaar of tuinman, Pakistani als taxichauffeur – wat soms tot ongewilde rondritten door de

stad kan leiden – en bijna elk huishouden heeft een Filippijnse als kindermeisje en dienstbode, een Indiase tuinman en wellicht nog een chauffeur. In de armere Arabische landen in Noord-Afrika staan de bewoners van de Golfstaten bekend als verwaand en arrogant. Maar hun landen bieden werk, en zo zet menig Marokkaan, Egyptenaar of Jordaniër zijn trots aan de kant en gaat als kelner, hotelpage of leraar naar Saoedi-Arabië, Bahrein of naar de Emiraten. Wie het goed voor elkaar heeft, is privéleraar in de hoofdstad Aboe Dhabi of Doebai. Geen hoofdprijs daarentegen is een school in een van de kleine wijken van het Lege Kwartier, waar een machteloze leraar een horde bedoeïenenjongens moet leren lezen en schrijven. Leidinggevend personeel komt meestal uit India. Zonder hun organisatietalent zou er soms chaos heersen.

Boven: Drie miljoen expats onderhouden het wirtschaftswunder van de Emiraten. Rechts: Jonge vrouwen – weliswaar in zwart gekleed en met hoofddoek – vertonen zich steeds vaker alleen in het openbaar.

Terwijl de Aziaten naar de Emiraten komen omdat er een tekort aan arbeidsplaatsen is in eigen land, worden veel Europeanen aangetrokken door het mooie weer, de aantrekkelijke salarissen, de tamelijk losse levenssstijl en vooral ook door belastingtechnische voordelen. Ze werken voor filialen van internationaal opererende concerns, zoals architecten, of zijn zelfstandig gevestigd in een niche van de handelsmarkt. In de toekomst zullen ook steeds meer Europese gepensioneerden hun oude dag slijten in de Emiraten. Tot op heden is het weliswaar alleen in Doebai mogelijk om zonder werk, maar in plaats daarvan door het kopen van een appartement een 'woonvisum' te krijgen. Maar misschien ontdekken ook de anderen Emiraten het aantrekkelijke 'langdurige, gepensioneerde-toerisme' à la Florida.

Van de nomadiserende bedoeïenen zijn er vandaag de dag niet veel meer over, men schat hun aantal op ongeveer 20.000. Ondanks de sinds 1970 aanzienlijk verbeterde levensomstandigheden hadden ze het in het begin moeilijk

om de veranderingen te accepteren die gepaard gingen met de oprichting van de staat. Maar ze leerden snel, zoals het voorval met de paspoorten bewijst. Om in het bezit te komen van tegemoetkomingen van de staat, hadden de bedoeïenen een paspoort nodig. Dus gingen ze naar Aboe Dhabi, riepen zichzelf uit tot Emiraatse staatsburgers, kregen het benodigde paspoort en de gewenste financiële steun. Daarna trokken ze naar het naburige sultanaat Oman en vroegen daar eveneens een paspoort aan ...

De rol van de vrouw

Vrouwen zijn in opmars in de VAE. Weliswaar is hun rol, vooral op het platteland, nog verbonden aan traditionele taken als het opvoeden van kinderen en de huishouding, maar in de grote steden vindt een onmiskenbare verandering plaats. Puur uiterlijk vertonen ze zich nog altijd in zwarte kledij, maar bij veel jonge meisjes glijden de sjaals steeds verder naar achter – of blijven zelfs wel eens in de kast. In cafés ziet men niet meer alleen groepjes jonge mannen bij elkaar zitten; aan de tafel ernaast zitten steeds vaker, net zo vanzelfsprekend, vrouwen die genieten van het leven in het openbaar. Maar dat zijn slechts bijkomstigheden. Al jarenlang hechten Emiraatse vaders meer waarde aan een goede opleiding voor hun dochters dan aan een snel huwelijk en zo is de gemiddelde leeftijd waarop men trouwt gestegen naar boven de twintig jaar. Na de middelbare school studeren ze, of aan de universiteit van het land in Al Ayn of vertrekken ze naar het buitenland om later in de Emiraten in leidinggevende posities terecht te komen. Sommigen ambiëren helemaal niet zo'n hoge opleiding en emanciperen zich in andere beroepen. Terwijl bijvoorbeeld in het naburige Saoedi-Arabië vrouwen niet eens hun eigen auto mogen besturen, werken in Doebai sinds 2002 vrouwelijke taxichauffeurs – zij het met de verplichting alleen vrouwelijke passagiers te vervoeren. In het voorjaar van 2005 organiseerde de Sheikh Zayed-universiteit een symposium waarvan het onderwerp luidde: 'women as global leaders', vrouwen in leidende posities. Dat dit

niet louter theorie is, bewijst het feit dat in de herfst van 2004 sjeika Lubna al Qasimi uit Sjardja minister werd voor economie en planning.

Gastvrijheid

De Arabische gastvrijheid is legendarisch en er wordt ook door moderne reizigers graag een beroep op gedaan. Ze vindt haar oorsprong in het harde leven in de woestijn, want volgens het motto 'De gast van vandaag kan de gastheer van morgen zijn', werd elke vreemde onvoorwaardelijk welkom geheten in de tent. Zodra de eigenaar van de tent de groet van de vreemdeling 'assalaamu aleykom' met het verplichte 'ua aleykom assalaam' had beantwoord, stond de heer des huizes voor het leven van zijn bezoeker in. Het gastrecht was drie dagen geldig, waarbij de gast volledige bescherming genoot, niet alleen van de gastheer, maar ook van de gehele clan of van de stam. Een van de meest extreme voorbeelden van deze gastvrijheid is vermoedelijk de geschiedenis van de bedoeïen die op een dag een vreemde in zijn tent begroette. In het geweer dat de vreemde bij zich droeg, herkende hij het wapen van zijn zoon. Omdat de directe vraag naar de herkomst ervan niet beleefd was, bewonderde hij het geweer, waarop de vreemde hem openhartig vertelde over de strijd in de loop waarvan hij de bezitter had gedood. En de gastheer? Die vertrok geen spier en onthaalde de moordenaar van zijn zoon drie volle dagen. Daarna maakte hij zijn identiteit bekend, maar niet om meteen wraak te nemen, neen, hij liet de gast vertrekken, want na deze drie dagen verblijfsrecht geldt ook voor de volgende drie dagen een onuitgesproken bescherming, het zogenaamde zoutverbond. Gast en gastheer hadden immers van hetzelfde zout en brood gegeten. In het Arabisch zegt men: '*fi bainah chubs ua milich* – tussen ons is brood en zout'. De gastheer gaf zijn gast slechts te verstaan dat hij, mocht hij ooit terugkeren, zou worden uitgedaagd tot een gevecht. Deze tradi-

Boven: Uitgenodigd op de thee – symbool van Arabische gastvrijheid.

tie leeft voort tot op de dag van vandaag en blijkt uit de enorme hulpvaardigheid van de Emirati's. Het kan voorkomen dat iemand die langs de kant van de weg staat en de weg zoekt op een wegenkaart, niet de weg wordt gewezen, maar meteen in een privé-auto naar de betreffende plek wordt gebracht. De auteur van deze regels werd op een keer tijdens de Ramadan uitgenodigd voor het eten. Hij was echter niet alleen, maar als leider van een groep van twaalf personen op pad. Het korte en kernachtige antwoord luidde: 'geen probleem, neem iedereen mee!'

Taal

Net als in de Nederlandse taal, die behalve het ABN, veel dialecten kent, zijn er ook in het Arabisch naast het hoog-Arabisch veel dialecten die het soms zelfs voor Arabieren moeilijk maken om elkaar onderling te begrijpen. Tot de moeilijkste dialecten behoort het Arabisch van de Maghreb zoals het *moghrebi* in Marokko, want daar mengen zich berbertaal, Frans en Arabisch met elkaar. Hoe verder men naar het oosten gaat, des te duidelijker worden de dialecten, die niettemin nog altijd hun eigenaardigheden hebben. In Egypte bijvoorbeeld slikt men graag de letter 'q' in. Zo wordt 'qahwa' (koffie) 'ahwa'. Het Golf-Arabisch is in principe een heel duidelijk Arabisch dat goed kan worden begrepen. Een uitzondering vormen de Shihuh, een bergstam op het noordelijke, bij Oman behorende Musandam-schiereiland, wier taal een mix is van het Perzische Farsi en Arabisch. Een andere uitzondering zijn de bedoeïenen van het Lege Kwartier die een wat moeilijk dialect spreken.

Begroeting

Een begroeting onder bedoeïenen laat heel duidelijk de behoefte naar het laatste nieuws zien, van wat voor soort dan ook. In vroeger tijden hing daar immers het overleven vanaf. Belangrijk was bijvoorbeeld informatie over de laatste regenval, wanneer, waar en in welke hoeveelheid die naar beneden was gekomen. De nieuw gearriveerde werd eerst ondervraagd voordat hij vervolgens zelf vragen terugstelde. Hij wilde immers weten of er in de streek waar hij doorheen wilde reizen bijvoorbeeld stammenoorlogen te vrezen waren. Een typische begroeting verloopt tegenwoordig nog zo:

A: 'assalaamu aleykom' (vrede zij met u)
B: 'ua aleykom assalaam' (ook met u zij vrede)
A: 'shay oulum?' (Is er nieuws te melden?)
B: 'ma shay!' (Niets!)
A: 'shay achbar?' (Zijn er boodschappen?)
B: 'ma shay!' (Niets!)
A: 'ma smaat b'schey?' (Heb je iets gehoord?)
B: 'ma shay! bahou! (Afgelopen uit!) sobkom?' (En zelf?) – Daarop stelt B dezelfde vragen, die eveneens in dezelfde vorm worden beantwoord; pas daarna gaat men bij elkaar zitten voor de verplichte koffie.

De officiële taal van het land is Arabisch, maar omdat de Emiraten in de internationale handel een steeds belangrijker rol spelen en Engels jarenlang op school wordt onderwezen, kan men tegenwoordig zeer goed terecht met Engels. Het wordt door de Emirati's echter zeer op prijs gesteld wanneer iemand de moeite neemt om op zijn minst de begroetingsregels te kennen.

Onder mannelijke familieleden is het gebruikelijk om handen te schudden en elkaar kort met de punt van de neus aan te raken – een ritueel dat tegenwoordig ook onder goede vrienden wordt uitgewisseld. Daarna volgt een soort woordentwist die wel vijf minuten kan duren. Er wordt geïnformeerd naar de gezondheid, de kinderen, de familie of naar de algemene situatie, maar in geen geval naar de echtgenote. Dat gaat door voor onbeleefd. Europeanen doen dit ritueel vaak af als een formeel iets, omdat de vragen naar gezondheid of familie altijd worden beantwoord met '*Alhamdullilah* – God zij gedankt'. Maar er wordt zeer gehecht aan de begroeting en het gaat door voor uitgesproken onbeleefd om elkaar alleen met een kort 'hoe gaat het?' te begroeten, in het bijzonder tegenover de oudere generatie. Pas als men in alle rust bij elkaar zit, worden misschien ook slechte berichten uitgewisseld. Een terloopse tip: mannen kijken elkaar tijdens het begroeten in de ogen, want de Europees-beleefde variant om licht te buigen deden vroeger alleen de slaven.

Het begroeten van vrouwen is voor de gast altijd wat lastig. In principe kan men er van uitgaan dat men een vrouw niet de hand schudt. Als u uw hand per ongeluk toch automatisch hebt uitgestoken en die blijft vervolgens wat verloren in de lucht hangen omdat de dame haar niet vastpakt, dan hoeft u zich hiervoor niet te schamen; de Emiraatse vrouwen weten meestal dat het hoffelijk is bedoeld.

Religie

'Sinds de tijd van de Grieken en Romeinen zijn Europese denkers en geschiedschrijvers eraan gewend de hele wereldgeschiedenis alleen vanuit het standpunt van de Europese geschiedenis en in het licht van westerse cultuurervaringen te beschouwen. Vreemde beschavingen nemen ze slechts 'gedeeltelijk' in ogenschouw – dat wil zeggen, slechts in zoverre hun bestaan van directe invloed is geweest op de geschiedenis van de Europese mensen – en zodoende ziet het westerse oog in de wereldgeschiedenis en haar veelsoortige culturen nauwelijks meer dan een uitgebreidere geschiedenis van het Avondland.' Dat schreef Mohammed Asad, een tot de islam bekeerde Oostenrijker in de inleiding tot zijn boek *De weg naar Mekka*. Zo is het begrip 'mohammedaan' in navolging van de benaming christen eigenlijk onjuist, want volgens de overtuiging van de moslims heeft God in zijn uniciteit geen zoon. Mohammed wordt als mens en profeet vereerd, maar niet aanbeden.

De positieve kanten die de islam zonder meer heeft, worden vaak niet gezien. Op deze plaats zij slechts vermeld dat er geen belastingdienst bestaat, maar een ministerie ter administratie (*ministry of awqaf and islamic affairs*) van het geld dat wordt geïncasseerd vanwege de morele voorschriften uit de koran met betrekking tot *zakat* (vrijwillige aalmoezenbelasting, 2,5-10%). Nederland zou zonder het vorderen van belasting failliet zijn.

Menig vakantieganger die zijn familie aankondigt dat hij naar de Emiraten vliegt – een staat in Arabië, het bastion van de islam – kan rekenen op een afkeurend hoofdschudden, vermoedelijk vanwege de geografische nabijheid van het rigide wahhabietische Saoedi-Arabië, het middelpunt van het islamisme. Het groeiende aantal vakantiegangers uit Europa spreekt echter voor zich, want in een islamitisch land zou immers geen noemenswaardig toerisme kunnen bestaan. De Emirati's gaan eerder ontspannen om met religie en prefereren een liberale omgang met andersdenkenden in hun staat, waar vanwege de talloze gastarbeiders uit alle delen van de wereld bijna alle religies zijn vertegenwoordigd. Zolang niemand de ander wil bekeren of tegen de staatsreligie islam agiteert, heeft de regering niets in te brengen, en zo zijn er in de grotere steden als Aboe Dhabi, Doebai of Sjardja naast een christelijke kerk ook hindoe- en sikh-tempels. Toeristen moeten zich er echter van bewust zijn dat het consumeren van alcohol in het openbaar, net als het openlijk uitwisselen van liefkozingen tussen man en vrouw, bij de wet verboden is.

Rechts: Kostbare koran, gemaakt door een kalligraaf in de 10de eeuw.

Een van de redenen waarom de nieuwe religie islam zich tijdens de Arabische veroveringstochten in de 7de eeuw zo snel verspreidde en binnen een eeuw Spanje bereikte, was haar tolerantie tegenover andersdenkende onderworpen personen. Ook zal hebben meegewerkt dat allen die zich tot de islam bekeerden belastingvrijstelling kregen.

De profeet Mohammed werd in 570 n. Chr. geboren en ontving op de leeftijd van dertig jaar zijn eerste openbaring, die hij uit angst aanvankelijk voor zich hield. Later vertelde hij zijn vrouw Khadidsha erover die hem aanmoedigde ermee 'in de openbaarheid' te treden. Dat was gewaagd, want deze openbaringen betekenden een sociale revolutie: de toenmalige maatschappij kende een strenge hiërarchie en nu zou een hoge sjeik van een stam voor deze nieuwe God gelijk zijn aan een nederige slaaf. Vrouwen kregen voor het eerst rechten toegekend en beschikten voortaan over onder andere erfrecht. Economisch vormde de nieuwe leer van Mohammed eveneens een bedreiging, want de Kaba in zijn geboortestad Mekka was toen al een heilige plaats, door veel pelgrims bezocht, die op die manier geld in het laatje brachten. Ook daarmee zou het voorbij zijn, want wie kende de nieuwe God? Niemand! En bovendien: zouden alle voorvaders en vaders zich hebben vergist en een verkeerd geloof hebben aangehangen?

Uiteindelijk veranderde het aanvankelijke spotten met Mohammed in pure haat, waardoor hij met zijn kleine aanhang in 622 n. Chr. moest vluchten naar de stad Yatrib. Yatrib kreeg later de naam Medina al Nabi (stad van de profeet), afgekort Medina. Deze vlucht, *hijra* (hidjra), werd later het begin van de islamitische jaartelling. De bevolking van Yatrib raakte verdeeld door twisten, die Mohammed wist te beslechten, waardoor hij aan vertrouwen, invloed en macht won. Maar de leden van joodse stammen verdreef hij uit Medina. Vervolgens riep hij zijn geboortestad Mekka op zijn nieuwe leer te volgen. Het kwam tot gewapende conflicten, die hij uiteindelijk in zijn voordeel wist te beslechten. Hij trok Mekka binnen, sloeg de standbeelden van de

oude goden van de Kaba aan diggelen en stierf kort daarop.

Een strijd over de opvolging van Mohammed zaaide tweedracht in de jonge gemeenschap. Het kwam tot een scheuring die tot op de dag van vandaag voortduurt in de twee grote geloofsrichtingen van sji'ieten en soennieten. De sji'ieten vormen een minderheid die hoofdzakelijk in Perzië (Iran) leeft. Het grove onderscheid bestaat uit verschillende opvattingen over wie de opvolger van de profeet zou moeten zijn. De sji'ieten willen alleen een nakomeling die via een directe bloedlijn afstamt van Mohammed. De soennieten hangen diverse leren aan, die echter minder dogmatisch zijn.

Pas jaren na zijn dood begon men met het op schrift stellen van de openbaringen van Mohammed: in de koran. Zijn vroegere aanhangers en vrienden verzamelden de gemeenschappelijke lotgevallen en uitspraken van de profeet in de hadith. Die vormt naast de koran de tweede belangrijke grondslag voor het huidige handelen van de moslims.

Boven: De tweede zuil van de koran is het gebed – vijf keer per dag.

De vijf zuilen van de islam

De Emirati's zijn in meerderheid soennitische moslims (sji'ieten slechts zo'n 15%) en overwegend aanhangers van de conservatieve hanbalitische rechtsschool. Ze nemen de vijf zuilen van de islam in acht. De eerste is de geloofsbelijdenis (*sjahada*) dat God uniek is (daarom kan hij ook geen zoon hebben, wat de moslims bij de christenen 'bekritiseren'). Wie tot de islam wil toetreden, hoeft alleen de belijdenis 'La illaha illa'llah' ('er is geen andere god dan God') voor getuigen uit te spreken.

De tweede zuil vormt het regelmatig bidden (*salat*). Er zijn vijf gebeden per dag voorgeschreven. Hoewel de westerse literatuur af en toe de indruk wekt dat elke moslim tussen de Atlantische Oceaan en Azië precies op tijd het hoofd buigt voor een gebedsoproep, is dat niet zo. Omdat er geen priesters als bemiddelaars zijn, maar elke gelovige zogezegd zijn 'directe verbinding met Allah' heeft, nemen ook de Emirati's de vrijheid af en toe een gebed te verschuiven. Het vasten in de maand van de Ramadan (*saum*) wordt daarentegen door de meesten in acht genomen. Uitgezonderd zijn echter kinderen onder de zeven, zwangeren, zieken en reizigers. De islamitische kalender richt zich naar de maan en is ten opzichte van de Gregoriaanse kalender elf dagen korter, waardoor de Ramadan ongeveer om de 25 jaar in het warmste jaargetijde valt. Bij 45°C in de schaduw te moeten vasten (dat betekent overdag niet eten, niet roken en vooral niet drinken!) was in vroeger tijden, zonder airconditioning, niet gemakkelijk. Maar zelfs nu nog handelt men dringende zaken liever snel af vlak voor de Ramadan, of stelt ze ongeveer vier weken uit!

De vierde zuil is het betalen van religieuze belasting (*zakat*). Voor de hoogte van deze belasting bestonden er ook ten tijde van de ruilhandel, toen contant geld zeldzaam was, vaste richtlijnen. Men oriënteerde zich bijvoorbeeld op het aantal kamelen dat een man bezat. De onderste armoedegrens (die belastingvrij was) waren vier dieren, vanaf het vijfde moest men met een geit betalen. Het hoogste belastingtarief vorderde twee driejarige wijfjeskamelen, die moesten worden afgestaan als de kudde groter was dan 120 kamelen.

Vijfde en laatste zuil is de bedevaart naar Mekka (*hadj*). Oudere mensen worden vaak respectvol met 'ya hadsh' of 'ya hadshia' aangesproken, omdat men ervan uitgaat dat ze de bedevaart hebben ondernomen.

Muziek en dans

Er bestaat een oude zwart-witfilm uit de jaren vijftig van de vorige eeuw die weliswaar gaat over de beginperiode van het zoeken naar olie, maar waar in een korte sequentie een paar dansende bedoeïenen te zien zijn. Uit de luidsprekers klinken onverwacht diep uit de keel komende geluiden, op de achtergrond geeft een trommel het ritme aan. (Wie ooit door een bedoeïen ten dans wordt gevraagd: luistert u naar de trommel, die geeft het ritme van de opeenvolgende passen aan!) De zangers staan in een halve cirkel naast elkaar, in hun gordel de traditionele dolk, in de rechterhand gaat de *khazairan* (de kameelstok) op en neer en in het midden danst de latere president van de Verenigde Arabische Emiraten, sjeik Zayed bin Sultan al Nahyan. Hij zwaait met een karabijn boven zijn hoofd en beweegt met kleine, huppelende pasjes voor de zangers. Dat is een typerend beeld. Er waren veel van dergelijke dansen en muziekstukken, omdat er veel te bezingen viel. Zoals daar zijn, de eenheid en macht van een stam, de moed van een afzonderlijke strijder, het uithoudingsvermogen van een lievelingskameel, verhalen over gevechten en natuurlijk over de liefde, hetzij gelukzalige, hetzij versmaadde. In lange nachten bij het vuur werden talloze liefdesliederen gezongen. Tijdens het dansen ging het er soms wild aan toe. Bij de *razha*, een oorlogsdans, werd in de lucht geschoten of zwaaide men met sabels boven het hoofd, insgelijks bij de *ayyala*.

Merkwaardigerwijs dansten niet alleen mannen, ook vrouwen deden er tijdens openbare gelegenheden aan mee. Tijdens de religieuze feestdag Eid al Fitr aan het eind van de Ramadan of Eid al Adha tijdens de bedevaartsmaand wordt bijvoorbeeld de *na'ashat* opgevoerd. In kleurige, prachtig versierde jurken dansen ongeveer twintig jonge meisjes; hun zwarte, heuplange haar valt wijd over hun schouders, hun hoofden bewegen op en neer op de maat van de muziek, en hun haar vliegt in grote bogen omhoog. Dat tijdens zulke dansen morele normen soms op een tweede plaats komen, bewijst een traditie bij de bedoeïenen uit de Wahiba-woestijn in Oman. Daar bestaat een dans, de *mazifina*, waarbij twee paren tegenover elkaar staan, de armen om de heupen van de partner geslagen, die afwisselend met

kleine passen naar elkaar toelopen. Ze behoren weliswaar tot dezelfde familie of stam, maar zijn wel ongehuwd. Bij de aartsconservatieve wahhabieten in Saoedi-Arabië zou zoiets ondenkbaar zijn!

Maar niet alleen de nomadische bedoeïenen zongen, ook de vaste bewoners van de oasen en van de steden hadden hun dansen en gezang. In elke beroepsgroep waren er speciale liederen om de harde arbeid te verlichten. De vissers zongen tijdens het binnenhalen van de netten, de zeelieden tijdens het hijsen van de zeilen of het afkrabben van de mossels van de romp van de boot – zelfs op de boerderij werd gezongen. De muziekwetenschapper Isaam el Mallah, die zich zeer intensief bezig houdt met de muziek van buurland Oman, onderscheidt meer dan 140 verschillende muziekgenres, waartoe onder andere ook religieuze en maatschappelijke liederen behoren. Of het ging om een bruiloft, geboorte van een kind of sterfgeval, als mensen bij elkaar kwamen, werd in de meest uiteenlopende variaties gezongen.

Boven: Trommels geven het ritme aan van de opeenvolgende passen van een dans.

Kunstnijverheid

Tot aan het begin van de jaren zeventig beschikte de bevolking van de Emiraten nauwelijks over behoorlijke middelen en materialen, waardoor de kunstnijverheid zich beperkte tot het vervaardigen van voorwerpen voor alledaags gebruik. Daarbij ontwikkelden de mensen echter zeer veel fantasie en gebruikten de schaarse materialen op de meest uiteenlopende wijzen. Alleen al uit de bladeren van dadelpalmen en uit de grassoorten uit de valleien in de bergen werden matten, manden, dozen en schalen voor het melken van kamelen gevlochten. Ter versiering gebruikte men geitenleer of kaurischelpen. Uit de vezels van de dadelbladeren draaide men touwen die bij de scheepsbouw dienden om de planken vast te 'naaien', want pas met de komst van de Portugezen in 507 arriveerde de nagel in Arabië. Acaciabomen leverden hout voor vijzels en dienbladen. Drinkkommen en waterkannen draaide men op eenvoudige pottenbakkersschijven uit klei. Kameel- en geitenhaar stond ter beschikking van de productie van mantels, tentdoek en kleding. Om wol te verven gebruikte men plantaardige sappen of tot fijn poeder gewreven stenen. Wie zich toevallig tijdens het shoppingfestival in Doebai bevindt, kan tijdens het weven, kantklossen en borduren meekijken over de schouders van de inheemse vrouwen in het Heritage Village.

Beroemd zijn de zilveren sieraden van de bedoeïenen, want zilver was het enige edelmetaal dat beschikbaar was. Het was niet wijd verbreid door de mijnbouw, er is nauwelijks zilver in de Arabische woestijngrond, maar door de handel. Al ten tijde van de wierookroute (circa 400 v. Chr. tot 500 n. Chr.) werden munten tot sieraden verwerkt. Maar de hoeveelheden waren beperkt, wat onder andere een reden zou kunnen zijn voor het feit dat bij een sterfgeval de sieraden van een vrouw (mannen dragen ook nu zelden sieraden) werden omgesmolten en opnieuw werden verwerkt. Deze traditie bestaat overigens nog steeds, waardoor er nauwelijks antieke sieraden te koop zijn.

Pas toen met de koffiehandel in de 18de eeuw de Maria Theresia-daalder zijn zegetocht begon als betaalmiddel op het gehele Arabische Schiereiland, ontstond er een noemenswaardige zilversmeedkunst. Vanwege zijn onveranderlijk hoge zilvergehalte van maar liefst 84% was dit zilver niet alleen bij handelaren, maar ook bij bedoeïenen geliefd. Ze smolten de munten om of integreerden ze als hangers aan hun zware zilveren kettingen. De schede van de kromme dolk (*khanjar*) versierde men met fijn zilverdraad, evenals het heft.

Tegenwoordig vindt u in winkels en markten veel kunstnijverheidsartikelen zoals waterpijpen, stoffen of backgammonspelen. Die vinden hun oorsprong echter niet in de Emiraten, maar zijn afkomstig uit Syrië, Marokko en Perzië.

Kleding

Vrouwen zijn in de Emiraten zeer modebewust, dat wordt de westerse bezoeker met een blik in de etalages van dure modeboetieks snel duidelijk. Of het nu Chanel is, Dior of Dolce & Gabbana, alles is er te koop – en wordt ook gedragen. ‘Waar?’ zal men zich misschien afvragen, want in het straatbeeld overheerst bij vrouwen het met vooroordelen beladen zwart. Deze zwarte cape of mantel (*abaya*) dragen vrouwen alleen als ze het huis verlaten. Natuurlijk dient ze om de morele normen te onderstrepen, maar ook in het verleden tooiden vrouwen zich met prachtige, kleurrijke en rijk versierde jurken. De abaya deden ze alleen maar om om zich te beschermen tegen het stof op straat.

De traditionele kleding van de vrouw bestaat uit een van boven ruimvallende broek (*sirwal*) uit katoen, waarvan de banden heel nauw zijn en met een ritssluiting zijn voorzien. Daaroverheen draagt ze een bij de kleur van de broek passende jurk (*kandoura*). De hals, mouwen en broekspijpen zijn zelfs bij alledaagse kleding geborduurd met fraaie pailletten, die van onder een ander ‘bovenkleed’ (*thaub*) te zien zijn.

De dames in de stad dragen bij de abaya nog iets over hun hoofd (*shayal*), dat meer op een sjaal lijkt dan een hoofddoek. De combinatie van traditie en moderne tijd levert bij jonge meisjes menig fraaie combinatie op. Designkleding, een spijkerbroek en naveltruitje onder de *abaya* zijn al bijna normaal, maar een basketbalpetje boven een *shayal* is niet gespeend van een zeker komisch effect.

Ook de Arabische vrouw komt niet meer uit met slechts één paar schoenen, want bij elke kleurcombinatie van haar kleren heeft ze immers passende sandalen nodig. En omdat schoenen de enige ‘accessoires’ zijn waarmee het geoorloofd is zich te laten zien, wordt aan elegante schoenen bijzonder veel aandacht besteed.

Een bijzonder kledingstuk is de *burqa*, een gezichtsmasker uit stof, dat zo intensief is geverfd, dat het soms bijna metaalachtig in de zon glanst. Ze wordt gedragen door de bewoonsters van de woestijn en ziet er soms, door de brede streep stof die van het voorhoofd via de neus tot aan de kin loopt, bijna krijgshaftig uit. Deze burqa is een zeer individuele accessoire, en geen enkele bedoeïen komt op het idee een masker voor zijn vrouw mee te nemen, want deze wordt naar wens op maat gemaakt. Zelf zeggen ze over het masker dat het geen schande is om het niet te dragen, maar dat het een uitdrukking is van individuele schoonheid om het wel te doen. Alleen voor God (dus tijdens het gebed) en voor hun echtgenoot doen ze het af. Dat laatste moet niet verkeerd worden geïnterpreteerd. Door het verhullen van het gezicht beschermt de Arabische vrouw voor haar echtgenoot een waarde die moslims in Europa – in het licht van de overseksualisering van de mode, de reclame en de media (door satelliet-tv de Emirati's welbekend) – bedreigd toeschijnt: haar intimiteit.

Boven: Buitenshuis dragen vrouwen in het algemeen zwart. Rechts: De mannen kleden zich in de dishdasha; het hoofd wordt bedekt met de gutra die met een zwart koord (agal) wordt vastgemaakt.

Het tot de enkels reikende gewaad van de Arabische man heet *dishdasha* of *kandoura* en is bij de bevolking in de stad meestal wit. In de afgelopen jaren zijn er andere, onopvallende kleuren bijgekomen, zoals bijvoorbeeld seringenpaars. Bij de bedoeïenen uit het Lege Kwartier zijn daarentegen felle kleuren al lang gebruikelijk. Vooral in de koelere wintermaanden dragen ze donkere bruintinten. Al naar gelang het jaargetijde worden dikkere of dunnere stoffen gebruikt. 'Chash-chash' is de naam van een bijzonder dik katoenmengsel dat nogal stijf is en tijdens het lopen, als de stof tegen de benen wrijft, het speciale geruis maakt dat de stof zijn naam heeft opgeleverd.

De eenvoudige dishdasha voor alledaags gebruik is overwegend uit katoen gemaakt, soms gemengd met zijde, wat een lichte glans geeft. Bij bijzondere gelegenheden draagt de Emirati ook wel eens een puur zijden gewaad. Net als bij de Schotse rok duikt de vraag op: 'Wat draagt men eronder?' Boven meestal een dun t-shirt met een wijde hals dat niet zo nauw om de nek sluit. Voor onder zijn er onderbroeken met lange pijpen, in de zomer komen ook korte boxershorts in aanmerking, beide in wit – anders schemert het door. Een andere mogelijkheid is een om de heupen geslagen doek (*wizaar*), waarbij de ongeoefende Europeaan moet oppassen dat hij, wanneer hij gaat zitten, geen vrij zicht geeft. Wilfred Thesiger bericht in zijn boek *De woestijnen van Arabië*, dat de hem begeleidende bedoeïenen hem in het begin soms toefluisterden 'your nose!', waarop hij eerst, enigszins in verwarring gebracht, aan zijn gezicht voelde...

De door toeristen soms respectloos als nachthemd aangeduide nationale dracht onderscheidt zich op het eerste gezicht niet van de witte kandouras van de buurlanden. Maar er zijn duidelijke verschillen. De Saoedi-Arabische dishdasha heeft bijvoorbeeld een kraag die lijkt op die van een Europees hemd en wordt aan de mouwseinden gesloten met manchetknopen. In het naburige sultanaat Oman daarentegen ontbreekt de borstzak, de mouwseinden zijn ruimer gesneden en worden open gedragen en aan de eenvoudige, ronde kraag hangt een kwast. Daarop wordt een snufje parfum gespoten, want een spreekwoord zegt: 'Een lekkere geur maakt het leven lichter'. Deze kwast is in de afgelopen jaren ook bij de jonge Emirati's zeer in de mode gekomen. Terwijl ze in Oman echter maar een paar centimeter lang is, bungelt ze in de Emiraten soms tot aan de buiknavel.

Af en toe ziet u een Emirati met een kleine, geborduurde kepie op zijn hoofd. Dat is de *tagia* of *gahfija*. Normaal gesproken wordt daarover de *gutra* genaamde witte hoofddoek gedragen. Deze bescherming tegen de zon wordt afgerond met de *agal*, het zwarte

'koord'. In vroeger tijden was de agal een soort veiligheidsslot voor de bedoeïenenkameel.'s Nachts bond men een touw om de voorpoten van het dier, opdat het niet kon weglopen, overdag wond men het heel praktisch om het hoofd. De jongere generatie laat het zwarte koord wel eens weg (het kan namelijk tamelijk ongemakkelijk zijn) en draagt de witte hoofddoek in Omaanse stijl in een knoop gedraaid op het achterhoofd.

Behalve de verplichte sandalen zij nog de *bisht* vermeld. Dat is de dunne, meestal zwarte of bruine mantel met gouden borduursel, die bijvoorbeeld leden van de regering bij officiële gelegenheden dragen, zoals de ontvangst van buitenlandse staatsgasten. Oorspronkelijk was de mantel uit kameelhaar zeer zwaar, maar in de koele nachten zorgde hij voor warmte en de morgendauw drong er niet doorheen. Tijdens de warme middagpauze stak de bedoeïen zijn rijstok (*khazairan*) in het zand, hing de bisht daaroverheen en creëerde zo een kleine, schaduwrijke plaats voor zichzelf.

ECONOMIE

Op zoek naar het 'zwarte goud'

Zonder aardolie zouden de Verenigde Arabische Emiraten misschien nog steeds een aan de zee grenzende woestijn zijn, dunbevolkt met kameelnomaden, parelvissers en een paar kooplieden. De speurtocht naar het 'zwarte goud' begon verre van veelbelovend, want het onredelijke voorstel van een zekere Frank Holmes kwam de emir van Bahrein onbegrijpelijk voor – 'Wat heb ik aan aardolie, daarmee kunnen de mensen hun dorst niet lessen, we hebben water nodig!' Dus bood de slimme Nieuw-Zeelander Holmes aan om eerst naar water te boren, terwijl hij als tegenprestatie een concessie kreeg om naar olie te zoeken. Deze transactie ziet er vanuit huidige optiek uit als een megakoopje, omdat we niet beter weten of er ligt in de bodem van het Arabisch Schiereiland ongeveer 30% van de bekende wereldaardolievoorraad opgeslagen. Maar in de jaren twintig leek hetgeen Frank Holmes van plan was onzinnig: aardolie in Arabië, dat klonk bespottelijk, want had niet een Zwitserse geoloog in een uitvoerig rapport vastgesteld dat in de gehele Arabische woestijn geen druppel olie te vinden was – hoewel aan de andere kant van de Perzische Golf het zwarte nat uit zichzelf uit de bodem opborrelde. Deze bronnen waren niet alleen al eeuwenlang bekend, de mensen gebruikten de taaie brei ook in het dagelijkse leven. Op de werven in Perzië dichtte men daarmee de planken van schepen af en al sinds de eeuwwisseling waren Britse aardoliebedrijven er ijverig aan het boren.

Dat moedigde Holmes aan het in Arabië te proberen. Hij was zeker van zijn zaak, maar had geen geld en bezocht diverse Britse instellingen en bedrijven om te overleggen. Men wenste hem veel succes toe, maar geld gaf niemand hem. Dat veranderde in één klap in 1932, toen het volgende nieuwsbericht insloeg als een bom: Frank Holmes had met steun van een Amerikaanse sponsor allereerst zijn belofte tegenover de emir van Bahrein gehouden, was op water gestoten – en had vervolgens aardolie gevonden, veel aardolie.

Vervolgens ging het erom de Britse aanspraak op het grootst mogelijke aandeel op het Arabisch Schiereiland veilig te stellen, waarbij de Britse officiers aan de Golfkust hun invloedrijke positie gebruikten. Terwijl US-bedrijven zich meester wisten te maken van het leeuwendeel op Saoedisch gebied, begonnen eind jaren dertig Britse aardoliezoekers met het exploreren van de gebieden in Aboe Dhabi en Doebai. Ze beperkten zich daarbij niet alleen tot het vasteland en zogenaamde *on shore*-boringen, maar beproefden hun geluk ook *off shore* onder de zeebodem.

De Tweede Wereldoorlog zorgde voor een langere onderbreking, maar al één jaar na het einde van de oorlog ging de zoektocht verder. Het zou nog ruim tien jaar en veel inspannende arbeid kosten voordat men in Aboe Dhabi in 1958 eindelijk iets vond. Eerst stuitte men op grote gasreserves, vervolgens eindelijk op olie, en de toenmalige heerser, sjeik Shakhbout bin Sultan al Nahyan, haastte zich stralend van vreugde naar de vindplaats. Maar vervolgens gebeurde het tegendeel van wat men had verwacht. In plaats van wegen aan te leggen en huizen te bouwen, een nieuwe infrastructuur en daarmee een verondersteld beter leven te creëren, aarzelde de sjeik, want hij voorzag dat dit zogenaamde 'betere' leven ook het verlies van de oude levenswijze zou betekenen, waar hij nu eenmaal aan gehecht was. Hij zou gelijk krijgen, maar kon het tij niet keren en werd uiteindelijk in 1966 door zijn broer, sjeik Zayed, als regent van Aboe Dhabi afgelost. Onder zijn leiding begon de stad op te

Links: De toerisme-boom in Doebai heeft een spannende hotelarchitectuur voortgebracht (Jumeirah Emirates Towers).

bloeien, want hij was van mening dat het oliegeld niet nuttig zou zijn als het niet tot het welzijn van het volk zou worden aangewend. Deze houding leverde hem groot respect op van de bevolking, die zijn dood in november 2004 zeer betreurde.

Aardolie – waar en hoe lang nog?

Ook in een paar andere Emiraten vond men olie. Als eerste in 1966 in Doebai. In Sjardja duurde het tot begin jaren zeventig en in Ras al-Chaima zelfs tot 1984. In Oem al-Koewain stroomt tot nu toe 'slechts' gas uit de bodem en het kleine Adjman evenals al-Foedjaira bezitten noch olie- noch gasvelden. Al deze Emiraten tezamen worden in de schaduw gesteld door Aboe Dhabi dat met circa 95% van de Emiraatse vindplaatsen koploper is. Weliswaar moet men gedeeltelijk tot 10.000 meter diep boren, maar de zoektocht is nog niet afgesloten en strekt zich ook uit tot het water langs de kust. Terwijl de ADCO (Abu Dhabi Company for Onshore Oiloperations) de vindplaatsen op het vasteland beheert, zorgt de ADMA-OPCO (Abu Dhabi Marine Operating Company) voor de off shore-gebieden in de Perzische Golf. Beide ressorteren onder de ADNOC (Abu Dhabi National Oil Company), die een dagelijkse hoeveelheid olie van ruim 1,8 miljoen vaten (ca. 286 miljoen liter!) te beheren heeft.

De vraag is hoe lang er nog op de grootste velden van Aboe Dhabi, of het nu Umm Shaif is, Murban of Das Island, olie gepompt kan worden. Blijft het bij deze hoeveelheid, dan is dat voldoende voor nog honderd jaar, want de reserves worden op ca. 98 miljard vaten geschat. In Doebai zullen vermoedelijk al binnen de komende vijf jaar de boortorens worden afgebroken want daar zijn de reserves aanzienlijk geringer en worden er per dag slechts ca. 340.000 vaten olie uit de bodem gepompt.

Deze prognoses zijn relatief stabiel, tenzij men op nog onbekende oliegebieden stuit of de winmethoden worden verbeterd. Dat laatste lukte met de invoering van de horizontale boring. Kon men vroeger slechts een gering percentage in de buurt van de boorschacht wegscheppen, met deze nieuwe methode, waarbij door een vertikaal boorgat in verschillende richtingen horizontale boren in de olie bevattende laag worden gedreven, laten zich de al bekende reserves winstgevender exploiteren.

Terwijl Aboe Dhabi door de oliemiljarden de Emiraatse bevolking een inkomen per hoofd van de bevolking van gemiddeld 18.000 $ per jaar oplevert (ter vergelijking: in Nederland 23.500 $), staan de pogingen om de economie te diversifiëren nog in de kinderschoenen. In de overige Emiraten doet men daarentegen al jarenlang zijn best om de staatsinkomsten geleidelijk los te koppelen van de aardolie.

Industrie en handel

De grote olie- en gasvindplaatsen spelen ook in andere industrietakken een belangrijke rol. Want omdat de Emiraten naast olie nauwelijks over noemenswaardige bodemschatten beschikken, hebben ze zich vanwege de gunstige energieprijzen ontwikkeld als standplaats voor het vervaardigen van producten met een hoog energieverbruik. Op plaats nummer één staan de in bijna elk emiraat te vinden cementfabrieken; enkele van de grondstoffen, zoals kalksteen of zand, zijn in overvloed aanwezig en de afzonderlijke bestanddelen moeten in een draaioven bij temperaturen van circa 1450 °C tot bakstenen worden gebakken. Een van de grootste aluminiumhoogovens van de gehele Golfregio is het complex van DUBAL (Dubai Aluminium Company), want ook bij de vervaardiging van dit metaal zijn temperaturen tussen de

Rechts: Nog altijd is oliewinning de basis van de economie van de VAE.

1200 en 1300 °C benodigd. De daarbij vrijkomende afvalwarmte wordt overigens gebruikt in de belendende zeewaterontzoutingsinrichting om drinkwater te winnen. Andere industrietakken – zoals de productie van meststof evenals een paar conservenfabrieken – spelen in de Emiraten een ondergeschikte rol.

De VAE zijn lid van verschillende economische organisaties, waaronder de OPEC (Organisatie van aardolie exporterende landen) en haar kleine zusje, de OAPEC (Organisatie van Arabische aardolie exporterende landen). Belangrijker echter voor de Emirati's is de Gulf Cooperation Council, die samen met de andere vijf staten aan de zee, Koeweit, Saoedi-Arabië, Qatar, Bahrein en Oman, werd opgericht. Oorspronkelijk werd de GCC in het leven geroepen als militair bondgenootschap tegen het oppermachtige Iran, dat onder andere een paar eilanden in de Perzische Golf had bezet die tot het emiraat Sjardja behoorden. Maar inmiddels is de GCC, waarvan de leden eenmaal per jaar samenkomen om te vergaderen, tot een soort 'EG' aan de Golf uitgegroeid. Behalve culturele uitwisselingsprojecten staan vooral economische vraagstukken op de agenda. Over gemeenschappelijke importrichtlijnen is men het al eens geworden, in de komende jaren moet een monetaire unie volgen.

Het handelscentrum van de VAE is Doebai, dat kan terugkijken op een lange traditie. Dat laten ca. 1000 jaar oude restanten zien van een karavanserai in de stadswijk Jumeirah. En altijd, als de nood aan de man was, verzonnen de Doebainaren een oplossing. Toen in 1930 de parelduikerij instortte, omdat een vindingrijke Japanner massaal cultiveparels op de markt bracht, ontwikkelden ze het – soms wat duister lijkende – concept van de re-export. In de jaren dertig kocht Doebai legaal goud in en verkocht het, nog in het land zelf, legaal door aan Indiase handelaars, waarna deze het edelmetaal opnieuw – overwegend illegaal – in hun vaderland 'invoerden' (in de volksmond heet zoiets smokkelen). Tijdens de Tweede Wereldoorlog, toen de Britse regering een – royale – noodvoorziening met rijst en suiker beschikbaar stelde, koch-

ten de kooplieden in Doebai deze waar zo voordelig mogelijk in en verpatste ze op de zwarte markt in Iraanse steden.

Menig verkoper van waren voor bewapeningsdoeleinden beweegt zich in een schemergebied als hij zaken doet met de Emiraten. Wie zo nu en dan het economisch supplement van zijn krant opslaat, stuit daarbij misschien op berichten over zaken waarbij de Emiraten opduiken als centrum voor goederen waarvoor in het land van productie een leververbod geldt aan bepaalde landen. Waren bijvoorbeeld Iran of Irak voor Europese bedrijven gesloten door een handelsembargo, de Emiraten waren dat niet. Dus verkocht men bijvoorbeeld goederen, zoals motoren die goed in tanks passen, legaal aan de Emiraten, wel wetende (natuurlijk niet officieel) dat de Emiraten die vervolgens zouden aanbieden aan de geïnteresseerden aan de andere kant van de Perzische Golf.

Boven: Nieuwbouw in Doebai. Rechts: Zon, zand en miljardeninvesteringen maakten het toerisme tot een belangrijke economische factor (Oasis Beach / Jebel Ali).

Zo overtrad de verkoper het exportverbod niet, want dat was in de Emiraten immers niet van toepassing – simpel en lucratief voor beide partijen.

Een ander succesvol concept was het creëren van vrijhandelszones, die binnen een paar jaar een ongekende bloei zouden beleven. Het principe is simpel: men creëert een zone zo dicht mogelijk bij een haven, waar de inkomende goederen tolvrij het land inkomen, de zone echter niet verlaten, maar daar door buitenlandse bedrijven verder worden verwerkt. Zo kan bijvoorbeeld een Europese textielfirma in Azië stoffen inkopen, deze belastingvrij naar Doebai importeren en verder verwerken in productieplaatsen van het bedrijf zelf. De eerste en bekendste zone is de Jebel Ali Free Trade Zone, die in 1985 ontstond naast de grootste kunstmatig aangelegde haven ter wereld. De haven, samen met de internationale luchthaven, garandeert dat de grote afzetmarkten van Azië bereikbaar zijn. Maar ook de markten overzee zijn goed bereikbaar.

Buitenlandse zakenlieden hebben in Doebai-stad voor hun firma een lokale sponsor nodig. Dat is in de vrijhandelszone anders: zowel het geïnvesteerde als het verkregen kapitaal blijft voor 100% in bezit van het bedrijf en mag zonder aftrek naar het vaderland worden overgemaakt. Invoerkosten en bedrijfsbelasting vervallen, evenals hoge loonkosten, want in Doebai is voldoende goedkoop en goed opgeleid personeel aanwezig dat geen collectieve arbeidsovereenkomsten of vakbonden kent. Slechts 2% van de arbeidskrachten in de VAE zijn Emirati's. Aangezien ook de bureaucratische hordes die normaliter bij het oprichten van een filiaal moeten worden genomen in Doebai erg laag zijn, hebben zich alleen al in Jebel Ali ruim 1000 bedrijven gevestigd. In heel Doebai zijn inmiddels 5000 buitenlandse bedrijven van uiteenlopende economische sectoren te vinden in diverse vrijhandelszones, waaronder een internet- en mediastad. Maar de wereld-

wijde financiële crisis van 2008/2009 liet ook in de Emiraten zijn sporen na. De florerende bouwsector schortte in januari 2009 ruim 50 % van de geplande bouwprojecten op omdat de financiering niet meer gegarandeerd kon worden; de onroerendgoedmarkt stortte in en de huurprijzen zakten met ruim 25 %. Veel westerse gastarbeiders wachtten hun ontslag niet langer af maar verlieten het land zonder zich nog te bekommeren om hun huis, hun auto en hun negatieve banksaldo's. Dit nam dusdanige proporties aan dat de banken van de Emiraten met behulp van buitenlandse financiële instellingen naar middelen zochten om de 'kredietontduikers' ook in hun landen van herkomst te kunnen confronteren met betalingsvorderingen.

Toerisme

Schone witte stranden onder een stralende zon en dat 360 dagen per jaar, vriendelijk personeel in luxueuze hotels, zoals de wereld die nog nauwelijks heeft gezien – en dat op slechts een paar uur vliegen van de koude Europese winter. De Emiraten hebben het toerisme ontdekt als lucratieve markt voor zichzelf. Op de eerste plaats staat het snel gegroeide Doebai, waarvan het hotel Burj Al Arab op dit moment symbool moet staan voor de ontwikkeling en de toekomst van het toerisme in dit land.

De eerste toeristen kwamen al in 1932 naar de Golfkust, maar ze bleven niet lang, want de internationale luchthaven van Sjardja was slechts een stoffige landingsbaan met een wachtruimte waar de passagiers tijdens het bijtanken wachtten om vervolgens door te vliegen naar India. Maar Sjardja was het eerste emiraat dat begin jaren zeventig langs de kust badhotels bouwde – helaas waren de net gevonden oliebronnen niet zo winstgevend als verwacht, en daarom ging het emiraat een wat ongelukkige liaison voor het toerisme aan met Saoedi-Arabië, dat weliswaar de voltooiing van het hotel financierde, maar in ruil daarvoor ook strengere normen invoerde als het ging om alcohol – namelijk het verbod daarop. Maar ook hier zal in de toekomst het nodige veranderen.

Aboe Dhabi had de afgelopen jaren vooral zakenlieden te gast, maar omdat er voor de kust veel onbebouwde eilandjes liggen, zullen die als vakantieoorden met exclusieve overnachtingsmogelijkheden worden geëxploiteerd, en met het Emirates Palace Hotel opende in 2004 een van de meest luxueuze gebouwen van het land zijn deuren.

In het maken en realiseren van plannen is het emiraat Doebai echter onovertrefbaar. Spoedig zal het Burj Al Arab concurrentie krijgen van een hotel in het hoogste gebouw van de wereld, de Burj Dubai. Aan de kust ontstaan nieuwe uitgaanscentra rond het thema watersport, in de duinen voor de stad wordt een gigantisch pretpark aangelegd – op 180 km^2 moeten zes themaparken in *Dubailand* voor vermaak zorgen. Bovendien wil men dat het bezoekersaantal van circa vijf miljoen naar vijftien miljoen stijgt. Nu al draagt het toerisme 18% bij aan het bruto binnenlands product van Doebai.

Landbouw en visserij

De Emiraten beschikken amper over natuurlijke landbouwgrond; alleen aan de oostkust, in het emiraat Fujairah, zijn een paar landstreken die voldoende regen krijgen en waar op natuurlijke grond verbouwd kan worden. Daarom zijn er enorme inspanningen verricht, zoals het importeren van vruchtbare aarde, om het oppervlak aan landbouwgrond te vergroten. Dat ligt nu op ca. 300.000 ha, slechts zo'n 3% van het totale oppervlakte van het land, en slechts 1% wordt bewaterd. Ter vergelijking: in Nederland wordt ruim 60% van het land gebruikt voor landbouw. Toch doet men zijn best, met inzet van geklimatiseerde kassen en verbeterde bewateringsmethoden, de verliezen door verdamping te beperken om zo onafhankelijker te worden van groente- en fruitimport. In ecologische experimenten over een lange periode worden voedingsgewassen op diverse soorten grond blootgesteld aan het extreme klimaat, om hun overlevingskansen te testen. Maar een gang over de markt maakt al snel duidelijk dat Egyptische sinaasappels en Iraanse appels niet spoedig te vervangen zijn.

Rechts: Een golfterrein heeft per dag vier miljoen liter water nodig (hier: Emirates Golf Club in Doebai).

Bijzonder kostbaar is het houden van rundvee, want de ongeveer 30.000 melkkoeien staan in volledig geklimatiseerde stallen, worden uitstekend verzorgd door veeartsen en eten zich – bij gebrek aan groene weiden – zat aan veevoer. Niettemin kan het in de zomermaanden tot een tekort komen in de versemelkschappen van de supermarkten.

Anders is de situatie op de vismarkt, want met 100.000 ton visvangst per jaar wordt de voorraad vis niet in gevaar gebracht. Het water voor de oostkust behoort immers tot het meest visrijke. Geliefde vissoorten zijn tonijn, koningsmakreel en haai, gedroogde sardientjes eindigen als veevoer. Niettemin zijn de negatieve invloeden van de verbeterde vangmethoden en de moderne uitrusting te bemerken, want voor enkele 'zeevruchten' zoals bijvoorbeeld kreeft moesten al vangstquota worden ingesteld, omdat de bestanden drastisch zijn ingekrompen. En zonder subsidies van de staat, in de vorm van voordelige kredieten voor het kopen van een boot en gegarandeerde afnameprijzen, zal vermoedelijk menig visser zijn netten aan de wilgen hangen.

Water

In de VAE is een van de oudste bewateringssystemen bewaard gebleven dat borg stond voor de watervoorziening van zelfs de meest afgelegen oases. Deze *falaj* genaamde kanalen werden mogelijk in de 5de eeuw v. Chr. in Arabië geïntroduceerd door de Perzen. Daarbij worden aan de voet van de berghellingen schachten van putten de diepte in gedreven om het grondwater

af te tappen om dat – in het begin ondergronds – via kilometerslange kanalen tot aan de oase te leiden. Dat was zwaar, gevaarlijk werk. Tunnels en kanalen moesten steeds opnieuw worden gezuiverd van steen en puin. Alleen de meest capabele mannen van een plaats werden voor dit werk uitgekozen.

Nu wordt in de Emiraten met water omgegaan alsof de Perzische Golf geen zoute zee is, maar een reusachtig zoetwatermeer. Alle snelwegen tussen Doebai, Aboe Dhabi en die in de woestijn naar Al Ayn zijn elk over hun 140 km lengte van groen voorzien. Een golfterrein heeft in de Emiraten ca. 4 miljoen liter water nodig – dagelijks. In Doebai wordt al op vijf terreinen gespeeld, vier nieuwe zijn in aanleg, en in Aboe Dhabi zijn eveneens meerdere terreinen. Weliswaar wordt voor parken en golfterreinen water gebruikt dat uit afvalwater wordt bereid, maar 75% van de behoefte moet inmiddels onder hoog energieverbruik uit zeewaterontzoutingsinrichtingen worden gewonnen – op dit moment een miljard liter per dag! De rest van de wijk kan momenteel nog met opgevangen grondwater uit het Hajjargebergte worden voorzien, maar ook hier tekenen zich problemen af. Want vanwege het ongecontroleerd boren naar putten voor eigen behoefte in de jaren ’70 en ’80 daalde het grondwaterpeil tot bijna 850 meter. Daarmee gepaard gaat een toenemende verzouting van de bodem van de bewaterde terreinen.

Nu al ligt het dagelijkse verbruik van zoet water in het emiraat Doebai op 550 miljoen liter p.p., maar daarbij zal het bij een stijgend aantal inwoners en gasten in de toekomst niet blijven. Een ander probleem is de toenemende verontreiniging van het zeewater langs de kust door intensieve bouwwerkzaamheden en verontreiniging door olie, want vanaf een bepaalde vervuiling kan het niet meer worden ontzout en tot drinkwater worden verwerkt. Nog altijd kan elke hotelgast zijn handdoeken dagelijks laten wisselen, maar het zal vermoedelijk niet lang meer duren tot ook in de presidentssuites van de luxehotels een gouden sticker in de badkamer verzoekt de handdoek misschien toch twee of drie dagen te gebruiken...

EMIRAAT ABOE DHABI

ABOE DHABI
LIWA-OASE
AL AYN

EMIRAAT ABOE DHABI

Het emiraat Aboe Dhabi is veruit het rijkste en grootste lid van de federatie. De hoofdstad, Aboe Dhabi, fungeert ook als hoofdstad van de VAE. Met 68.000 km^2 beslaat het emiraat bijna 90% van het staatsgebied en is het bijna twee keer zo groot als België. Maar terwijl in de Europese staat meer dan 10,3 miljoen mensen een plaats moeten vinden, resulteerde de laatste volkstelling voor het grootste van de zeven emiraten in precies 2,5 miljoen inwoners (waarvan 1,6 miljoen gastarbeiders).

Waar het Aboe Dhabi ontbreekt aan inwoners, vergoeden de aardolie- en gasvelden veel: in de dieptes van de woestijn- en zeebodem zou circa 10% van de wereldreserves sluimeren. Dat is ongeveer driekwart van het totaal aan vindplaatsen van de Emiraten. Op dit moment worden dagelijks circa 2,5 miljoen vaten (een 'vat' staat gelijk aan 159 liter) gewonnen. Bij een prijs van 40 $ per vat levert dat per dag 100.000.000 $ op – wat neerkomt op 36,5 miljard per jaar. Terloops zij opgemerkt dat de heersende Al-Nahyan-familie tussen de 10 en 20% daarvan stort in de gemeenschappelijke financiële kas van de federatie, de respectabele 'rest' wordt besteed aan eigen investeringen en beleggingen.

Voorgaande pagina's: Aboe Dhabi-impressies. Links: Alles het beste van het beste in de 'Grand Ballroom' van het Emirates Palace.

Voor de 400 km lange kust, die loopt vanaf de westelijke grens van Saoedi-Arabië tot aan de oostelijke grens van het emiraat Doebai, liggen talloze, overwegend kleine eilanden. Vooral ornithologen zijn erin geïnteresseerd, want vanwege hun isolement worden ze door enkele bedreigde vogelsoorten gebruikt als laatste veilige broedplaatsen. Om die reden zijn ze uitgeroepen tot beschermd natuurgebied. Andere eilanden zijn zo groot dat ze al in de klassieke Oudheid werden bevolkt. Zo werden op Sir Bani Yas zelfs de resten gevonden van een christelijk klooster. Een van de bekendste eilanden heet Das. Daar bevindt zich een van de grootste off shore-olievelden van het emiraat.

Langs de kust ten westen van Aboe Dhabi bepalen vooral uitgestrekte zoutvlaktes, *sabkhas*, het beeld van het landschap. Noemenswaardige steden zijn pas na 1970 ontstaan, waaronder Tarif en de raffinaderijstad Ruwais. De uitgestrekte vlaktes lopen meer dan 200 km het binnenland in naar het zuiden; hier liggen de grote oliewingebieden die door een dicht net aan pijpleidingen worden verbonden met de raffinaderijen aan de kust. Nog meer naar het zui-

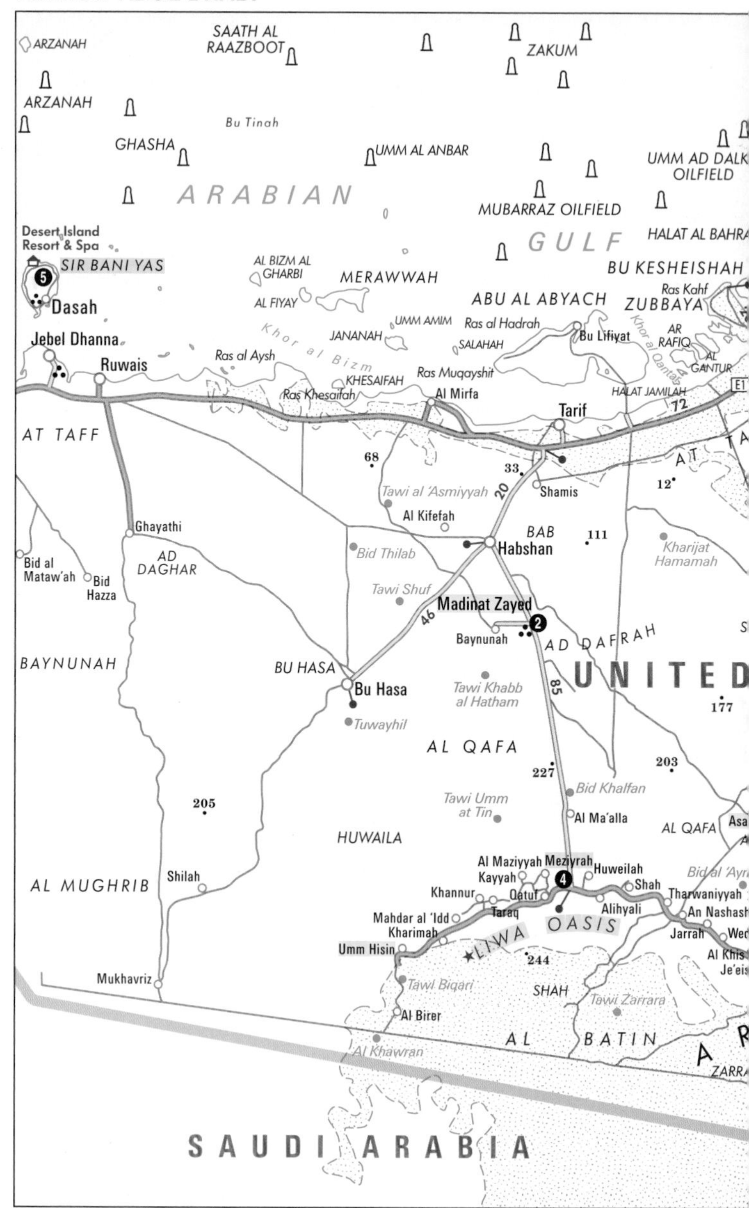
ARZANAH
SAATH AL RAAZBOOT
ZAKUM
ARZANAH
Bu Tinah
GHASHA
UMM AL ANBAR
UMM AD DALK OILFIELD
ARABIAN
GULF
MUBARRAZ OILFIELD
HALAT AL BAHRA
Desert Island Resort & Spa
SIR BANI YAS
Dasah
AL BIZM AL GHARBI
MERAWWAH
BU KESHEISHAH
AL FIYAY
ABU AL ABYACH
Ras Kahf
ZUBBAYA
UMM AMIM
Ras al Hadrah
JANANAH
SALAHAH
Bu Lifiyat
Khor al Qantas
AR RAFIQ
AL GANTUR
Jebel Dhanna
Ruwais
Ras al Aysh
Khor al Bizm
KHESAIFAH
Ras Muqayshit
Ras Khesaifah
Al Mirfa
HALAT JAMILAH
72
Tarif
AT TAFF
68
33
12
Shamis
20
Tawi al 'Asmiyyah
Al Kifefah
Ghayathi
BAB
Habshan
111
Bid al Mataw'ah
Bid Hazza
AD DAGHAR
Bid Thilab
Kharijat Hamamah
Tawi Shuf
Madinat Zayed
46
Baynunah
AD DAFRAH
BAYNUNAH
BU HASA
Bu Hasa
UNITED
Tawi Khabb al Hatham
85
177
Tuwayhil
AL QAFA
227
203
Bid Khalfan
205
Tawi Umm at Tin
Al Ma'alla
AL QAFA
HUWAILA
Al Maziyyah
Meziyrah
Huweilah
Kayyah
Shah
AL MUGHRIB
Shilah
Khannur
Qatuf
Tharwaniyyah
Taraq
Alihyali
An Nashash
Mahdar al 'Idd
Kharimah
LIWA
OASIS
Jarrah
Umm Hisin
244
Mukhavriz
Tawi Biqari
SHAH
Tawi Zarrara
Al Birer
AL
BATIN
Al Khawran
SAUDI ARABIA

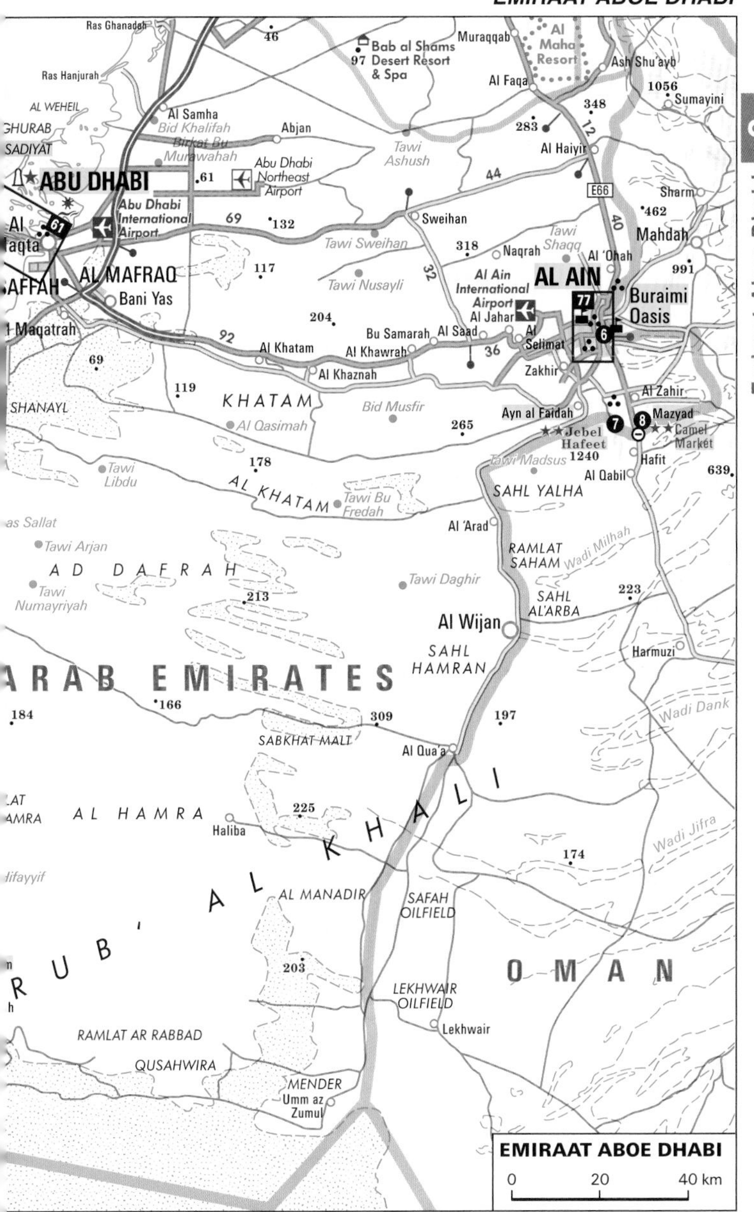
ABU DHABI
Abu Dhabi International Airport
Abu Dhabi Northeast Airport
AL MAFRAQ
Bani Yas
Al Samha
Abjan
Bab al Shams Desert Resort & Spa
Al Maha Resort
Muraqqab
Al Faqa
Ash Shu'ayb
Sumayini
Al Haiyir
Sweihan
Tawi Sweihan
Tawi Nusayli
Naqrah
Al Ain International Airport
Al Jahar
AL AIN
Buraimi Oasis
Mahdah
Al 'Ohah
Sharm
Bu Samarah
Al Saad
Al Khatam
Al Khawrah
Al Khaznah
Al Selimat
Zakhir
KHATAM
Bid Musfir
Al Qasimah
Ayn al Faidah
Al Zahir
Mazyad
Jebel Hafeet
Camel Market
Hafit
Al Qabil
AL KHATAM
Tawi Bu Fredah
Tawi Libdu
SAHL YALHA
Al 'Arad
RAMLAT SAHAM
Wadi Milhah
Tawi Arjan
AD DAFRAH
Tawi Numayriyah
Tawi Daghir
SAHL AL'ARBA
Al Wijan
SAHL HAMRAN
Harmuzi
ARAB EMIRATES
SABKHAT MALT
Al Qua'a
Wadi Dank
AL HAMRA
Haliba
Wadi Jifra
RUB' AL KHALI
AL MANADIR
SAFAH OILFIELD
OMAN
LEKHWAIR OILFIELD
Lekhwair
RAMLAT AR RABBAD
QUSAHWIRA
MENDER
Umm az Zumul
EMIRAAT ABOE DHABI
0 20 40 km

den begint het 'Lege Kwartier', *Roeb al-Chali*, de grootste zandwoestijn ter wereld. In de duinen ervan loopt de omstreden grens met Saoedi-Arabië, waarover lang scherpe conflicten bestonden vanwege mogelijke olievelden.

In de Liwa-oase in de buurt van deze grens leefde de stammenbond van de Bani Yas, die al in 1580 voor het eerst op een Venetiaanse kaart wordt vermeld. De Bani Yas vormden een bond uit circa 15 stammen, waartoe ook de Al Bu Falah en Al Bu Falasah behoorden. Twee families van deze beide stammen speelden niet alleen bij de latere bevolking van de kust een belangrijke rol, maar beheersen nog altijd het politieke toneel van de Emiraten, de Al Nahyan (Al Bu Falah) in Aboe Dhabi en de Maktoum (Al Bu Falasah) in Doebai. Het machtsgebied van de Bani Yas strekte zich ver uit naar het noordoosten, tot aan een nederzetting in de oase die de afgelopen dertig jaar is uitgegroeid tot een prachtige tuinstad: de universiteitsstad Al Ayn, die grenst aan het sultanaat Oman.

*ABOE DHABI

'We waadden door de baai die Aboe Dhabi scheidt van het vasteland en na nog eens vijftien kilometer door een lege woestijn bereikten we een grote burcht die oprees boven een kleine vervallen stad aan de rand van de kust. Naast de burcht stonden een paar palmen en was een kleine bron, waar we de kamelen lieten drinken. Daarna gingen we we voor de muren van de burcht zitten en wachtten tot de sjeiks ontwaakten uit hun siësta. Het was 14 maart 1948.' Zo beschrijft de Engelse reiziger Wilfred Thesiger in zijn boek *Desert, Marsh and Mountain* de huidige hoofdstad van de Verenigde Arabische Emiraten, ***Aboe Dhabi** ❶.

Rechts: Sjeik Zayed II, ook na zijn dood in 2004 nog altijd zeer geacht.

Destijds leefden er ongeveer 5000 zielen in dit gat dat voor 70% bestond uit hutten uit palmbladeren (*barastis*) en een paar huizen uit koraalsteen. Buiten voor de stad begroette de door woestijnzand omgeven Qasr al Hosn, de vesting van de heerser, de nieuwkomers. Men voedde zich met behulp van visvangst, het fokken van kamelen en met een paar armetierige dadelpalmen die op de zoute grond niet bijzonder goed gedijden. Op de visvangst na leefde men bijna nog zoals de bedoeïenen uit de woestijn die iets meer dan 200 jaar geleden de stad hadden gesticht. Ook tien jaar later, toen de archeoloog Geoffrey Bibby op het kleine, naburige eiland Umm al Nar de ruïnes ontdekte van een belangwekkende cultuur, schreef hij nog dat sporen in het zand de enige wegen waren. De bittere armoede in aanmerking genomen, was het nauwelijks voor te stellen dat de stad in 1929 tot de welvarendste plaatsen van de hele Golfkust had behoord.

'Vader van de gazelle'

De stichting van Aboe Dhabi gaat terug op de volgende, veel vertelde legende. Rond 1761 achtervolgden een paar bedoeïenen uit de Liwa-oase tijdens een jacht een gazelle. Het prachtige dier hield steeds voldoende afstand, zodat het buiten het bereik van hun wapens bleef en de achtervolging dagenlang duurde. Uiteindelijk kwamen ze terecht in de kustregio, waar de gazelle door een ongeveer 200 meter brede doorwaadbare plaats naar een eiland zwom en verdween. Bedoeïenen zijn bij gebrek aan mogelijkheden om te oefenen veeleer slechte zwemmers, maar zo snel gaven ze zich na al die moeite niet gewonnen. Ze wachtten tot het eb werd, zochten de sporen van het dier, die dwars over dit volledig onbewoonde eiland liepen en vonden de gazelle tenslotte drinkend bij een bron. Die lag aan een licht in zee afhellende kust. Het leek de Arabische jagers een ideale ne-

kaart p. 56-57, info p. 85-87

derzettingsplaats. Dus gingen ze terug, overtuigden hun verwanten, en ontstond er een nederzetting die ze *Abu Dhabi* noemden – vader van de gazelle.

Het eiland was goed te verdedigen, een niet onbelangrijk aspect in tijden van stammenoorlogen om weidegrond. Het wad kon alleen bij eb en dan nog slechts op één bepaalde plaats worden overgestoken. Een klein versterkt gebouw met wachttoren was voldoende ter bescherming. Rond het eiland verhinderden ondiep water en vlakke zandbanken dat schepen konden aanmeren, maar naar het noorden lag de open zee van de Perzische Golf. Daar ontstond een haven en in de jaren daarna legde men zich toe op de destijds florerende parelhandel.

Naast nieuwe inwoners uit de Liwa-oase kwamen ook de eerste buitenlanders naar Aboe Dhabi: Indiase kooplieden die parels naar hun vaderland exporteerden. Omdat ze zagen dat het in de nieuw gestichte stad aan veel ontbrak, begonnen ze met de import van gebruiksgoederen voor het dagelijkse leven en levensmiddelen zoals rijst, thee, spijsolie en suiker. De sterke opleving zorgde er uiteindelijk voor dat een van de leidende stamsjeiken, sjeik Shakhbout bin Dhiab, in 1793 eveneens op het eiland ging wonen. Hij bouwde rond de bron een imposant fort, dat hij Qasr al Hosn noemde. Hosn betekent vesting, terwijl Qasr met paleis wordt vertaald. En een paleis was het gebouw, tenminste in vergelijking met de windederige hutten uit palmbladeren waarin de rest van de bevolking woonde. Rond 1800 was Aboe Dhabi uitgegroeid tot een aanzienlijk dorp met een haven waarin een grote vloot van 400 schepen lag.

Sjeik Zayed de Grote

De 19de eeuw begon niet goed. In de Perzische Golf heerste oorlog tussen Europese zeemachten en de Arabische Qawasim uit Ras al-Chaima om de hegemonie. De Britten kwamen in 1820 als overwinnaars te voorschijn. Vervolgens waren er moeilijkheden in de Liwa-oase, die ertoe leidden dat de Al-Maktoum-familie in 1833 de federatie

plattegrond p. 60-61, info p. 85-87

verliet, zich in Doebai vestigde en haar eigen emiraat uitriep. Het conflict tussen Aboe Dhabi en Doebai zou in de daaropvolgende jaren nog vaker voor onrust zorgen; tussen 1945 en 1947 zou het zelfs tot gewapende conflicten komen. Thans wordt het conflict voortgezet in een ietwat bizarre wedstrijd om het grootste golfterrein, het hoogste gebouw en het mooiste hotel, waarbij Doebai op dit moment vooroploopt.

In het jaar 1855 zorgde sjeik Zayed I bin Khalifa al Nahyan, ook wel Zayed de Grote genoemd, vervolgens voor rust, want de handel en de parelduikerij hadden te lijden onder de strijd. Hij verzoende zich met de Britten, wist geschillen bij te leggen in de ver weg gelegen oasen, zorgde voor een nauwere samenhang in de stammenfederatie en vergrootte vooral de invloed van de familie Nahyan, die tot op de dag van vandaag niet alleen de emir van Aboe Dhabi, maar ook de president van de Emiraten levert. Onder zijn leiding groeide Aboe Dhabi uit tot een van de machtigste emiraten aan de Golf.

Maar ook de eeuw daarna leek niet onder een goed gesternte te zijn geboren. In 1909 stierf sjeik Zayed, en het kwam tot bloedige opvolgingstwisten. Bijna geen enkele emir stierf tot 1928 een natuurlijke dood. Daarna nam sjeik Shakhbout bin Sultan het regentschap over en maakte een einde aan de familievete. Maar nauwelijks was dat voor elkaar, of het emiraat kreeg in 1929 een eerste economische oorvijg van de economische wereldcrisis. De prijzen van de parels doken omlaag en vervolgens kwam in 1930 met de Japanse cultivéparel de knock-out. Geen enkel emiraat werd zo hard door de crisis getroffen als Aboe Dhabi, want de andere waren of nog lang niet zo welvarend, of ze beschikten, zoals rivaal Doebai, over andere inkomstenbronnen. De helft van de 10.000 inwoners vertrok. Sjeik Shakhbout koesterde hoge verwachtingen van de zoektocht naar olie, die in de jaren dertig begon, en verstrekte van-

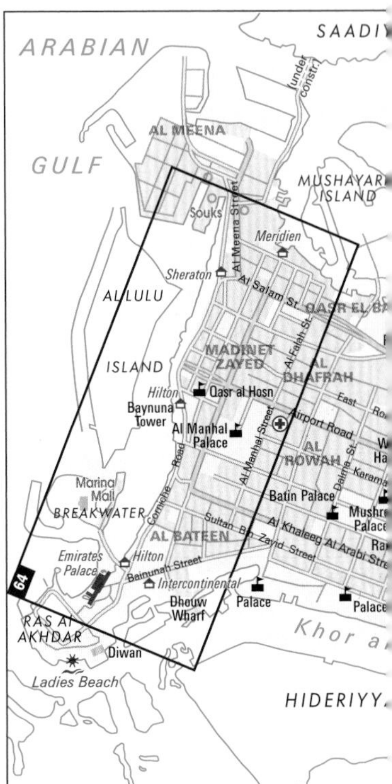

af 1939 bereidwillig concessies aan Britse firma's. Maar de daaropvolgende 20 jaar waren vol ontberingen.

Een 'geschenk van de geschiedenis'

Met dit 'geschenk' wordt niet de olie bedoeld die sinds 1958 uit de bodem van Aboe Dhabi opwelt, maar een tot dan toe nauwelijks in de openbaarheid getreden broer van de heerser, sjeik Zayed II bin Sultan al Nahyan.

Zo bereidwillig als sjeik Shakhbout olieconcessies verstrekte, zo omzichtig en aarzelend ging hij te werk om de eerste grote inkomsten te investeren. Want hij was de economische neergang van de jaren dertig niet vergeten, hij wist hoe snel men diep kon vallen en wilde

 info p. 85-87

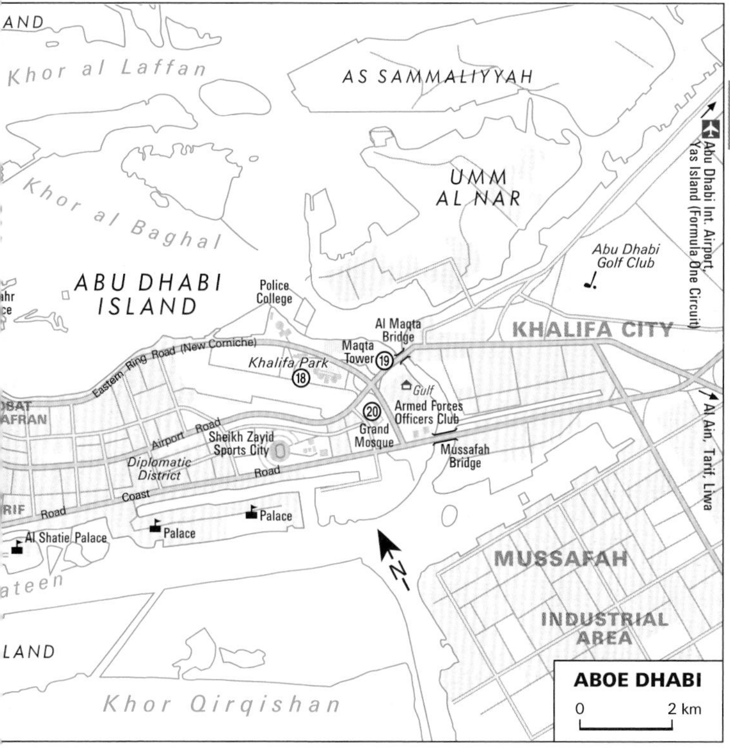

financiële reserves opbouwen. Aan de verzekeringen van olie-ingenieurs dat er geen twijfel bestond over nog meer grote olievelden, hechtte hij weinig geloof. Nog moeilijker werd het door de politieke sfeer van die jaren, toen het Arabische nationalisme afwijzend stond tegen westerse invloeden en sjeik Shakhbout om de traditionele waarden van zijn bedoeïenencultuur vreesde. Maar het land en zijn bewoners wilden veranderingen en vernieuwingen, zoals die zich in de andere Golfstaten voordeden, en zo werd Shakhbout in 1966 opgevolgd door sjeik Zayed.

Zayed II, genoemd naar zijn grootvader Zayed I de Grote, werd rond 1918 bij Al Ayn geboren. Hij groeide op in de woestijn en zoog het bedoeïenenleven met de moedermelk in. Hij leerde het harde leven met dagelijkse honger en dorst kennen, maar hij hield van de woestijn, was vaak onderweg op verkenningstochten en zou tot zijn dood zeer nauw verbonden blijven met de bewoners van de woestijn. Zijn tweede passie was de valkenjacht. Zijn jaarlijkse jachtpartijen in binnen- en buitenland als latere president van de Emiraten zijn legendarisch geworden. In 1946 benoemde zijn broer hem tot gouverneur van zijn geboortestad en in deze functie bewees hij voor het eerst zijn gemeenschapszin, zijn doorzettingsvermogen en leidinggevende kwaliteiten. Want de daar aanwezige waterbronnen waren in het bezit van een paar families, die zich door hun monopoliepositie

info p. 85-87

economische voordelen bezorgden. Zayed II besloot dat het water van en voor iedereen was en eerlijk gedistribueerd moest worden. Zo verkreeg hij respect in zijn land en tijdens zijn buitenlandse reizen vormde hij zich verder. Al in 1953 reisde hij voor het eerst naar een Europees land. Later was hij te gast in Amerika en Perzië.

Hoewel hij hield van het bedoeïenenleven, herkende hij de tekenen des tijds en zag de kansen en mogelijkheden die het winnen van aardolie hem en de bevolking zou bieden. Op 6 augustus 1966 volgde hij zijn broer op als emir en twee jaar later was hij, samen met sjeik Rashid uit Doebai, de drijvende kracht tijdens de onderhandelingen over het vormen van een nieuwe staat, waarvan hij, bij de stichting in 1971, president werd. Hoe groot zijn invloed in deze functie was, werd duidelijk in 1976, toen de eeuwigdurende geschillen tussen de andere emiraten om omstreden grensproblemen niet ophielden. Hij dreigde af te treden en binnen de kortste keren werden de twisten bijgelegd.

Daarbij vergat de sjeik nooit het contact met de bevolking. In vroeger tijden was het een plicht dat een stamopperhoofd altijd tijd nam voor de belangen, klachten en problemen van zelfs het geringste lid. Al tijdens zijn gouverneurstijd in Al Ayn werden de audiënties van sjeik Zayed veel en vaak bezocht, want hij stond bekend om zijn geduld en zijn rechtvaardige beslissingen. Als president reisde sjeik Zayed één keer per jaar door zijn emiraat, zodat hij ook wist wat er gaande was in zelfs de verste uithoek en de inwoners niet het gevoel hadden dat ze geen aandacht kregen. Tijdens religieuze feestelijkheden nam hij graag deel aan de oude dansen en ceremonieën in de woestijn. Niet ten onrechte werd de sjeik om die reden ooit betiteld als 'een geschenk van de geschiedenis aan het volk van de Emiraten'.

Toen hij in november 2004 stierf, treurde niet alleen de Arabische bevolking, maar ook de gastarbeiders, want voor iedereen was duidelijk dat er een einde was gekomen aan een belangrijk tijdperk. Met sjeik Zayed stierf een regent die de hardheid van het oude leven kende, des te meer de zegeningen van de welvaart wist te waarderen en er voor gezorgd had dat de oude waarden in de nieuwe, op consumptie gerichte, jachtige en verwesterde levensstijl niet verloren gingen. Zijn zoon sjeik Khalifa bin Zayed al Nahyan werd zijn opvolger.

Rechts: De Corniche in avondlicht.

Parkstad aan de Golf

Meteen na zijn ambtsaanvaarding was sjeik Zayed begonnen met de opbouw van zijn hoofdstad Aboe Dhabi. De straten werden aangelegd in schaakbordpatroon. In het noorden ontstond een bestuurscentrum met banken, kantoor- en regeringsgebouwen en de eerste hotels. Omdat er op het eiland niet veel plaats beschikbaar was, liet Zayed vanaf het begin in de hoogte bouwen. Maar omdat de vochtige, zouthoudende lucht de huizen sterk aantastte, is er van deze eerste generatie flats nauwelijks iets over. Ze werden gesloopt en het puin werd, om land te winnen, voor de kust in zee gestort.

Tegenwoordig wedijveren postmoderne wolkenkrabbers met hun glazen façades met elkaar; in sommige blokken staan ze al zo dicht op elkaar, dat er nog slechts een paar uur per dag natuurlijk licht de smalle straten binnenvalt. Daarom heeft men de stad ook de bijnaam 'Manhattan van de Emiraten' gegeven. Maar terwijl de Amerikaanse pendant slechts over één groene oase beschikt, het Central Park, waren Aboe Dhabi's stadsplanners zo vooruitziend grote gebieden te beschermen tegen bebouwing en ongeveer 20 ruim opgezette parken aan te leggen. Palmen, die naar men zegt elke week worden afgespoeld, heesters, fonteinen, hagen, van groen voorziene bermen langs de wegen en bloembedden met duizenden bougain-

plattegrond p. 60-61, info p. 85-87

villes fleuren de omgeving enorm op.

Het toerisme speelde lange tijd geen rol in de economie van Aboe Dhabi. In de 5-sterrenhotels logeerden voornamelijk zakenlieden die slechts een paar dagen bleven en nauwelijks tijd hadden voor vrijetijdsactiviteiten. De westerse gastarbeiders bezorgden zichzelf lidmaatschapskaarten voor de clubs van de hotels aan het strand en regelden hun watersportartikelen, zoals jetski's of surfplanken, persoonlijk. Maar sinds een paar jaar werkt de stad er intensief aan haar imago als bestuurscentrum kwijt te raken en bouwt ze haar toeristische infrastructuur uit. Omdat de stranden op het hoofdeiland beperkt zijn, worden de in de nabije omgeving liggende zandbanken bij het ontwikkelingsprogramma betrokken. Nieuwe bruggen maken de toegangsroute makkelijker, duizenden nieuw aangeplante palmen moeten voor een Caribische sfeer zorgen, luxueuze strandhotels en appartementencomplexen bieden voldoende bedden, nieuwe jachthavens, watersportaanbieders en duikclubs bieden talloze recreatiemogelijkheden.

*CORNICHE

Promenade, fietspad, joggingroute, skatebaan – dat alles is de ruim 6 km lange ***Corniche** ① langs de westoever van het eiland. Hier liggen cafés, kleine parkjes om te picknicken, verlichte fonteinen en overdekte terrassen. 's Avonds ontvlucht de bevolking van Aboe Dhabi de smalle straatjes en komt hier naartoe om uit te waaien. De wolkenkrabbers aan de zuidkant lijken te willen opvallen door bijzonder kostbaar vormgegeven façaden. In een paar ervan bevinden zich de appartementen van diverse hotels met fraai uitzicht op de kust. Omdat de boulevard de afgelopen jaren werd verwaarloosd, onderwierp men de kustweg en het ***Corniche Park** aan een grootscheepse, 145 miljoen euro kostende facelift. Grotere parken, nieuwe zonneschermen en verbrede trottoirs geven haar een nieuwe sfeer. Door zand op te hopen werd de oever verbreed en er kwamen strandcafé's en restaurants.

Aan het zuidwestelijke einde van de Corniche ligt het 'Groene hoofd', **Ras al Akhdar** ②, met een van de grootste

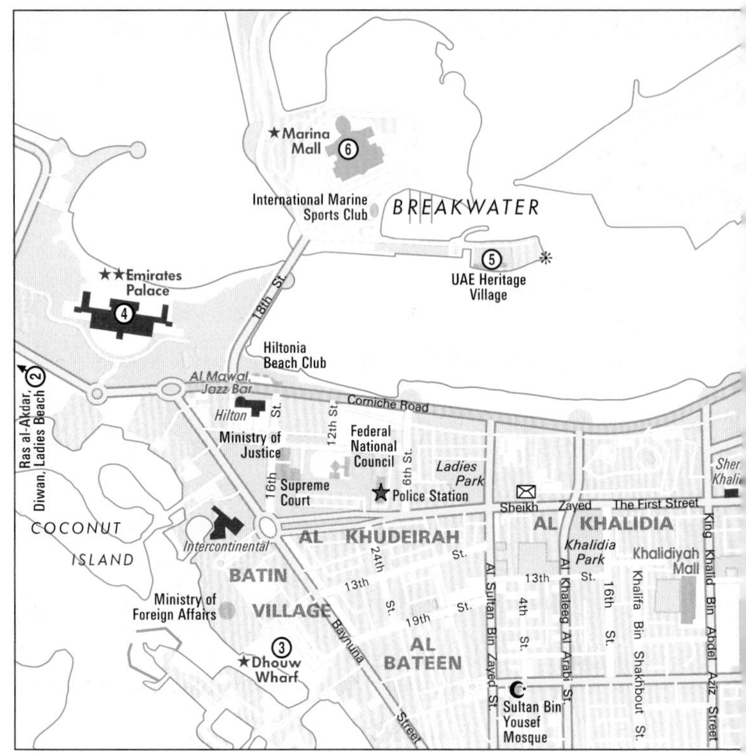

stranden van de stad. Erg bekend is het **Ladies Beach**, het damesstrand, met stranddouches, omkleedcabines, kinderspeeltuin en restaurant. Het mannelijke geslacht mag alleen mee als het een zoon is niet ouder dan zes. Baden is niet echt een van de lievelingsactiviteiten van Arabische vrouwen, maar hier zijn ze ongestoord onder elkaar. Westerse bezoeksters wordt verzocht decente badkleding te dragen! Een bakstenen muur beschermt tegen al te opdringerige blikken en de ramen van het nabijgelegen **Diwan** (heerserspaleis) kijken uit op een andere richting, naar het zuiden. Daar resideerde tot aan zijn dood sjeik Zayed. Omdat er nog altijd leden van de regerende familie wonen, wordt de toegang tot dit schiereiland bij het invallen van de duisternis uit veiligheidsoverwegingen afgesloten.

★DHOWWERVEN

In een baai ten zuiden van Ras al Akhdar ligt een van de laatste grote ★**dhowwerven** ③ van het Arabisch Schiereiland, waar nog veel bedrijvigheid heerst en houten schepen worden gebouwd. Weliswaar niet meer de oude, zeewaardige vrachtschepen, maar menig visser laat voor zichzelf een door de staat gesubsidieerde, traditionele dhow bouwen. Het zijn vooral de lange, smalle wedstrijdroeiboten, die naar oud voorbeeld worden getimmerd. Er passen tot twintig man in en bij feestelijkheden, bijvoorbeeld tijdens de nationale

info p. 85-87

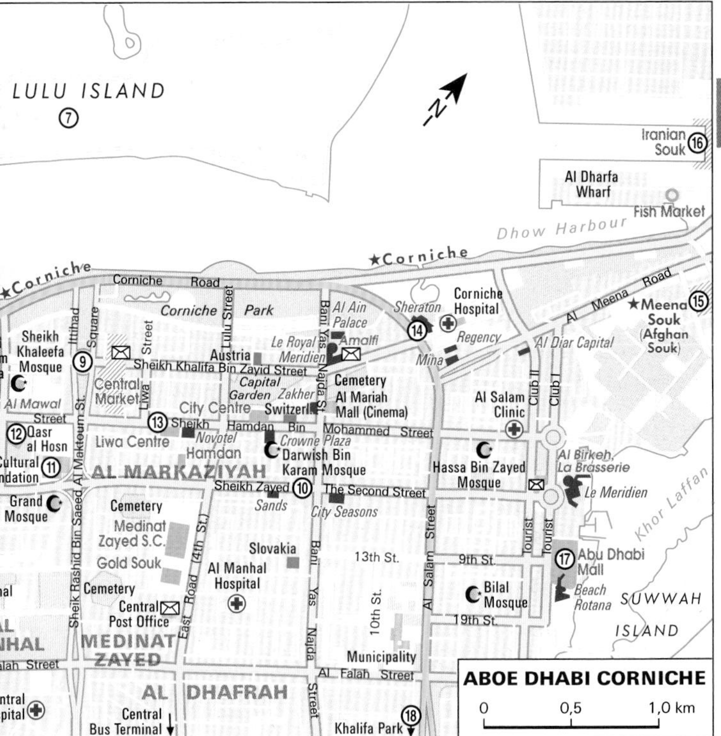

feestdag, leveren ze spannende wedstrijden voor de Corniche. Ze liggen langs de oever rondom de dhowwerf. Modern gereedschap, zoals schuurmachines en boormachines, heeft allang zijn intrede gedaan, maar als u uit het ultramoderne Aboe Dhabi komt, is het toch alsof u terugduikt in het verleden. De grond is bezaaid met zaagsel, houten splinters en verbogen vierkante nagels, en over alles hangt een aangename geur van hout. Een stapel teakhout verspert de doorgang, reeds recht gezaagde planken stapelen zich op naast een boot in aanbouw, en meteen daarnaast, in de schaduw van een bijna voltooide romp, zit een Indiër die de laatste kieren dicht tussen de planken. De arbeiders laten zich graag tijdens het werk over de schouders meekijken en als u er vriendelijk om vraagt, mag u ook fotograferen. Vooral laat in de middag levert dat mooie beelden op.

De werf behoort nog tot het stadsdeel **Al Bateen**, een van de duurste wijken van Aboe Dhabi. Tussen de parken staan een paar prachtige **villa's** van de zonen van sjeik Zayed, en het **Intercontinental Hotel**.

**EMIRATES PALACE HOTEL

Vanaf de dhowwerven loopt de Baynuna Street terug naar de kust en wie zich verbaast over de ogen wrijft en meent de Parijse triomfboog te zien, vergist zich, want die is veel kleiner dan de gigantische, pronkerige poort van

het **Emirates Palace Hotel** ④! Oorspronkelijk zou op deze markante plaats aan het einde van de Corniche een gastenverblijf van de regering komen. Maar nadat het zo groot was geworden – de afstand van de west- naar de oostvleugel bedraagt 1 km – bedacht men dat het een ideaal hotel zou zijn om conferenties te houden en het toerisme op gang te brengen – en bovendien had concurrent Doebai nog niet zoiets. Is de 'triomfboog' voor de ingang al geweldig, u heeft bijna een verrekijker nodig om de met zilveren en gouden tegels gedecoreerde koepel van de entreehal volledig te kunnen registreren – de Sint-Pieter uit Rome kan er makkelijk onder. Modellen uit alle delen van de wereld begroeten de gast in de foyer en interactieve beeldschermen wijzen u in dit paleis dat 1,5 miljard euro kostte, de weg als u in een van de vele lange gangen de weg bent kwijt geraakt, wat al enkelen van de 2000 personeelsleden is overkomen. Als alle kamers en suites, in totaal 394, bezet zijn, ontstaat er een elektriciteitsrekening van bijna 15.000 euro – dagelijks! Het is maar goed dat de 18.000 rozen slechts één keer in de drie dagen worden vervangen, dat is dan 166.000 euro – per maand.

Boven: Het Emirates Palace Hotel. Dit luxueuze, in 2005 geopende megahotel strekt zich uit over 1000 meter – aan een palmstrand van bijna 1,5 km lang.

Het is exploitant **Kempinski** niet zwaar gevallen het motto 'Hier moet de gast zich niet zoals thuis voelen', te realiseren, want wie heeft ooit eerder 8000 dadelpalmen langs een bijna 1,5 km lang **zandstrand** zien staan, 1002 Swarovski-kroonluchters aan de plafonds zien hangen of 190 koks in 33 keukens aan het werk gezien? Of personeel dat de zonnebril van een gast poetst? Het Emirates Palace biedt de op dit moment vermoedelijk duurste suite ter wereld aan voor 15.000 euro per nacht. De gast beschikt daarin over meer dan 1200 m^2 – genoeg ruimte voor een grote Arabische familie plus personeel – en heeft bij de limousineservice de l'embarras du choix tussen Maybach en Rolls. Eveneens zeer groot uitgevallen is het **zwembadlandschap** met een zwembad

plattegrond p. 64-65, info p. 85-87

van maar liefst 150 meter en watervallen.

BREAKWATER

De Engelse naam Breakwater betekent golfbreker. Het schiereiland werd opgehoogd als bescherming voor de Corniche en ter hoogte van het Hilton Hotel verbonden met het vasteland door een dam. Tegenwoordig is het een populair excursiedoel; vooral vanaf de vroege avonduurtjes is hier veel te doen. Met name de zuidkant is het bezoeken waard, want hier vindt u recreatiemogelijkheden, cafés en restaurants. Het noordelijke deel is grotendeels bebouwd met appartementencomplexen van particulieren.

In de late namiddaguurtjes is het uitzicht vanaf het noordoostelijke eind van de Breakwater op de ★**skyline** van de stad een must. In de jaren negentig vestigden zich hier voor het eerst een paar restaurants, vervolgens een reusachtig winkelcentrum, de Marina Mall, het Zweedse meubelconcern IKEA en een bezienswaardig **UAE Heritage Village** ⑤. Het **openluchtmuseum** op de Breakwater staat onder leiding van de Emirates Heritage Club, die zich bekommert om het behoud van het culturele erfgoed van de Emiraten en de stad. Omdat de stichters van de stad uit de contreien van het Lege Kwartier kwamen, ontbreekt een **woestijnlandschap** inclusief **tenten** uit geitenhaar en kampvuur natuurlijk niet. Tijdens bijzondere evenementen krijgt u bovendien interessante taferelen te zien, die u anders nauwelijks nog voor uw lens krijgt, waaronder Arabische paarden in traditioneel ornaat, dus met zilver getooid hoofdstel en een zadeldek met kleurige kwasten. Maar ook het alledaagse historische leven van een stad van parelduikers, kameelfokkers en dadelkwekers is gedocumenteerd. In kleine **ateliers** werken meubelmakers, pottenbakkers of smeden, waarvan de producten worden verkocht in de souvenirshop. In het **museum**, dat is ondergebracht in een nagebouwd fort, zijn sieraden, wapens, gebruiksvoorwerpen van parelduikers en historische edities van de koran tentoongesteld. Hapjes

van de traditionele lokale keuken en Arabische koffie (*qahwa*) zijn verkrijgbaar in het **restaurant**.

In de ***Marina Mall** ⑥, een van de grootste winkelcentra van Aboe Dhabi, kunt u niet alleen shoppen, maar ook een lunchpauze doorbrengen. Zoals elk van deze buitensporig grote malls in de VAE heeft ook de Marina een zogenaamd **food court**. Hier vindt u op een aparte etage meerdere fastfoodrestaurants met gemeenschappelijke zitgelegenheid. Bij dit food court kijkt het grote vensterfront uit op de strandkant van het Emirates Palace Hotel. Op de tweede etage is een goede boekwinkel die behalve ansichtkaarten en stadskaarten ook zeer fraaie fotoboeken verkoopt.

Tegenover de mall, aan de zuidkant van de Breakwater, liggen een paar goede **visrestaurants** evenals een klein **pretpark**, dat met zijn attracties veel plezier belooft voor kinderen. Volwassenen komen voor de zonsondergang, om de nabijgelegen **dhow** te enteren voor een dinervaart langs de kust. Vanwege zijn ligging zij ook het **Al Kasser Tourism Complex** vermeld, waarvan het terras uitkijkt op de skyline van Aboe Dhabi. Hier komen veel jongeren voor thee en een waterpijp.

Lulu Island

Van de Breakwater nabij Heritage Village gaan motorbootjes naar **Lulu Island** ⑦, waar aan de zuidkant openbare palmstranden (met gastronomisch aanbod) tot zwemmen noden.

RONDOM HET ITTIHAD SQUARE

Terug op de ***Corniche**, komt u noordwaarts al snel langs de **Baynunah Tower** ⑧, die u kunt herkennen aan de bol op het dak. Halverwege de jaren negentig was hij met zijn 156 meter een paar maanden lang het hoogste gebouw

Rechts: In de dhowwerven worden nog traditionele vissersboten gebouwd. Rechts: Het monument op het zuidelijke deel van het Ittihad Square bestaat uit een kanon, rozenwaterverstuiver, wierookbrander en verdedigingstoren.

van de VAE, maar Doebai antwoordde met de meer dan 300 meter hoge Jumeirah Emirates Towers. Desalniettemin is een bezoek aan de Baynunah, waar het **Hilton** een hoteldependance heeft, de moeite waard. U heeft er een fantastisch **uitzicht** op de Corniche en de kust.

Op het **Ittihad Square** ⑨, het 'Plein van de Vereniging' ter herdenking van de stichting van de staat in 1971, lag vroeger de 'Old Souk', maar in het voorjaar van 2005 werden de winkeltjes gesloopt, evenals de klokkentoren met daarvoor de Lulu-fontein. Hier moet de 225 meter hoge **Stellar Tower** komen. De statisch zeer gewaagde, op een vaas lijkende vorm moet het nieuwe symbool van Aboe Dhabi worden en wordt gebouwd ter herinnering aan sjeik Zayed. De oude markt zal als geklimatiseerde 'Arabische bazaar' herrijzen; de eerste winkels zijn al geopend.

Het noordelijke deel van het Ittihadplein bestaat uit een fraai **park**. Het is niet groot, maar wel geschikt om u uit te strekken in de schaduw van de bomen na een wandeling. In de omgeving staan een paar mooie, kleine, wat oudere **moskeeën** (alleen voor moslims), die er tegenwoordig, voor de spiegelende flats in de omgeving, uitzien als miniatuurbouwwerkjes. Van deze moskeeën zijn er meerdere honderden, over de hele stad verspreid, want sjeik Zayed wilde dat zijn onderdanen niet meer dan 500 meter naar het volgende gebedshuis hoefden af te leggen. Op menige kaart wordt het zuidelijke deel van het plein als 'Canon-Square', kanonplein, aangeduid. Hier staat namelijk een **kanon**, dat deel uitmaakt van een ensemble uit kolossaal grote, betonnen plastieken, dat in 1996 samen met een **rozenwaterverstuiver**, **wierookbrander** en **wachttoren** ter verfraaiing werd geïnstalleerd – goed om u te oriënteren.

Bij de eerste rotonde ten zuiden van het Ittihad-plein stuit u op de Sheikh Zayed Street. Beginnend bij de dhowwerven, heet deze tot hier Sheikh Zayed The First Street, vanaf de rotonde **Sheikh Zayed The Second Street** ⑩ en onder deze naam verandert ze in een **winkelstraat**, een van de beste van Aboe Dhabi. Hier en in de zijstraten vindt u zo goed als alles, van kledingwinkels met jeans en t-shirts via elektronicawaren tot aan de betere juwelier – in het bijzonder in het gigantische **Medinat Zayed Shopping Centre**. Meteen daarnaast bevindt zich het grote, moderne **Gold Centre**.

Aan de rotonde staat aan de rechterkant de **Cultural Foundation** ⑪, het culturele centrum. In het uit drie gebouwen bestaande complex zijn onder meer het Nationale Archief en de Nationale Bibliotheek ondergebracht. In het derde gebouw vindt u het **Instituut voor kunst en cultuur**, dat erg actief is. Het organiseert een jaarlijks plaatsvindende boekenbeurs en schaaktoernooi, filmfestivals, tentoonstellingen en klassieke concerten, alles met internationale bezetting. Wie zijn zonnenbrand een pauze gunt en een keer naar de **bioscoop** wil gaan: hier is er één waar Engelstalige films worden vertoond. Ook als er op dat moment geen programma loopt, kunt u een blik werpen op het interieur van het in modern-islamitische stijl opgetrokken gebouw, een pauze inlassen in het **café** of de prachtig onderhouden **tuinen** bewonderen.

Niet ver van de cultuurstichting staat **Qasr al Hosn** ⑫ ('vestingspaleis'), het fort dat tot aan het begin van de moderne tijd aan de rand van het dorp lag en de residentie was van de emirs van Aboe Dhabi. Sjeik Shakhbout bin Dhiab liet het na zijn aankomst in 1793 bouwen ter bescherming van de bron die volgens de legende de bevolking van Aboe Dhabi mogelijk maakte. Het was een paar jaar lang het meest indrukwekkende gebouw van de Emiraatse kust, maar tegenwoordig is het paleis het enige historische bouwwerk van Aboe Dhabi en ziet het er in de huizenzee een beetje verloren uit. Nog voordat de laatste emir in 1972 verhuisde naar zijn nieuwe residentie, begon de inrichting van het documentatiecentrum dat hier nog altijd is ondergebracht. Tegenwoordig is de betekenis ervan wat marginaal, maar aan het eind van de jaren zestig en vooral in de jaren zeventig viel het bij het vaststellen van de grenzen met Saoedi-Arabië en de naburige emiraten een belangrijke rol toe. Destijds maakte iedereen aanspraak op het territorium, wat werd gemotiveerd met het oude gebruiksrecht van zijn stammen. Nu was er daarover van Arabische kant niets schriftelijk vastgelegd, waardoor de historische aantekeningen en documenten van Engelse militairen of van regeringsvertegenwoordigers, die hier werden verzameld, erbij moesten worden gehaald. Sinds 1983 noemt men het complex ook het 'Witte Fort', want het werd gerenoveerd en gemoderniseerd en kreeg een nieuw verfje – helemaal in het wit. Een bezichtiging is niet mogelijk, maar de poorten van de vestingsmuren staan meestal open en gunnen u een blik op de met palmen beplante **binnenplaats**.

Rechts: Het fort Qasr al Hosn, overgebleven restant uit de vroegste jaren van Aboe Dhabi rond 1800.

Het Qasr al Hosn ligt aan de **Al Nasr Street**, samen met de Sheikh Zayed Street de tweede grote **winkelstraat** in Aboe Dhabi. Hier bevinden zich onder andere souvenirhandelaren uit Iran, India en Jemen. Meer naar het noordoosten heet de straat vervolgens **Sheikh Hamdan bin Mohammed Street** ⑬. Hier liggen de grote winkelcentra **Hamdan**, **Liwa Centre** en **City Centre**, en vooral in de avonduren is het er behoorlijk druk. Vanwege het luide verkeer staat u geen gemoedelijk winkeltochtje te wachten, maar beleeft u 'Abu Dhabi by night' met een hoog aantal polsslagen.

Aan het noordeinde van de onlangs uitgebreid vernieuwde **Corniche** staat – in markante silovorm – een van de eerste hotels van Aboe Dhabi, het in 2005 grondig gerenoveerde **Sheraton** ⑭ met een aantrekkelijk zwembadlandschap. Door de nieuwbouw aan de kustweg is het uitzicht op de zee helaas ietwat beperkter geworden.

plattegrond p. 64-65, info p. 85-87

SJEIK ZAYED-HAVEN

Op weg naar de **Port Zayed** verdienen de Afghaanse tapijthandelaren in de ***Meena Souk** ⑮ (ook **Afghan Souk** genaamd) een bezoekje. Al dertig jaar lang zitten ze voor hun **tapijtwinkels**, omgeven door hoog opgestapelde rollen van de beroemde Perzische weefkunst. Vooral na de middagpauze, zo tegen 16.00 uur, als de winkels weer opengaan maar het nog niet zo druk is en de handelaren ontspannen hun bittere thee slurpen, is er tijd voor een praatje, al is het met handen en voeten. Als u hier wordt uitgenodigd voor de thee moet u dat niet meteen zien als aanmaning om iets te kopen. Pas op: tijdens het theedrinken de suiker niet in het glas roeren, maar in de mond stoppen en slok voor slok de thee erover heen laten lopen.

Daarna, ruim op tijd voor zonsondergang, moet u in de haven zijn, de toegang is gratis. Op de **groente- en fruitmarkt** wordt verse waar te koop aangeboden, terwijl er op de **vismarkt** op dit tijdstip hoofdzakelijk diepgevroren zeevruchten zijn. De verse vangst komt aan in de vroege morgenuurtjes. De Iraanse markt, **Iranian Souk** ⑯, wordt om de drie dagen van nieuwe waar voorzien en staat bekend om zijn mengelmoes aan nieuwe planten, huishoudelijke artikelen, bloempotten en glaswaren. Gaat u voorzichtig met uw camera om, want fotograferen is hier eigenlijk verboden. Als u echter een beetje tijd uittrekt om met de handelaren in gesprek te raken, dan knijpen die soms wel eens een oogje toe. Na een korte wandeling kunt u het beste naar het eind van de havendam gaan, waar de dhowhaven ligt met veel vastgemeerde oude houten schepen die het 'lijnverkeer' naar Perzië bedienen – voor goederen, niet voor passagiers.

ABU DHABI MALL

Op de terugweg naar de stad buigen voor het Sheraton twee parallelstraten af: **Tourist-Club I + II**. De naam verraadt al wat u hier te wachten staat, namelijk de eerste toeristische wijk met diverse hotels, strandclubs, bioscopen

en winkelcentra. Een van de grootste is de **Abu Dhabi Mall** ⑰, die onder de autochtonen te boek staat als 'de' plaats om te shoppen, wat wordt geïllustreerd door 26.000 bezoekers per dag.

OOSTELIJK ABOE DHABI-EILAND

Via de Al Falah Street komt u bij de **Eastern Ring Road**. Die veranderde de afgelopen jaren – waarbij kosten noch moeite werden gespaard – tot een boulevard langs de oostelijke kust, waar veel mangrovebomen groeien. Ze staat ook bekend onder de naam 'New Corniche'. Dat leidt sinds kort tot enige verwarring, want ook de oude Corniche aan de westkant wordt sinds haar opknapbeurt als 'New Corniche' aangeduid – dus opgepast.

Bij het oude vliegveldterrein is het **Khalifa Park** ⑱ uitgebouwd tot een groot **recreatiepark** met **maritiem museum**.

Boven: Op de Iranian Souk vindt u huishoudelijke artikelen.

Aan de **Maqta-brug** staat de tegenwoordig onbelangrijke **Maqta-toren**, ⑲ die ooit het smalle wad tussen het eiland en het vasteland bewaakte. Met een nieuw bouwwerk heeft Aboe Dhabi sinds 2008 een geweldige voorsprong gekregen op Doebai, althans in de wedloop om de grootste moskee: ca. 70.000 gelovigen passen in het **Grand Mosque** ⑳ (Grote Moskee) of Sheikh Zayed-moskee genoemde gebedshuis. De gegevens over de bouwkosten variëren van 500 tot 700 miljoen dollar. De moskee, waarvan het hoofdgebouw en de binnenplaats een areaal van 22.000 m^2 omvatten, straalde zelfs in onvoltooide staat al een zekere gratie uit. Uit 33.000 ton staal en 210.000 kubieke meter beton is een bouwwerk ontstaan dat met zijn vele koepels en ronde bogen lijkt op een Noord-Indiase Mogul-moskee, met vier 115 meter hoge minaretten. Grieks marmer uit Macedonië wordt geïmporteerd voor het verfraaien van buiten- en binnenkant, de zuilen van de gebedshal gedecoreerd met inlegwerk uit Indiase halfedelstenen. De wand met de gebedsnis (*mihrab*) zal over de gehe-

plattegrond p. 60-61, info p. 85-87

le lengte worden gedecoreerd met zes pagina's citaten uit de koran, elke pagina 21 meter hoog. Rond de moskee zullen in de toekomst uitgestrekte plantsoenen met talloze fonteinen zorgen voor een ontspannen atmosfeer. Ook niet-moslims mogen het godshuis bezichtigen, zie p. 86.

De **Coast Road** langs de zuidoever van het eiland leidt terug naar de stad. Aan de rechterkant duikt spoedig een **sportstadion** op, dat behoort tot de **Sheikh Zayed Sports City**, waar onder meer de voetbalwedstrijden van de plaatselijke clubs in de strijd om het kampioenschap worden gespeeld. Na de volgende grote kruising staat een grote tribune langs de weg. Tijdens nationale feestdagen worden hier parades gehouden.

In het **vrouwenhandwerkcentrum** ㉑ (Women's Handicraft Centre) in het stadsdeel Al Mushrif (Karama Street), begroeten 's ochtends (9-13 uur) autochtone Arabische vrouwen de bezoekers. De door de Abu Dhabi Women's Association geleide en door de regering financieel gesteunde vrouwenvereniging is geen toeristische attractie. Op de voorgrond staat weliswaar het behoud van traditionele ambachtelijke kunsten, er is een volkskundige tentoonstelling en u kunt de vrouwen bekijken tijdens hun werk, maar in de vertrekken vinden ook samenkomsten plaats voor vrouwen die misschien niet weten hoe het verder moet met hun gezinsproblemen en die komen vragen om professionele hulp of zelfs om rechtsbijstand in geval van een scheiding. Vooral mannelijke bezoekers moeten zich hier terughoudend opstellen. Natuurlijk zijn de zelfgemaakte producten, waaronder weefwerk en damesgewaden, ook te koop.

DE WEG NAAR DE TOEKOMST: SAADIYAT, YAS EN MASDAR CITY

De meeste bezoekers van Aboe Dhabi waren tot nu toe zakenlieden; de meeste toeristen vlogen naar Doebai. Maar sinds kort heeft Aboe Dhabi ambitieuze plannen om zijn toeristische aanbod grootscheeps te verruimen. In de komende jaren zullen op het eiland **Saadiyat** o. a. twee museale topattracties ontstaan: zowel het Guggenheim Museum als ook het Louvre zal daar in 2012 een dependance openen, ingebed in een recreatief landschap van luxehotels, golfbanen en parken.

Ook liefhebbers van autosport komen aan hun trekken omdat sinds een tijdje in de stad Formule-1-races worden gehouden. De racebaan bevindt zich op **Yas Island**, ten oosten van het stadscentrum, waar momenteel met **Ferrari World** ook een groot pretpark rondom het thema 'snelheidsmonsters' ontstaat.

Vlak bij de internationale luchthaven ontstaat thans met **Masdar City** een door Sir Norman Foster ontworpen, CO_2-neutrale ecostad voor 50.000 mensen – opmerkelijk in een land waar het waterverbruik en de CO_2-uitstoot onmmiskenbaar boven het mondiale gemiddelde ligt.

*LIWA-OASE

Roeb al-Chali, het 'Lege Kwartier': met 700.000 km² is het de grootste zandwoestijn ter wereld. Sprookjesachtig mooie ****duinen** reiken tot aan de horizon, afzonderlijke zandheuvels steken een goede 300 meter de strakblauwe hemel in. In de vroege morgenuurtjes tekent de zon een oranje streep aan de horizon, de eerste contouren worden zichtbaar en een fascinerend spel van licht en schaduw begint. Dan, vanaf 10 uur, wordt het licht steeds feller en doet pijn aan de ogen van een Europeaan die zonder zonnebril op pad is gegaan. Al het leven komt tot rust, verschuilt zich op elke plaats waar schaduw is en wacht tot de gloeiende schijf daalt. Tegen 15 uur neemt de droge hitte langzaam af, het licht wordt zachter, de duinen veranderen van kleur, van bijna felwit naar

zacht oranjerood. Nu is het de juiste tijd om in 'twee stappen voorwaarts, een stap achterwaarts-modus' een van de zandheuvels te beklimmen. Boven aangekomen: gaan zitten, op adem komen en genieten van de stilte, luisteren naar het bloed dat in uw oren ruist, terwijl de duinen steeds langere schaduwen werpen en dan nog een laatste maal goud-roodbruin oplichten. Voor deze ervaring rijden romantici naar de ***Liwa-oase**, 240 km ten zuiden van Aboe Dhabi, waar ze vervolgens de nacht doorbrengen onder de sterrenhemel.

Het is onduidelijk wanneer de eerste mensen zich hier vestigden, maar vanaf de 17de eeuw brachten de leden van de Bani Yas het land in cultuur. Door een gril van de natuur lag het grondwater slechts een paar meter onder het aardoppervlak wat in bescheiden mate landbouwkundige exploitatie toeliet. De afzonderlijke nederzettingen, ruim 15 in totaal, bestonden meestal uit een paar hutten uit palmbladeren, de grootste telde misschien 50 woningen. Naast landbouw garandeerde het fokken van kamelen, geiten en de jacht op gazellen het overleven. Pas met het begin van de parelhandel, eind 18de eeuw, kwam het tot sporadische contacten met de buitenwereld. Maar er was niets te koop, alles moest per kameel uit Aboe Dhabi worden gehaald, een reis van goed vijf dagen – nu is men er in krap vier uur, de meerbanige snelweg leidt van Liwa direct naar de kust, is van groen voorzien en 's nachts verlicht. Hier heerst een druk verkeer naar de grote aardolievelden van Bu Hasa of van het meer naar het zuidwesten gelegen Huwaila.

Boven: Door beplantingsprojecten werd de verzanding van de Liwa-oase gestopt; dankzij moderne bewateringstechnieken levert ze groente, fruit en dadels. Rechts: Duinen bij Al Ayn laat in de middag.

Ongeveer halverwege de route ligt de nieuwe, groene woonplaats **Madinat Zayed** ❷. Veel bedoeïenenfamilies, vooral jongeren, wilden weliswaar niet meer in de oase leven, maar zagen ook op tegen de benauwde omstandigheden in de hoofdstad. Sjeik Zayed onderkende hun dilemma en bouwde voor hen deze kleine stad. Toeristen wordt de

kaart p. 56-57, info p. 85-87

meer naar het oosten gelegen route via **Asab** ❸ voor de heen- of terugweg aanbevolen, want dan komt u dichter langs de **oliepompen**, 'jaknikkers' genaamd.

Een ca. 50 km lange geasfalteerde weg verbindt de meest westelijke oase **Umm Hisin** met de meest oostelijke zusterstad **Hamim**. Halverwege de route ligt het bestuurscentrum, de 'stad' **Meziyrah** ❹. Omdat de romantiek van veel stadsbewoners die voor een uitstapje naar de zandduinen zijn gekomen, ophoudt bij de gedachte aan een oncomfortabele nacht in slaapzak en een ontwaken zonder badkamer, werd hier een moderne accommodatie gebouwd met zwembad, het **Liwa Hotel**.

DESERT ISLANDS

Ca. 240 km ten westen van de hoofdstad liggen de **Desert Islands**. Deze kleine eilandengroep was lange tijd alleen bekend bij een kleine kring van ornithologen vanwege zijn vogelreservaten. Maar in 2008 werd op het belangrijkste eiland **Sir Bani Yas** ❺ een luxehotel geopend, dat ideaal is als uitvalsbasis voor trekkings en mountainbiketochten door een van de grootste Arabische wildparken. Wie de rit per auto te lang vindt, kan zich er vanuit Aboe Dhabi met het watervliegtuig laten heenbrengen – zelfs als het slechts voor één dagje is.

AL AYN

Het woord 'Ayn' betekent in het Arabisch zowel 'oog' als 'bron' en met een beetje poëzie laat de stad **Al Ayn** ❻ zich als bron voor het oog omschrijven. Want in tegenstelling tot haar grote zuster Aboe Dhabi wordt het zicht hier niet versperd door wolkenkrabbers. Meer dan 30 grote en kleine **parken** fleuren het stadsbeeld op en dankzij de vele **palmenbossen**, **groente- en fruitplantages** draagt Al Ayn terecht de bijnaam 'tuinstad'. Bovendien werd sjeik Zayed II bin Sultan al Nahyan, stichter van de VAE, hier geboren in een kleine burcht.

Al Ayn behoort tot het emiraat Aboe Dhabi en is met ruim 600.000 inwoners de op een na grootste stad van het sjeikdom. Het ligt ongeveer 160 km van de kust aan de grens met het sultanaat Oman in een woestijngebied dat door de natuur werd verwend met veel grondwater vlak onder de grond aan de rand van het Lege Kwartier. Bijna 200 natuurlijke bronnen zorgden al in prehistorische tijd voor gunstige levensomstandigheden, zoals opgravingen in de oasen rond de stad, waaronder Hili, Qatarrah en Qarn bint Saud, bewijzen. Tegenwoordig is Al Ayn niet alleen het landbouwkundige centrum van Aboe Dhabi, maar dankzij het klimaat, hoe verbazingwekkend dat ook moge klinken, ook vakantieoord. Want hoewel de temperaturen hier in de zomer nog hoger zijn dan aan de kust, brengen veel Emirati's ook tijdens het heetste jaargetijde hun weekends graag in de schaduw van de palmbossen door (of in de vertrekken van hun villa met airconditioning), want de drukkende luchtvochtigheid ontbreekt. In de wintermaanden is het klimaat ideaal.

De stad heeft zich ontwikkeld uit een conglomeraat van 9 grotere dorpen en diverse kleine nederzettingen, die tot aan de stichting van de staat van de VAE in 1971 als **Buraimi-oase** werd aangeduid. Bijna elke plaats bezat een eigen fort, want omdat er verschillende stammen woonden, kwam het regelmatig tot gewapende conflicten. Daarom staan in het stadsgebied nog 18 **burchten**, waarvan er al een paar werden gerestaureerd. Tegenwoordig loopt de **grens** met het **sultanaat Oman** dwars door de stad, en de naam **Buraimi** heeft alleen nog betrekking op het Omaanse, minder welvarende deel. Bezienswaardig zijn daar de **souk** en het gerestaureerde **Al Khandaq Fort**. Weliswaar kunt u hier sinds 2008 alleen nog maar komen via een toegangsweg nabij de Hili-tuinen met een officiële grenspost, waar een uitreistarief moet worden betaald, maar momenteel (!) nog geen visum voor Oman nodig is. Wel moet u rekening houden met aanzienlijke wachttijden, afhankelijk van het verkeer. Voor bestuurders van Emiraatse huurauto's is het belangrijk te weten dat in Buraimi een extra verzekering voor het Omaanse staatsgebied nodig is!

Destijds in Al Ayn

Voor archeologen wordt het oasegebied vooral vanaf het vierde millennium v. Chr. interessant, want sinds dit tijdstip getuigen de talloze in de omgeving gevonden graven van een permanente bevolking. De periode tussen 3500 v. Chr. tot ongeveer 2500 v. Chr. wordt aangeduid als Hafeet-periode, genoemd naar een berg ten zuiden van Al Ayn, aan de voet waarvan de eerste graven uit dit tijdvak werden gevonden. Uit de aansluitende Umm al Nar-periode tot ongeveer 2000 v. Chr. zijn grafbouwwerken bewaard gebleven die u ook kunt bezichtigen. In deze welvarende periode lagen de oasen van Al Ayn aan een belangrijke handelsroute tussen het koperland Magan in het huidige Oman en de havens aan de Golfkust. Een goed overzicht over de ligging van de graven en nederzettingen geeft het National Museum van Al Ayn.

Voor de volgende millennia zijn, afgezien van de islamisering in de 7de eeuw n. Chr., geen belangwekkende gebeurtenissen overgeleverd. In de 18de eeuw bevolkten de stammen van de Bani Yas-federatie het gebied, waaronder ook de familie Al Nahyan. In deze periode wierp een gebeurtenis zijn schaduw vooruit, die meer dan 200 jaar later belangrijke gevolgen zou hebben. Rond 1740 stichtte Mohammed ibn Abdul Wahhab op het gebied van het huidige Saoedi-Arabië een aartsconservatieve beweging ter 'vernieuwing' van de islam, die hij met geweld verspreidde. Een wezenlijk bestanddeel van zijn leer, die tegenwoordig als wahhabisme de reactionaire mentaliteit van de Saoedi's kenmerkt, is de letterlijke interpretatie van de koran en de sjaria. Terwijl in de Emiraten de koran eerder wordt gebruikt als morele richtlijn ter oplossing van moderne problemen, staan pu-

info p. 85-87

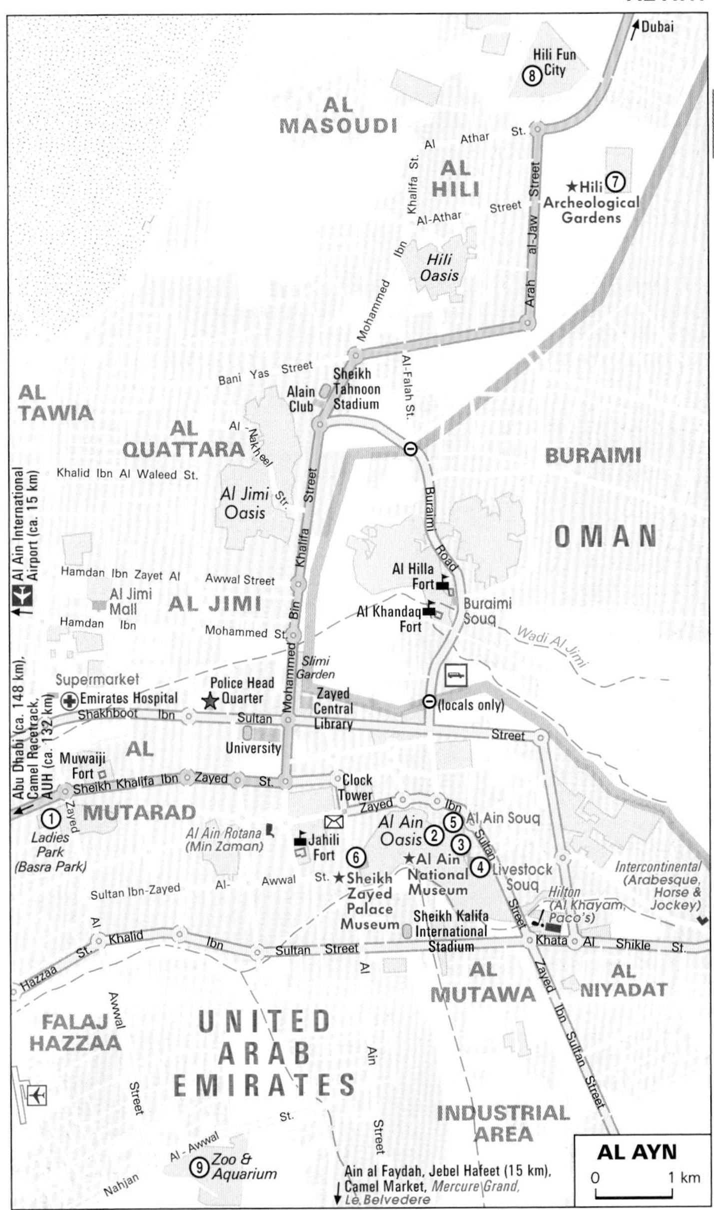
Dubai
Hili Fun City
AL MASOUDI
AL HILI
Al Athar St.
Ibn Khalifa St.
Al-Athar Street
Arah al-Jaw Street
Hili Archeological Gardens
Hili Oasis
Mohammed
Bani Yas Street
Al-Falah St.
Sheikh Tahnoon Stadium
Alain Club
AL TAWIA
AL QUATTARA
Al - Nakheel Str.
BURAIMI
Khalid Ibn Al Waleed St.
Al Jimi Oasis
Mohammed Bin Khalifa Street
OMAN
Buraimi Road
Al Ain International Airport (ca. 15 km)
Hamdan Ibn Zayet Al Awwal Street
Al Hilla Fort
Al Jimi Mall
AL JIMI
Al Khandaq Fort
Buraimi Souq
Hamdan Ibn Mohammed St.
Wadi Al Jimi
Slimi Garden
Supermarket
Police Head Quarter
Emirates Hospital
Zayed Central Library
(locals only)
Abu Dhabi (ca. 148 km), Camel Racetrack, AUH (ca. 132 km)
Shakhboot Ibn Sultan Street
University
AL MUTARAD
Muwaiji Fort
Sheikh Khalifa Ibn Zayed St.
Clock Tower
Zayed Ibn Sultan Street
Ladies Park (Basra Park)
Al Ain Rotana (Min Zaman)
Jahili Fort
Al Ain Oasis
Al Ain Souq
Al Ain National Museum
Livestock Souq
Intercontinental (Arabesque, Horse & Jockey)
Sultan Ibn-Zayed Al-Awwal St.
Sheikh Zayed Palace Museum
Hilton (Al Khayam, Paco's)
Sheikh Kalifa International Stadium
Al Khalid Ibn Sultan Street
Khata Al Shikle St.
Hazzaa St.
AL MUTAWA
AL NIYADAT
FALAJ HAZZAA
UNITED ARAB EMIRATES
Awwal Street
Al Ain Street
INDUSTRIAL AREA
St.
Al - Awwal Nahjan
Zoo & Aquarium
Ain al Faydah, Jebel Hafeet (15 km), Camel Market, Mercure Grand, Le Belvedere
AL AYN
0 1 km

riteinse aanhangers van het militante wahhabisme erop dat alle antwoorden, zelfs op actuele vragen zoals genonderzoek, in de koran te vinden zijn, ook al zijn die niet op het eerste gezicht te herkennen, omdat het gaat om het woord van God – en dat alle niet-wahhabieten absoluut moeten worden bekeerd, op wat voor wijze dan ook...

Overvallen op Buraimi

Rond 1800 begonnen de eerste overvallen van de wahhabieten op het gebied van de huidige Emiraten, waaronder ook de Buraimi-oase. De meest succesvolle overval had plaats in 1866. De wahhabietische Arabieren konden de oase voor drie jaar bezetten. In 1952 maakte Saoedi-Arabië 'historische aanspraken op het gebied' en marcheerde opnieuw de oase binnen. Dat het daarbij vooral ging om het veilig stellen van potentiële oliewingebieden, maakte de financiële steun van de troepen door de ARAMCO (Arabian American Oil Company) duidelijk. Het kwam tot aanzienlijke spanningen, waaronder vooral de sultan van Oman te leiden had, want Engeland verbood hem een militaire tegenaanval, omdat men voor het definitieve verlies van de gebieden vreesde en de voorkeur gaf aan een diplomatieke oplossing.

De onderhandelingen duurden drie jaar, daarna dropen de Saoedi's af. In 1966 werd men het eens over een provisorische grens tussen Oman en het emiraat Aboe Dhabi, die in 1971 staatsgrens werd. Pas in 1974 gaven de Saoedi's onder druk van het internationale gerechtshof de aanspraak op dit gebied op; een overeenkomstig verdrag werd echter nooit ondertekend.

Rond 1918 (het kan ook 1915 of 1917 zijn geweest, men weet het niet precies) zag sjeik Zayed in het Jahili Fort het levenslicht. Daar en in Aboe Dhabi bracht hij zijn jeugd door, voordat zijn broer Shakhbout hem in 1946 tot gouverneur benoemde. Twee jaar later kreeg hij bezoek van de Engelse reiziger Wilfred Thesiger, die langer dan een maand bleef. Hij nam zodoende deel aan het dagelijkse leven van de gouverneur Zayed, die hem ook uitnodigde voor een valkenjacht.

In zijn boek *De woestijnen van Arabië* schreef Thesiger onder meer: ''s Morgens, nadat we een uit thee en brood bestaand ontbijt tot ons hadden genomen, kwam een bediende die ons meedeelde dat sjeik Zayed zou 'vergaderen'. [...] Soms zat hij op de bank onder de poort, maar meestal onder de boom voor het fort. Hij liet koffie komen en wij zaten kletsend bij elkaar tot aan de middagpauze, regelmatig onderbroken door arriverende bezoekers. Het waren mannen uit Oman of een bode van Shakhbout uit Aboe Dhabi. Iedereen stond op toen ze dichterbij kwamen en Zayed nodigde ze uit om bij ons te komen zitten om hun berichten te horen. [...] Soms stond een van de mannen plotseling op, ging voor Zayed zitten, klopte met zijn kameelstok op de grond om aandacht te trekken en zei, onze conversatie aldus onderbrekend: "Nu Zayed, hoe ziet het eruit met de kamelen die van mij werden gestolen?" Zayed hield midden in een zin op om de klacht van de man aan te horen. Het ging meestal om kamelen en om het feit dat een beruchte outlaw, die zich misschien onder ons bevond, de dieren had ontvreemd. Zayed had een paar van deze outlaws in zijn gevolg, omdat hij ze liever zelf om zich heen had dan ze te zien in de gelederen van een rivaliserende sjeik. [...] Beide partijen argumenteerden luidkeels en elkaar voortdurend in de rede vallend, zoals hun gewoonte was. Zayed wilde noch de outlaw boos maken noch zijn eigen reputatie als rechtvaardig stamleider op het spel zetten. Het was een bewijs van zijn capaciteiten dat hij er meestal in slaagde beide partijen met zijn oordeel tevreden te stellen.'

Rechts: Het fort Al Sharqi in Al Ayn.

plattegrond p. 77, info p. 85-87

HET MODERNE AL AYN

Ook na zijn vertrek in 1966 bleef sjeik Zayed verbonden met zijn geboortestad. De moderne ontwikkeling draagt zijn signatuur. De straten zijn aangelegd zoals in Aboe Dhabi: in blokken, zodat u zich makkelijk kunt oriënteren. De middenberm is beplant met palmen, oleanders en de bijna verplichte bougainville met zijn witte en rozerode bloemen.

Als u tussen het groen een gazelle meent te zien staan, dan gaat het om gipsen figuren die er voor de sier staan. Ook de rotondes zijn voorzien van groen en versierd met motieven uit het Arabische bedoeïenenleven. De bekendste is vermoedelijk de **rotonde** met de kolossale *dalla*, de Arabische **koffiekan**, in het hart van de stad.

Terwijl Thesiger in 1948 met zijn kamelen vier volle dagen voor het stuk tussen Al Ayn en Aboe Dhabi nodig had en Geoffrey Bibby tien jaar later nog een dag met zijn fourwheeldrive door het terrein ploegde, is de rit naar Al Ayn tegenwoordig een anderhalf uur durend uitstapje. Hekken langs de weg verhinderen dat kamelen het verkeer storen; planten moeten niet alleen het zand tegenhouden, maar ook het oog strelen, en 's nachts is de route helemaal verlicht. De laatste kilometers voor Al Ayn lopen bovendien midden door de hoge zandduinen van het Lege Kwartier.

Komend vanaf Aboe Dhabi, leidt de Shakhbout bin Sultan Road naar de binnenstad van Al Ayn. Nog voor de poorten van de stad ligt links de **internationale luchthaven** ('AAN'); interessanter is niettemin de **kameelrenbaan Al Maqam** rechts van de weg, door haar ligging een van de mooiste in de Emiraten. Ze behoort tot het vaste excursieprogramma van veel plaatselijke reisbureaus, want op vrijdagochtend vinden hier regelmatig wedstrijden plaats. Het is leuk de spanning te voelen die in de ochtenduren in de lucht hangt, als kameelbezitters en jockeys proberen de wedstrijddieren in een enigszins geordende startopstelling te krijgen. Kamelen zijn altijd goed voor verrassingen, al was het maar omdat ze spontaan besluiten de verkeerde kant op te rennen.

Achter de renbaan begint de Khalifa bin Zayed Street, die langs het **Ladies Park** ① (vrouwenpark, ook Basra-Park genoemd) naar het centrum voert. Het park mag uitsluitend worden bezocht door dames en mannelijke begeleiders tot de leeftijd van tien jaar.

Een paar meter verder ligt aan de linkerkant het uitgestrekte terrein van de **universiteit**. Dat de eerste universiteit van het emiraat in 1977 niet in de hoofdstad Aboe Dhabi, maar hier in Al Ayn werd opgericht, is de verdienste van de voormalige landsheer. In het eerste jaar waren er 502 studenten die in vier faculteiten werden onderwezen. In 2007 waren er al elf faculteiten met 18.000 studenten, waarvan 79% vrouwen. Dat de mannelijke studenten in de minderheid zijn, komt doordat veel vaders hun zonen in het buitenland laten studeren, vooral in Engeland of de VS.

★National Museum

Al Ayn heeft zoals de andere Emiraatse steden geen centraal marktplein; in het midden ligt in plaats daarvan de **Al Ain-oase** ②. Ze wordt nog altijd gebruikt voor de landbouw. Er zijn bananenplanten, sinaasappel- en citroenbomen en ontelbare dadelpalmen die hier en daar nog door het historische *falaj*-kanaalsysteem worden bewaterd. Delen van de oase werden omgevormd tot een **park** met fonteinen, picknicktafels en restaurant, de **Central Gardens**. De **hoofdingang** van het park ligt direct naast het National Museum.

Het **★Al Ain National Museum** ③ aan de Zayed bin Sultan Street is niet zonder charme – er staan bijvoorbeeld levensgrote poppen opgesteld in compleet valkeniersornaat, en uitgesproken simpele besnijdenisinstrumenten laten bezoekers huiveren.

Naast de oude vesting, het **Fort Al Sharqi**, dat vooral opvalt door zijn meestal gesloten toegangspoort, ziet de museumnieuwbouw uit 1971 er een beetje saai uit, maar binnenin leeft het. Meteen bij de ingang werd een typische **bedoeïenenentent** opgebouwd, waar men de gast naar wens met een kopje Arabische koffie verwelkomt of uitgeleide doet. De rondgang gaat langs grote glazen vitrines, waarvan de inhoud ook met Engelse teksten wordt toegelicht, en begint op de etnografische afdeling. De hallen worden opgevrolijkt door levensechte scènes uit de traditionele leefwereld, zoals 'Vader en zoon bij de bron' of de al genoemde valkenier. Een aanwijzing dat u in de buurt bent van het sultanaat Oman is de hoofdbedekking van de poppen, die niet de witte doek met het zwarte koord van de Golf-Arabieren dragen, maar de *masaar* van de Omani.

Wie geïnteresseerd is in archeologie, zal iets meer tijd nodig hebben op de desbetreffende afdeling van het museum. Want de collectie uit deels waardevolle vondsten, waaronder **gouden sieraden** uit de oase Qattarah in de buurt van Al Ayn, is erg omvangrijk, maar overzichtelijk en geeft een goed overzicht van de verschillende tijdperken. Aan de hand van op schaal verkleinde maquettes worden ook voor het onderzoek van de geschiedenis belangrijke graven toegelicht.

De recentere geschiedenis van de regio is op zwart-wit-foto's uit de jaren zestig van de vorige eeuw bewaard gebleven. De opnames zijn afkomstig uit verschillende plaatsen van het emiraat Aboe Dhabi, waaronder de huidige hoofdstad, de Liwa-oase en Al Ayn.

Heeft u zich al eens afgevraagd wat staatshoofden zoal ten geschenke krijgen als ze door hun gelijken worden bezocht? En wat ze daar vervolgens mee doen? De laatste expositieruimte laat zien wat sjeik Zayed in de loop der jaren aan **staatsgeschenken** kreeg overhandigd. Sommige zaken zijn ronduit indrukwekkend, bijvoorbeeld het korancitaat op een rijstkorrel, andere zaken

Rechts: Dit fraaie aardewerk wordt tentoongesteld in het Al Ain National Museum.

waardevol maar banaal, zoals het gouden zwaard, weer andere objecten misschien mooi, maar enigszins impertinent: zo schonk de koning van Spanje een verguld scheepsmodel dat eruitziet als de galjoenen waarmee de Europeanen de Arabische kust veroverden. Misschien wordt het daarom op de internetsite vermeld als 'bijzonder geschenk'.

Veemarkt en souk

In Europa gaat men naar de slager of naar de supermarkt om een mooi verpakt stuk vlees te halen, in de Emiraten koopt men, vooral ter gelegenheid van ophanden zijnde feestdagen, meteen de hele levende geit, want het latere slachten van het dier behoort tot het feestritueel. Op de **veemarkt** ④ naast het museum zijn echter ook runderen en schapen, en wie het spektakel op de *live stock* (of *animal*) *market* mee wil maken, moet vroeg opstaan. Want 's morgens om zeven uur, half acht komen de autochtonen uit de omgeving met hun vol geladen pick-ups op het terrein aan om hun vee te verkopen en dat vanzelfsprekend tegen de best mogelijke prijs. Dan kan het er tijdens het afdingen wel eens wat luidruchtiger aan toegaan, de omgangstoon is ruw, maar hartelijk. De baardige mannen bekijken de toeristen net zo nieuwsgierig als omgekeerd, en soms is het beter dat zo'n vakantieganger in korte broek de Arabische commentaren op zijn outfit niet verstaat.

Als bezoeker moet u niet meteen de ruwe omgang met de dieren veroordelen. Want ook al loopt een geit hier misschien eens een schrammetje op voordat hij wordt geslacht, de woestijnbewoners hebben tenminste nog een natuurlijker relatie tot hun slachtvee dan de Europeanen, die helemaal niet meer te zien krijgen hoe het vee wordt gemaltraiteerd voordat het in cellofaan verpakt in de koelschappen belandt.

Minder ruw gaat het toe op de **Al Ain Souk** ⑤ tegenover het museum, ook bekend als Central of Old Souk. U kunt hier weliswaar hoofdzakelijk huishoudartikelen kopen, maar omdat het geen toeristenmarkt is, komt de inheemse bevolking er graag naartoe en voelt u nog iets van de oude couleur locale.

*Paleismuseum

In het westen van de Al Ayn-oase, aan de Al Ain Street, ligt de voormalige residentie van sjeik Zayed. Vooral sinds zijn dood in november 2004 wilden veel Emirati's meer weten over de afkomst van hun voormalige president en bezochten ze het ***Sheikh Zayed Palace Museum** ⑥. Hier woonde hij tijdens zijn gouverneursperiode tussen 1946 en 1966, eerst in een klein lemen huis. Pas in de loop der jaren kwamen er andere gebouwen bij, en sjeik Zayed resideerde hier, tot hij in 1966 zijn broer opvolgde als emir en naar de hoofdstad verhuisde. Daarna stond het huis een paar jaar leeg, voordat het gehele ensemble werd gerestaureerd.

De binnenplaatsen worden nu verfraaid door groene grasperken, wat niet overeenstemt met de stoffige, originele staat, de woonvertrekken schitteren in een wit dat elk ziekenhuis tot eer zou strekken. Belangrijk is echter dat u een indruk krijgt hoe Zayed en zijn familie leefden. Alles staat zo opgesteld alsof men er meteen zou kunnen wonen, in de gangen staan bakken water met drinkkroezen, in de keuken ligt brandhout onder de roestige ketel voor de koffie en in het hof staat de grijze Land Rover van Zayed, een van de eerste auto's in Al Ayn. De vertrekken zijn ingericht met voorwerpen uit het persoonlijke bezit van de presidentsfamilie, waaronder een houten kast die eigenlijk ongebruikelijk was, omdat men zijn persoonlijke zaken normaal gesproken in de nissen van muren opborg. Bij de ingang hangen een plattegrond en een beschrijving van de afzonderlijke vertrekken.

*Archeologisch park Hili

Een paar kilometer naar het noorden, langs de weg naar Doebai, buigt de weg af naar het ***Archeologisch park Hili** ⑦. Voor de futuristische toegangspoort loopt een laan met eucalyptusbomen. Het park werd rond een van de belangrijkste archeologische vindplaatsen van de Emiraten aangelegd, waar men nog altijd onderzoek doet. Meteen rechts naast de ingang steken de fundamenten van een circa 4000 jaar oude nederzetting uit de grond. Nog indrukwekkender is de beroemde **Great Hili Tomb** (zie foto p. 19), een gerestaureerd rond graf uit de Umm al Nar-periode met een doorsnee van negen meter. Boven de beide tegenover elkaar liggende ingangen van de graven zijn de afbeeldingen te zien van mensen en oryx-antilopen. Het kamersysteem binnenin wordt daarentegen duidelijk bij een naastgelegen graf. De opgegraven grafgiften worden tentoongesteld in het National Museum.

Voor de volledigheid zij op de **Hili Fun City** ⑧ gewezen, een van de eerste pretparken van de VAE, destijds aangeprezen als het 'Disneyland van het Nabije Oosten'. Vooral de **ijsbaanhal** (Ice Rink) is een exotisch uitje voor de inheemse kinderen.

Rechts: Vanuit het Mercure Grand Hotel op de Jebel Hafeet heeft u een prachtuitzicht op het woestijnlandschap rond Al Ayn.

Dierentuin

In de 400 ha grote **dierentuin** ⑨ bezuiden Al Ayn krijgen de bezoekers bij de ingang een plattegrond waarmee ze de weg kunnen vinden op het uitgestrekte terrein; een **minitrein** stopt bij bijna elk verblijf. De stichting van de dierentuin in 1969 is te danken aan sjeik Zayed, die er ook zorg voor droeg dat de nu ruim 1000 zoogdieren en bijna 2000 vogels in ruim opgezette verblijven en volières voldoende plaats hebben.

De dierentuin heeft een internationale reputatie verworven op het gebied van het beschermen van diersoorten en het fokken van bedreigde diersoorten, voornamelijk inheemse **oryx-antilopen** en de zeldzaam geworden **woestijnluipaarden**. Kangoeroes, nijlpaarden, slangen, alles wat naam en rang

plattegrond p. 77, info p. 85-87

heeft in de dierentuinwereld, valt te bewonderen. Het **aquarium** is een van de grootste in de Emiraten, hier voelen zich onder andere zeeleeuwen en pinguïns thuis.

Naast de dierentuin ligt een **hondenrenbaan**, waarop twee keer per maand, altijd op donderdag, windhondenwedstrijden worden gehouden. Deze honden, *saluki* genaamd, lijken heel erg op de in faraograven afgebeelde honden en werden door de bedoeïenen gebruikt voor de gazellenjacht. In de fundamentalistische islam gelden honden weliswaar als onrein, maar voor de saluki's maakt men een uitzondering. Om de gevoelige poten te beschermen tegen het hete zand mochten de honden zelfs op de kameel meerijden voordat ze op de buit werden losgelaten. Tegenwoordig worden ze per auto naar de wedstrijdarena gereden.

**JEBEL HAFEET

Ca. 15 km bezuiden het stadscentrum verheft zich de ****Jebel Hafeet ❼**, met 1240 m een van de hoogste bergen van het land. Wie naar de top wil heeft het makkelijk, want een 13 km lange, 's nachts verlichte, kronkelige weg leidt tot bijna aan de top. Voor een hapje met fraai uitzicht over de door zandduinen omgeven oase Al Ayn zijn de restaurants van het chique ***Mercure Grand Hotel** op de top aan te bevelen (met zwembad en waterglijbaan). Wie sensatie zoekt, moet de **zomerrodelbaan** testen. Deze excursie is vooral laat in de middag de moeite waard, als de zon daalt. Na de 'bergtour' zou u een bezoek aan de 'Vader van de warmte', **Ain Aboe Sukhna** kunnen overwegen – zo noemen de autochtonen de 45°C **warmwaterbronnen** aan de voet van de berg. Een paar kilometer verderop (13 km ten zuiden van Al Ayn) ligt **Ain al Faydah**, de 'bron van de weldaad'. Aan het kleine, natuurlijke **meer** is een **recreatiegebied** gekomen met hotels,

**KAMELENMARKT

De grootste ****kamelenmarkt**van de Emiraten vindt bezuiden Al Ayn plaats op een terrein in de buurt van de grens

met Oman in de wijk **Mazyad ❽**. De kameel behoorde tot het leven vóór de olie zoals een oog bij een naald – het was rijdier, 'pakezel', en uit zijn huid werden mantels gemaakt, uit het leer waterzakken genaaid; de melk is zeer rijk aan proteïnen en het vlees smaakt goed.

Op de kamelenmarkt voelt u nog iets van de enorme betekenis die de bultige dieren ooit hadden voor de nomaden van Arabië. Net als de al beschreven veemarkt is dit een van de weinige plaatsen waar men nog een vleugje oud bedoeïenengedrag kan meemaken. In een winkelcentrum met airconditioning wordt eerder terloops gevraagd naar een korting op de vermelde prijs, de verkoper tikt een paar getallen in op zijn rekenmachine en na een korte woordenwisseling is de deal perfect of niet. Heel anders daarentegen is een ochtend op de kamelenmarkt, als de meeste zaken worden gedaan – dan komen er flink wat emoties bij kijken, vooral als het gaat om de wat afzijdig staande, aan een zadeldek over de bult te herkennen waardevolle wedstrijdkamelen! Dan staan niet alleen koper en verkoper tegenover elkaar, beiden worden bijgestaan door 'adviseurs', die zich in het gesprek mengen. Natuurlijk is de geïnteresseerde koper kwaad als hij van mening is dat hij een veel te hoge prijs moet betalen, en een verkoper voelt zich in zijn eer aangetast als men hem voor zijn 'toekomstige winnaar' (insha'allah) geen passende prijs biedt. Het is eveneens grappig te observeren hoe tien mannen proberen een kameel op een pick-up te laden; dan merkt u pas voor het eerst hoe koppig zo'n dier kan zijn.

Boven: Op de kamelenmarkt van Al Ayn.

Wie de markt 's ochtends te hectisch is, moet tijdens of na de lunchpauze over het terrein slenteren. Dan heeft het Pakistaanse personeel van de eigenaren van de kamelen tijd en geven ze graag een paar toelichtingen in het Engels, waarvoor u ze een *bakhshish* moet geven. In de doorgenummerde verblijven staan kamelen in elke leeftijd, jonge dieren wisselen al voor 200-300 euro van eigenaar.

kaart p. 56-57

ABOE DHABI (☎ 02)

De **Abu Dhabi Tourism Authority** heeft een Europees kantoor in Duitsland: Goethestr. 27, 60313 Frankfurt, tel. (49) (0)69-2992 53920.
In Aboe Dhabi zelf is een informatiecentrum in de Kamer van Koophandel (Aboe Dhabi Chamber of Commerce Information Centre) waar u inlichtingen krijgt over actuele evenementen, tel. 800 2282.

AUTOVERHUUR: Internationale verhuurders hebben kantoren op de luchthaven (24 uur open) en in de stad. **AVIS**, gratis tel. 800 5454, luchthaven tel. 575 7180. **Thrifty**, gratis tel. 800 5225, luchthaven tel. 575 7400. **Fast**, gratis tel. 800 4694, luchthaven tel. 575 7137.
BUS: Het centrale busstation is in de East Road, hoek Hazzaa bin Zayed Street. Van hieruit gaan regelmatig bussen naar Al Ayn (ca. 10 DH), Doebai (ca. 20 DH) en 1x dgl. naar Liwa (ca. 15 DH). Tel. 443 1500.
GEDEELDE TAXI: Eveneens vertrekkend vanaf het busstation naar alle steden, naar Al Ayn (ca. 20 DH), Doebai (ca. 25 DH) of Sharjah (ca. 30 DH).
TAXI: Hebben (bijna) allemaal een taximeter, de bodemprijs bedraagt 2 DH, elke kilometer kost een halve dirham.
VLIEGTUIG: Aboe Dhabi heeft zijn eigen airline: Etihad Airways, tel. 508 8000 of 800 2277 (24 uur), New Airport Road.
Airport: 30 km van het centrum (taxi ca. 20 DH), tel. 575 7500, bussen rijden 24 uur, overdag elk half uur. 3 DH.

ARABISCH / EMIRAATS: **Al Areesh**, vlak bij de dhowhaven, tel. 673 2266, serveert altijd verse lekkernijen uit zee, vlees en vegetarische gerechten, aan te bevelen zijn ook de plaatselijke voorgerechten en desserts.
In **Al Mawal** in het Hilton Hotel, tel. 681 2773, zijn ook bijzondere gerechten uit de Libanese keuken te verkrijgen, live-band en buikdans, ietwat duur maar zeer goed.
DINNERCRUISE: De **Al Falah**, tel. 673 2266, is een traditioneel schip dat Arabische lekkernijen serveert op het bovendek begeleid door een koel briesje, terwijl de verlichte skyline van Aboe Dhabi voorbij glijdt. Als de luchtvochtigheid te hoog is: het benedendek heeft airconditioning. Zoals de naam al aanduidt, gaat het er op het **Shuja Yacht**, tel. 695 0539, veel moderner aan toe. Het diner wordt voorbereid in het Royal Meridien en wisselt elke avond: soms is het Arabisch, soms Italiaans, soms zijn het zeevruchten. Omdat de boot vaak privé wordt gecharterd, moet u vóór uw komst opbellen.
CHINEES: Het **Imperial Chinese Restaurant** in de Sheikh Zayed 2nd Street, tel. 633 5335, is origineel Chinees ingericht en serveert zeer goed eten. Er is ook Chinese wijn en bier. Romantischer is echter het **Bam Bu** in de Marina & Yacht Club, tel. 645 6373, en voor 99 DH is er een menu met diverse kostelijkheden en onbeperkt bijbestellen van bepaalde drankjes.
FRANS: **La Brasserie** in het Le Meridien hotel, tel. 645 5566, biedt een goede selectie uit de regionale keuken van Frankrijk, zowel het buffet als de menukaart.
INDIAAS eet u het beste in een van de vele kleine eethuisjes die over de stad zijn verspreid. Een goed Indiaas restaurant in een duurdere klasse is **Caravan** in het Al Hamed Center in de Sheikh Zayed 2nd Street, tel. 639 3370, met een overvloedig avondbuffet, waar u ook lekkernijen uit de Chinese en Thaise keuken aantreft. Wie graag authentiek Indiaas eet, bezoekt **Kwality** in de Al Salam Street, tel. 672 7337. Hier kunt u van alles uitproberen, van Noord-Indiase tandori tot aan scherpe currygerechten uit Goa.
INTERNATIONAAL: Op de tweede verdieping van de **Marina Mall** vindt u in het **food court** meerdere fastfood-restaurants met Chinese, Amerikaanse of Mexicaanse keuken – zeer geschikt voor een lunchpauze met uitzicht op het Emirates Palace Hotel. Beduidend exclusiever is het **draaiende restaurant Al Fanar** in hotel Le Meridien. Behalve een goede wijnkaart en Europese keuken is de ligging op de 31ste verdieping en het fantastische uitzicht een goede reden voor een bezoekje.
ITALIAANS: U moet tijd uittrekken voor een avondmaaltijd op het terras van **Amalfi** in het Le Royal Meridien Hotel, tel. 674 2020: verse

pizza, pasta en zeevruchten, 's avonds muzikaal omlijst door een zanglustig duo.
SEAFOOD: Het bekendste (en populairste) zeevruchtenrestaurant is al jarenlang **The Fishmarket** in het Intercontinental Hotel, tel. 666 6888. Met een winkelmandje gaat u langs de uitgestalde verse vis, wordt door het personeel vriendelijk geadviseerd bij het uitkiezen en betaalt aan het einde naar gewicht. Werkelijk goed.
STEAKHOUSE: In de **Rodeo Grill** van het Beach Rotana Hotel, tel. 644 3000, vindt u een eersteklas selectie aan vlees, waaronder zelfs bizonsteak. De service is perfect en u moet wat plaats bewaren voor het nagerecht – er is een fantastische chocoladesoufflé.
BAR: De **Jazz Bar** in het Hilton Hotel, tel. 681 1900, lonkt met live-muziek, een omvangrijke cocktail- en wijnkaart en heeft ook een menukaart voor de late honger; in het weekend wordt het vol. Het interieur van **Captain's Arms** in Le Meridien, tel. 644 6666, lijkt op een gemoedelijke Engelse pub, maar heeft daarbij een terras met uitzicht over de tuin, een happy hour van 17-20 uur en een menukaart met een goede prijs-kwaliteitverhouding, al is het zonder culinaire bijzonderheden.
CAFÉS: Het **Café de la Paix** in de Airport Road, tel. 621 3900, is Frans geïnspireerd en op dit moment tamelijk trendy. U kunt buiten zitten en mensen bekijken terwijl u van uw koffie-verkeerd geniet en overlegt of u nog zo'n lekker croissantje zult bestellen. Het **Zyara Café** aan de Corniche, tel. 627 5006, behoort tot de Hilton Residence en is dus een beetje duurder, maar de ligging is geweldig.

De **Grand Mosque** is zo-do 10-11.30 uur ook voor niet-moslims geopend; er mag worden gefotografeerd en gefilmd. Als u zich van tevoren aanmeldt bij zayedmosquetour@adta.ae of tel. 444 0400 kunt u meedoen aan een om 9 uur beginnende rondleiding. Vrouwen moeten een hoofddoek dragen, die ter plekke kan worden geleend.

Alle duurdere hotels beschikken over zwembad, tennisbaan of fitnessruimte en accepteren na aanmelding meestal ook dagbezoekers.

DUIKEN: Het water rond Aboe Dhabi behoort niet tot het meest spectaculaire, maar er worden b.v. ook excursies langs de oostkust aangeboden. **Golden Boats**, tel. 666 9119, biedt meer watersportmogelijkheden aan en excursies met een dhow naar de eilanden van Aboe Dhabi.
DIEPZEEVISSEN: geen goedkoop vermaak, maar wel een fantastische ervaring, b.v. bij de **Blue Dolphin Company**, in het Hotel Intercontinental, tel. 666 9392, of met de boot van het **Le Meridien Hotel**, tel. 644 6666.
GOLF: Klassiek op groen zoals in de **Aboe Dhabi Golf Club by Sheraton**, Umm al Nar Street, tel. 558 8990, die ook in het bezit is van tennisbanen, restaurant en zwembad, of op zand zoals in de **Al Ghazal Golf Club** in de buurt van het vliegveld, tel. 575 8040.

INTERNETCAFÉS: **Cyber City**, op de eerste verdieping van de Sahara Residence, Zayed 2nd Street, **Havana Café**, op de hoek van Hamdan en Salam Street.

BANK / GELDAUTOMAAT: Banken met geldautomaat vindt u op de Corniche, in de Hamdan en de Zayed 1st / 2nd Street. Wisselkantoren en automaten zijn er in elk groot winkelcentrum, b.v. Marina Mall of Abu Dhabi Mall.

APOTHEEK: Onder tel. 677 7929 of in de kranten verneemt u welke apotheek nachtdienst heeft. Die in het Al Noor-ziekenhuis is 24 uur open. Verder overal in de stad.
ZIEKENHUIS: **Al Noor Hospital**, Khalifa Street, tel. 626 5265. **National Hospital**, Najda Street, tel. 671 1000. Beide **24-uurs eerstehulppost**. ***TANDARTS:*** **Advanced Dental Klinik**, Khalidiya Street, tel. 681 2921.

DESERT ISLANDS / SIR BANI YAS (☎ 02)

Bereikbaar per huurauto of vliegtuig (kan als onderdeel van een all-inreis worden geboekt). Alle activiteiten op het eiland (safari's, mountainbiken, wandelen, kajakken, snorkelen) zijn te boeken bij Desert Islands Resort and Spa by Anantara, tel. 4061 449, www.desertislands.com.

AL AYN (☎ 03)

Al Ayn heeft geen verkeersbureau met afdelingen in het buitenland, in de stad zelf helpt de Al Ain Economic Development and Tourism Promotion Agency, tel. 765 5444, u graag verder.

ARABISCH: Het is weliswaar vanuit het centrum van de stad een rit van ruim een half uur naar het restaurant **Eden Rock** van het Mercure Grand Hotel, tel. 783 8888, maar het uitzicht vanaf de Jebel Hafeet over de oase bij nacht is onovertrefbaar. Tot 22 uur is er een grandioos Libanees buffet en daarna zit u aan een glas thee en geniet van de vakantie. Weliswaar niet qua uitzicht, maar wel qua eten kan het **Min Zaman** in het Rotana Hotel, tel. 754 5111, de concurrentie makkelijk aangaan, want de menukaart varieert van warme en koude voorgerechten tot gegrilde vleesspies, vis en Libanese desserts. Terras aan zwembad, live-muziek en buikdans voor bijbehorende atmosfeer. Vooral donderdags wordt het vol, beter reserveren!
PERZISCH: **Al Khayam** in het Hilton Hotel, tel. 768 6666, is in authentiek Perzische stijl ingericht en de keuken geeft wat ze belooft; een imposante wijnkaart en uitmuntend personeel zijn goede voorwaarden voor een geslaagde avond.
INTERNATIONAAL: De naam **Arabesque**, in Hotel Intercontinental, tel. 768 6686, doet vermoeden dat de keuken Arabisch is georiënteerd, maar het brede geografische spectrum omvat bijna de hele wereld. Een omvangrijk buffet en meer lekkernijen op de kaart bieden voor bijna elke smaak wel iets. **Le Belvedere** is het tweede goede restaurant in het Mercure Grand Hotel op de Jebel Hafeet, tel. 783 8888, ter afwisseling met een vleugje mediterrane keuken. Als het toevallig vrijdag is: mist u het zeevruchtenbuffet niet.
BAR: **Paco's** in het Hilton Hotel is een Tex Mex-bar, goed voor een voedzame maaltijd uit de Latijns-Amerikaanse keuken, een biertje erbij, op de monitoren is op bepaalde avonden alleen sport te zien. Zijn pendant is de Britse pub **Horse & Jockey** in Hotel Intercontinental, hier kunt u de televisie ontvluchten op het rustige terras.

GOLF: In de **Al Ain Golf Club** dicht bij het Hilton Hotel, tel. 768 6808, speelt u op zand – 's avonds met licht.
Het eigen parcours van het hotel, de **Hilton Al Ain Golf Club**, tel. 768 6666, heeft weliswaar gras, maar is kleiner en heeft geen verlichting.

WOESTIJNEXCURSIES: Bij **Al Ain Camelsafaris**, tel. 768 8005, kunt u een kameelrit boeken voor een of meer dagen met overnachting.

BUS: Het centrale busstation is nabij de fly-over in het centrum van de stad, in de buurt van de groente- en fruitmarkt. Hier vertrekken elk uur bussen naar Aboe Dhabi (10 DH) en minibussen naar Doebai (circa 30 DH). De stadslijndiensten stoppen ook bij Hili, Ain al Faydah en de dierentuin.
GEDEELDE TAXI: bij de koffiekanrotonde in de buurt van het museum, naar alle steden van de VAE (soms met overstap); een rit naar Sjardja of al-Foedjaira kost circa 25 DH.
TAXI: zie Aboe Dhabi.
AUTOVERHUUR: De onder Aboe Dhabi genoemde verhuurbedrijven hebben ook in Al Ayn verhuurkantoren, gratis telefoonnummer: zie Aboe Dhabi.
VLIEGTUIG: Etihad Airways, Zayed bin Sultan Street, tel. 766 6100. **Vliegveld:** 25 km van centrum (taxi ca. 20 DH), tel. 785 5555, bussen naar de stad om de 45 min., 2 DH.

BANKEN / GELDAUTOMAAT: Banken met geldautomaten vindt u in het stadscentrum van Al Ayn, in de buurt van de klokkentoren, wisselkantoren vindt u in de buurt van de fly-over. Geldwisselaars en geldautomaten vindt u ook in de winkelcentra, b.v. in de Al Ain Mall.

APOTHEEK: Onder tel. 778 8888 of in de kranten verneemt u welke apotheek nachtdienst heeft. Verder overal in de stad.
ZIEKENHUIS: **Al Ain Hospital**, Shakhbout bin Sultan Street, tel. 763 5888. **Oasis Hospital**, Khalid bin Sultan Road, hoek Al Ain Street, tel. 722 1251. Beide ziekenhuizen hebben een **24-uurs eerstehulppost**.
TANDARTS: **Gulf Dental Clinic**, Zayed bin Sultan Street, tel. 765 4373.

Your Festival Gift
CLARINS
LANCASTER
PARIS
CHANEL
DSF 2005

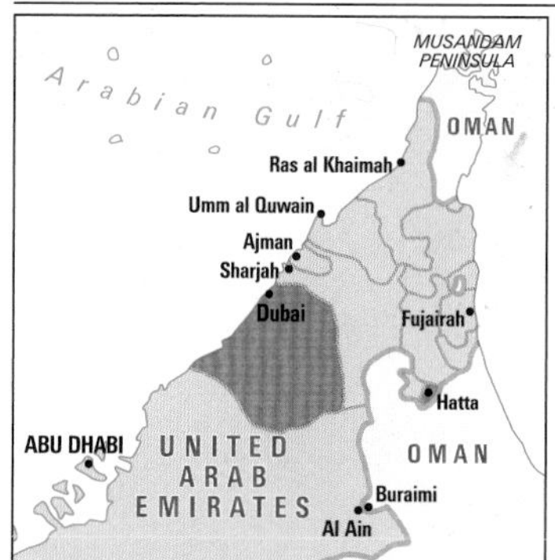

EMIRAAT DOEBAI

*EMIRAAT DOEBAI

Elke keer als er de afgelopen jaren een artikel in de krant stond over Doebai (Dubayy), gebruikte men een superlatief als kop om de winkelhoofdstad van het Nabije en Midden Oosten ('Do buy') te karakteriseren. Over het financiële bolwerk viel te lezen: het toekomstige 'Frankfurt van het Nabije Oosten' en het 'Sjanghai van Arabië', of men schreef over hen 'Die aan de wolken krabben' of, de algehele situatie beschrijvend, 'Over de wil tot waan'. Wat petro-dollars hier mogelijk maken grenst aan het onvoorstelbare. Als u op dit moment een actuele plattegrond bekijkt van Doebai, dan staat achter elke tweede naam in het zuidwestelijke deel van de stad de Engelse afkorting 'u/c' voor *under construction*: in aanbouw. Jumeirah Beach lijkt op één grote bouwput, en zelfs in zee voor de kust staan zes nieuwe namen – want waar het vasteland op is, worden kunstmatige eilanden gecreëerd – en tot de wereldwijde financiële crisis eind 2008 leek het geen probleem te zijn investeerders te vinden voor deze miljarden kostende megaprojecten. De villa's en woningen op het eerste palmeiland waren, naar verluidt, binnen drie weken verkocht aan onroerend-goedspeculanten. Beleggers en vakantiegangers, aangelokt door 'zon, zand en zee', waarderen de vriendelijkheid van de Doebainaren, de relatieve ruimdenkendheid, de fiscaal aantrekkelijke shoppingparadijzen van de glinsterende malls, het exotische karakter van de souks, de luxe van de chique hotels en – als contrasterend programma – zandduinentrips naar het rijk van de bedoeïenen. Steeds weer worden veiligheid en schoonheid geprezen. Voor dat laatste zorgen gastarbeiders uit de gehele Oriënt – er werken ca. 1 miljoen buitenlanders in en rond Doebai. Zij zijn het ook die al die nieuwe wolkenkrabbers dag en nacht in een adembenemend tempo in de hoogte laten groeien – zelfs in de drukkend hete zomer. In het hele emiraat wonen slechts zo'n 200.000 'echte Doebainaren'.

Voorgaande pagina's: Traditie en moderne tijd ontmoeten elkaar aan de Creek van Doebai – de Nationale Bank glanst in de avondzon. Het Jumeirah Bab Al Shams Desert Resort & Spa, een woestijnhotel ver van het drukke Doebai. Links: 'Do buy' – in het Deira City Centre.

Vroegste geschiedenis van Doebai

De eerste bewoners vestigden zich, net als in de overige Emiraten, ongeveer 7000 jaar geleden langs de kust. Maar uit de periode rond 2500 v. Chr., de eerste culturele bloeiperiode, toen er vanaf de Golfkust schepen naar Mesopotamië

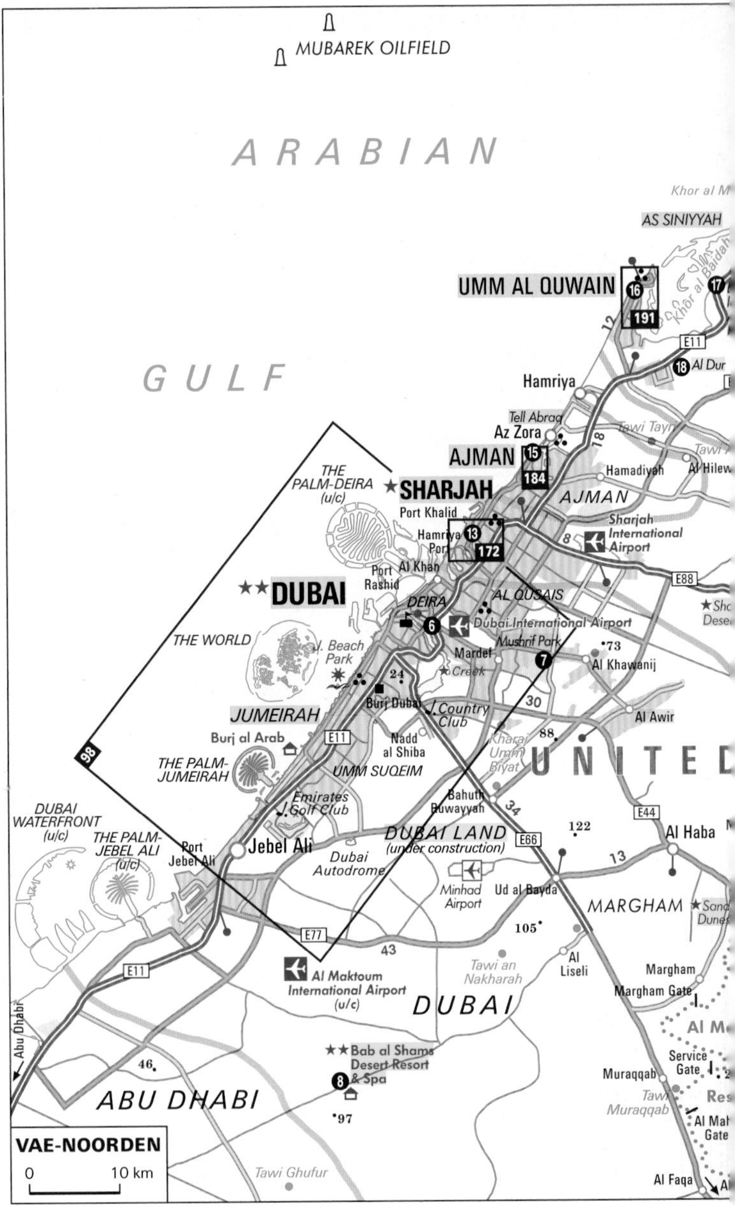

MUBAREK OILFIELD
ARABIAN GULF
Khor al M
AS SINIYYAH
UMM AL QUWAIN
191
Khor al Baidah
E11
Al Dur
Hamriya
Tell Abraq
Tawi Tayr
Az Zora
AJMAN
184
Tawi
Al Hilew
Hamadiyah
THE PALM-DEIRA (u/c)
SHARJAH
AJMAN
Port Khalid
Sharjah International Airport
Hamriya Port
172
Al Khan
Port Rashid
E88
DUBAI
DEIRA
AL QUSAIS
Dubai International Airport
THE WORLD
J. Beach Park
Mushrif Park
73
Mardef
Al Khawanij
Creek
24
Burj Dubai
J. Country Club
30
Al Awir
JUMEIRAH
Burj al Arab
E11
Nadd al Shiba
Kharaj Umm Biyat
88
UNITED
THE PALM-JUMEIRAH
98
UMM SUQEIM
Emirates J. Golf Club
Bahuth Buwayyah
34
E44
DUBAI WATERFRONT (u/c)
THE PALM-JEBEL ALI (u/c)
Port Jebel Ali
Jebel Ali
DUBAI LAND (under construction)
E66
122
Al Haba
Dubai Autodrome
13
Minhad Airport
Ud al Bayda
MARGHAM
Sand Dunes
E77
105
43
Al Liseli
Tawi an Nakharah
Al Maktoum International Airport (u/c)
E11
DUBAI
Margham
Margham Gate
Al M
Abu Dhabi
Bab al Shams Desert Resort & Spa
46
Service Gate
Muraqqab
ABU DHABI
Tawi Muraqqab
Res
97
Al Mah Gate
Tawi Ghufur
Al Faqa

VAE-NOORDEN
0 10 km

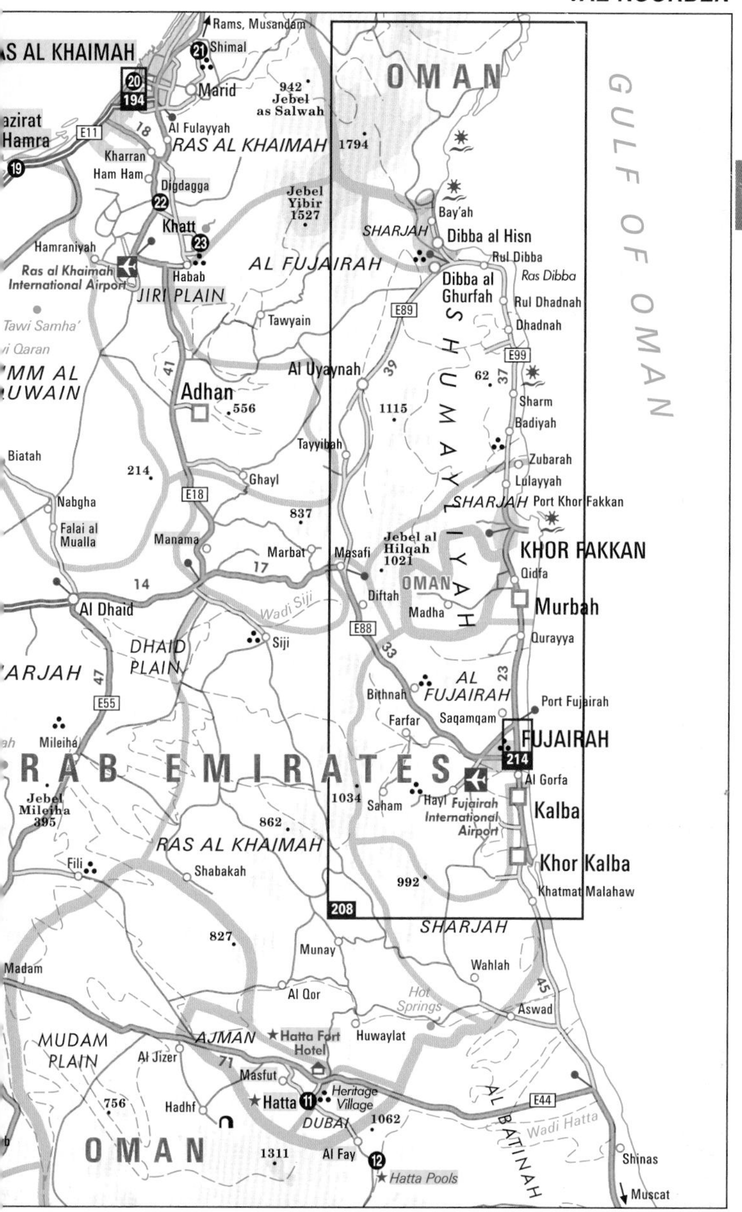

OMAN
GULF OF OMAN
RAS AL KHAIMAH
Rams, Musandam
Shimal
Marid
Jebel as Salwah
Al Fulayyah
Kharran
Ham Ham
Digdagga
Khatt
Hamraniyah
Ras al Khaimah International Airport
Habab
JIRI PLAIN
Jebel Yibir 1527
SHARJAH
AL FUJAIRAH
Bay'ah
Dibba al Hisn
Rul Dibba
Ras Dibba
Dibba al Ghurfah
Rul Dhadnah
Dhadnah
Tawyain
Al Uyaynah
Adhan
SHUMAYLIYAH
Sharm
Badiyah
Zubarah
Lulayyah
Port Khor Fakkan
KHOR FAKKAN
Qidfa
Murbah
Qurayya
Tayyibah
Ghayl
Nabgha
Falai al Mualla
Manama
Marbat
Masafi
Jebel al Hilqah 1021
Diftah
Madha
Al Dhaid
Wadi Siji
Siji
DHAID PLAIN
Bithnah
Farfar
Saqamqam
Port Fujairah
FUJAIRAH
Al Gorfa
Kalba
Khor Kalba
Khatmat Malahaw
Fujairah International Airport
Hayl
Saham
ARAB EMIRATES
Mileiha
Jebel Mileiha 395
Fili
Shabakah
Munay
Wahlah
Al Qor
Hot Springs
Aswad
Huwaylat
Hatta Fort Hotel
AJMAN
MUDAM PLAIN
Al Jizer
Masfut
Hatta
Heritage Village
Hadhf
DUBAI
Al Fay
Hatta Pools
AL BATINAH
Wadi Hatta
Shinas
Muscat
Madam
Biatah
Tawi Samha'
UMM AL QUWAIN
SHARJAH
Azirat Hamra
E11
E18
E55
E88
E89
E99
E44
194
214
208

vertrokken, zijn meer artefacten in Aboe Dhabi en in de noordelijke Emiraten bewaard gebleven. Ook de daaropvolgende 2000 jaar hebben elders in de Emiraten meer sporen in de bodem nagelaten dan in Doebai. Toen Alexander de Grote rond 330 v. Chr. zijn officier en navigator Nearchos erop uitstuurde om de Perzische Golf te verkennen, vond deze slechts een paar zeer kleine nederzettingen aan de kust. Misschien bleven er een paar Grieken achter die zich vestigden in de buurt van Doebai.

De daaropvolgende eeuwen verstreken zonder noemenswaardige gebeurtenissen, tot aan het begin van de 16de eeuw de Portugezen opdoken. Maar ook zij lieten Doebai links liggen en interesseerden zich meer voor Julfar, een belangrijke haven iets meer naar het noorden, die ze wisten te veroveren. Doebai was een onbelangrijk gat. De inwoners leefden er van de visvangst en de parelduikerij en de sjeiks bevonden zich tussen twee fronten. Want in het oosten domineerden de stammen van de Bani Yas het binnenland en vanaf 1761 ook het zuidwesten van de kust bij Aboe Dhabi. In het noorden werden de Qawasim uit Sjardja en Ras al-Chaima steeds machtiger. Zij stonden bekend als zeehandelaren – bij hun Europese concurrenten als piraten.

Boven: Doebai rond 1940 – een kleine stad aan de Creek (Dubai Museum).

Opkomst van de Maktoum-dynastie

De bloei van Doebai begon in 1833. Uit de stammenfederatie van de Bani Yas, die zich binnen de grenzen van de Liwa-oase van het huidige emiraat Aboe Dhabi bevond en zich ongeveer 70 jaar eerder op het gelijknamige eiland had gevestigd, maakte zich een groep los van 800 leden van de Al Bu Fasalah. Onder leiding van **sjeik Maktoum bin Butti** trokken ze langs de kust naar het noorden, bereikten de kleine nederzetting Doebai en vestigden zich daar. Sjeik Maktoum bezette de vesting, 'proclameerde' de onafhankelijkheid van het eerder door de Bani Yas opgeëiste gebied en stichtte zijn eigen emi-

plattegrond p. 98-99, info p. 155-159

raat dat nog altijd door de Maktoums wordt geregeerd. Ondertussen bleek Engeland de voornaamste Europese koloniale- en handelsmacht en om zijn jonge emiraat te beschermen tegen overvallen door de naburige Qawasim en de machtige Bani Yas ging sjeik Maktoum een nauwe samenwerking aan met de Britten. Die probeerden op hun beurt door middel van exclusieve handelsverdragen met de plaatselijke regenten hun suprematie veilig te stellen, alsook de zeeroute naar India.

Tegen het einde van de 19de eeuw kwam er beweging in de Golfregio. Sjardja, dat door de Qawasim en hun handelsactiviteiten op zee lange tijd gold als belangrijkste handelscentrum, moest deze positie afstaan aan Doebai. Want de intussen heersende **sjeik Maktoum bin Hasher al Maktoum** beloofde de buitenlandse handelaren tolvrijheid in zijn haven. Aan de andere kant van de Golf werden echter de invoerrechten drastisch verhoogd, zodat Perzische kooplieden naar Doebai uitweken.

Ondertussen koos het Britse imperium Doebai als aanloophaven voor zijn stoomschepen naar India en de stad stond zodoende in directe verbinding met dit subcontinent en zijn markten, wat een versterkte toestroom van Indiase handelaren tot gevolg had. Omdat de Engelse schepen alleen Doebai aandeden, groeide de stad uit tot het centrale pakhuis in het oostelijke Golfgebied en Deira met zijn 350 winkels tot de grootste souk.

Vanaf 1912 regeerde **sjeik Saeed al Maktoum** die het emiraat door de zware tijden van de jaren 1929/'30 loodste. De economische wereldcrisis liet ook hier zijn sporen na en de introductie van de Japanse cultivéparel was een zware slag. Maar de inmiddels ruim 10.000 hoofden tellende bevolking van Doebai ging het betrekkelijk goed, want de handelsactiviteiten kwamen niet helemaal tot stilstand. Al voor de oorlog had sjeik Saeed de eerste olieconcessies goedgekeurd en was na het instorten van de parelhandel naar nieuwe inkomstenbronnen gaan zoeken. De re-export begon te bloeien, extra gestimuleerd door de Tweede Wereldoorlog. Met name de handel in goud, waarnaar in India grote vraag was, stelde de inkomsten veilig.

Stichter van het moderne Doebai

Eigenlijk nam hij de regeringszaken al sinds 1939 waar, maar pas na de dood van zijn vader in 1958 nam **sjeik Rashid bin Saeed al Maktoum** de titel van heersende emir over. Met energie en met vooruitziende blik legde hij de basis voor de latere ontwikkeling. Hij nam leningen op om de Creek te laten uitbaggeren die door natuurlijke verzanding onbruikbaar dreigde te worden, stelde een eerste stadsbestuur samen, zorgde voor betrouwbare drinkwatervoorzieningen en introduceerde de elektriciteit. De economie was door de handel al stabiel, maar in 1966 vond men aardolie, wat de sjeik hielp om zijn vermetele plannen te realiseren. Hij liet een eerste haven aanleggen buiten de te klein geworden Creek, die zijn naam droeg, gaf opdracht een vliegveld te bouwen, liet wegen aanleggen en bruggen, scholen en ziekenhuizen bouwen. Kortom, onder zijn leiding ontstond een compleet nieuwe stad, waarvan het inwonertal tot aan zijn dood in 1990 steeg tot bijna een half miljoen. Bij de stichting van de Verenigde Arabische Emiraten in 1971 speelde hij een essentiële rol, want ook hij zag, ondanks zijn economische macht, voor de toekomst slechts een overleven in gemeenschappelijk verband. Weliswaar stelde hij voor Doebai (en zijn familie) een sterke machtspositie veilig in de nieuwe staat, maar het ambt van president liet hij over aan de emir van Aboe Dhabi.

**DOEBAI

Na de dood van sjeik Rashid in 1990 nam **sjeik Maktoum bin Rashid al Maktoum** een bloeiende metropool

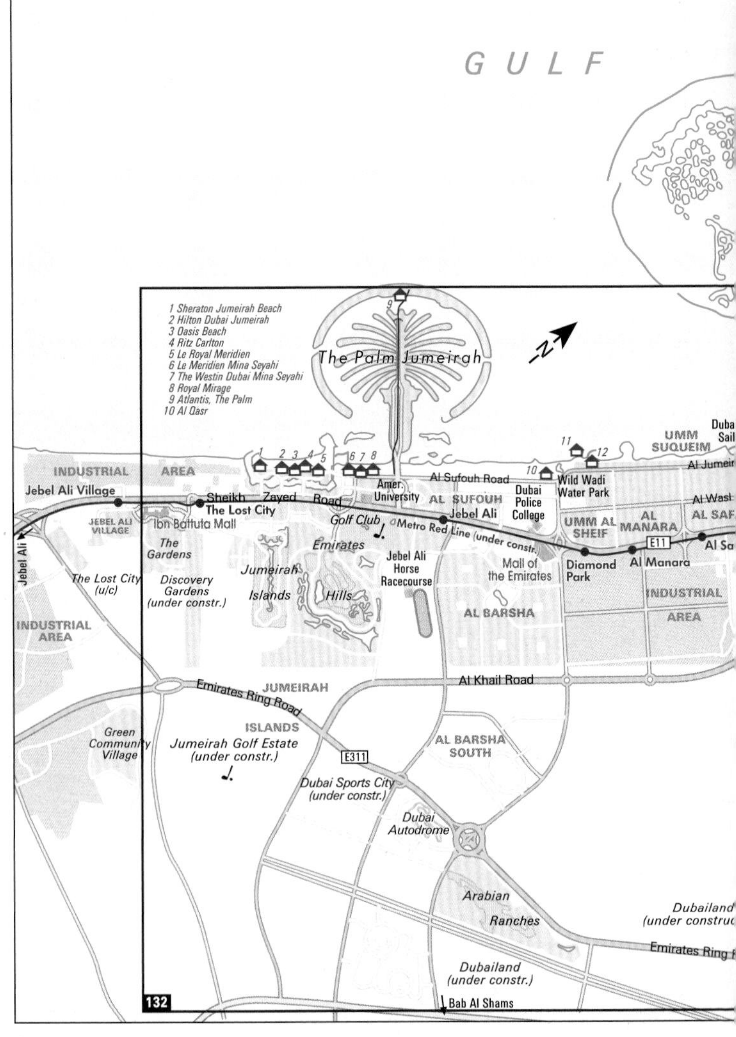
A R A B I A N
G U L F
1 Sheraton Jumeirah Beach
2 Hilton Dubai Jumeirah
3 Oasis Beach
4 Ritz Carlton
5 Le Royal Meridien
6 Le Meridien Mina Seyahi
7 The Westin Dubai Mina Seyahi
8 Royal Mirage
9 Atlantis, The Palm
10 Al Qasr
The Palm Jumeirah
N
UMM SUQUEIM
INDUSTRIAL AREA
Jebel Ali Village
Sheikh Zayed Road
The Lost City
Ibn Battuta Mall
JEBEL ALI VILLAGE
Jebel Ali
Amer. University
Al Sufouh Road
AL SUFOUH
Jebel Ali
Dubai Police College
Wild Wadi Water Park
UMM AL SHEIF
AL MANARA
AL SAF
Golf Club
Metro Red Line (under constr.)
E11
The Gardens
Emirates
Jumeirah Islands
Hills
Jebel Ali Horse Racecourse
Mall of the Emirates
Diamond Park
Al Manara
The Lost City (u/c)
Discovery Gardens (under constr.)
AL BARSHA
INDUSTRIAL AREA
Al Khail Road
Emirates Ring Road
JUMEIRAH ISLANDS
Green Community Village
Jumeirah Golf Estate (under constr.)
AL BARSHA SOUTH
E311
Dubai Sports City (under constr.)
Dubai Autodrome
Arabian Ranches
Dubailand (under constr.)
Dubailand (under constr.)
Bab Al Shams
132

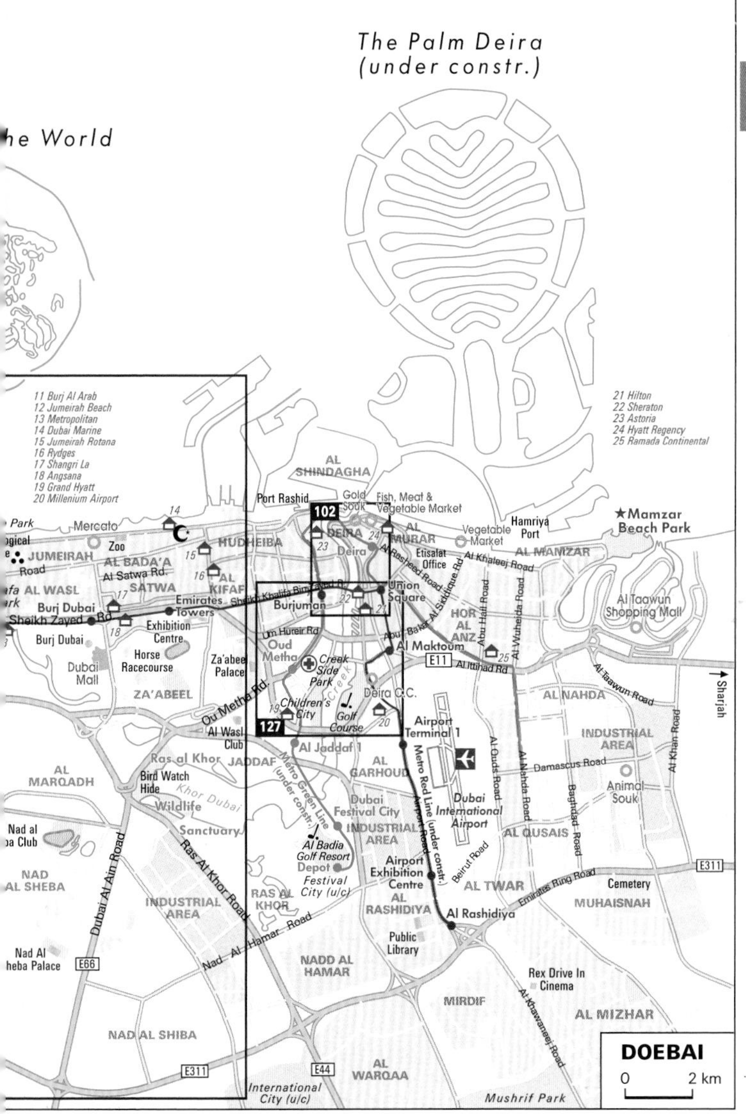

Emiraat Doebai 3

over. Industrie (o.a. aluminiumsmelterij), economie en handel (re-export) van **★★Doebai ❻** noteerden lang groeicijfers – ook dankzij de **vrijhandelszones** van **Doebai Airport** en **Jebel Ali** (met enorme haven). Omdat de olie- en gasvoorraden vroeg of laat ten einde zullen lopen, gaat men in toenemende mate over – en met vijf miljoen bezoekers per jaar uitgesproken succesvol – op het toerisme, waarvoor het zeilvormige, 312 m hoge super de luxe hotel *Burj Al Arab* (zie p. 139 e.v.) fungeert als uithangbord. *Emirates Airlines* wordt groter en heeft tientallen enorme airbussen van het type A380 besteld. Drijvende kracht achter de ontwikkeling was en is vooral de broer van de in 2006 gestorven heerser sjeik Maktoum, de huidige emir **sjeik Mohammed bin Rashid al Maktoum**. Hij lijkt even visionair als zijn vader; pas de financiële crisis remde in 2009 het realiseringstempo af van menig ambitieus project.

Bekijkt men de computeranimaties van de **bouwplannen**, dan wordt men duizelig. Aan de kust ontstaan naast de drie kunstmatige 'palmen' ook de gigantische op de tekentafel ontworpen stad *Doebai Waterfront* (in zee naast de palm van Jebel Ali) of de nieuwe wijk *Doebai Marina* met zijn wolkenkrabbers. Na de kunstmatige eilandwereld *The World* zal ook nog *The Universe* aangelegd worden. Het eerste onderwaterhotel op aarde, *Hydropolis*, zal (mits het wordt gerealiseerd) op ongeveer 20 meter onder zeeniveau een geheel nieuwe inhoud geven aan het verschijnsel 'kamer met uitzicht op zee'. *Burj Dubai*, het allerhoogste gebouw ter wereld, heeft in januari 2009 zijn geplande hoogte van 818 m en 160 verdiepingen bereikt. De derde uitbreidingsfase van de internationale luchthaven is nog niet afgesloten, of daar schuiven de baggermachines bij Jebel Ali alweer het zand aan de kant voor een nieuwe luchthaven – de grootste ter wereld. In 2006 had Doebai 300 hotels, in 2010 moeten het er 1000 zijn – daarvan zal het *Asia Asia* mogelijk alleen al 6500 kamers hebben. *Dubai Sports City* ontstaat op 4,6 miljoen m^2 en de verwezenlijking van het nieuwste pretparkproject *Dubailand* zal het stadsoppervlak van Doebai in één keer verdubbelen. Ondanks de hoge huurprijzen is Doebai nog lang niet de duurste stad op de aardbol. Ver voor haar liggen Moskou, Tokio en Londen. Pas op de 25ste plaats volgt Doebai. In 2009 zakten zowel de huurprijzen als de prijzen van onroerend goed vanwege de sterke terugval van de huizenmarkt.

Rechts: Houten daken beschermen de Old Souk van Deira voor de brandende zon.

De stad heeft echter ook haar schaduwzijde, en dat kan haast letterlijk worden begrepen, want de gassen van verouderde vuilverbrandingsinstallaties en zowat 1 miljoen auto's op Doebais permanent verstopte straten veroorzaken bij ongunstige weersomstandigheden hevige smog. Vandaar dat de autoriteiten in 2008 omvangrijke milieumaatregelen doorvoerden: een nieuwe stedelijke verordening à la Singapore moet voor schonere straten zorgen, nieuwe stadsbussen en een ouderdomsbeperking voor personenauto's moeten de luchtkwaliteit verbeteren. Bovendien worden de verouderde abra's (watertaxi's) geleidelijk vervangen door moderne boten, zal een metrolijn (in 2009) worden geopend en tol worden geheven voor de belangrijkste invalswegen en bruggen over de Creek. Nog altijd ontbreekt – onvoorstelbaar genoeg – een algemene kanalisatie en veel wolkenkrabbers hebben slechts beerputten, die steeds door tankwagens moeten worden geleegd.

De explosieve groei kent ook zo zijn nadelen. In juli 2005 kwam het tot een stroomstoring die de 1 miljoen inwoners 4 uur lang liet zweten bij een voor dat jaargetijde normale temperatuur van 40°C en 80% luchtvochtigheid – deze 'historische' blackout stond pas op pagina 4. Ook dat het strandplezier vanwege de bouwwerkzaamheden aan de

plattegrond p. 98-99 en p. 102-103, info p. 155-159

eilanden tijdelijk is verstoord, wordt door de pers genegeerd. Veel valt of staat daarbij met een soepel functioneren van het ontzouten van het zeewater, waarvoor een schone zee en goedkope energie onontbeerlijk zijn.

*DEIRA

De landtong van **Al Ras** steekt als een hoorn in de monding van de ***Creek** (*Khor Dubai*, zie beneden) en verleent haar daardoor de karakteristieke bocht. Door de beschutte ligging was de oostoever van de Creek een ideale aanlegplaats voor vrachtboten van overzee en het stadsdeel **Deira** ontwikkelde zich tot een van de grootste goederenoverslagplaatsen van de Golfregio. De geschiedenis ervan gaat ver terug in het verleden. Drieduizend jaar geleden al zouden zich hier de eerste handelaren hebben gevestigd en rond 1900 was de bazaar van Doebai de grootste aan de Golfkust. De Doebainaren spreken niet zonder reden van de *Old Souk* (Oude Markt). Een andere benaming luidt *souq al dhalam*, de donkere markt, want in de nauwe steegjes, die door een dak uit palmbladeren werden beschermd tegen sterk binnenvallende zonnenstralen, viel nauwelijks licht. Destijds had elke bedrijfstak zijn eigen steeg, Zo zaten de smeden in de ene, de mandenvlechters in de volgende en de stoffen- of kruidenhandelaren in de daaropvolgende passage.

Sinds de modernisering is er veel veranderd. Van de oude ambachtelijke beroepen wordt er geen enkele meer uitgeoefend. Alleen uit de kleermakersvertrekken klinkt nog het ratelen van de naaimachines. Door de restauratie van de afgelopen jaren en het gebruik van nieuwe bouwmaterialen – de palmbladeren werden vervangen door duurzame houten constructies – is het uiterlijk van de markten sterk veranderd. De afzonderlijke markten zijn amper nog van elkaar te onderscheiden, want het warenaanbod is uniform geworden. Niettemin waait door de (deels autovrije) straten van Deira nog een zweem van traditie en Arabische bazaarmentaliteit, hoewel de meeste handelaren uit India of Pakistan komen.

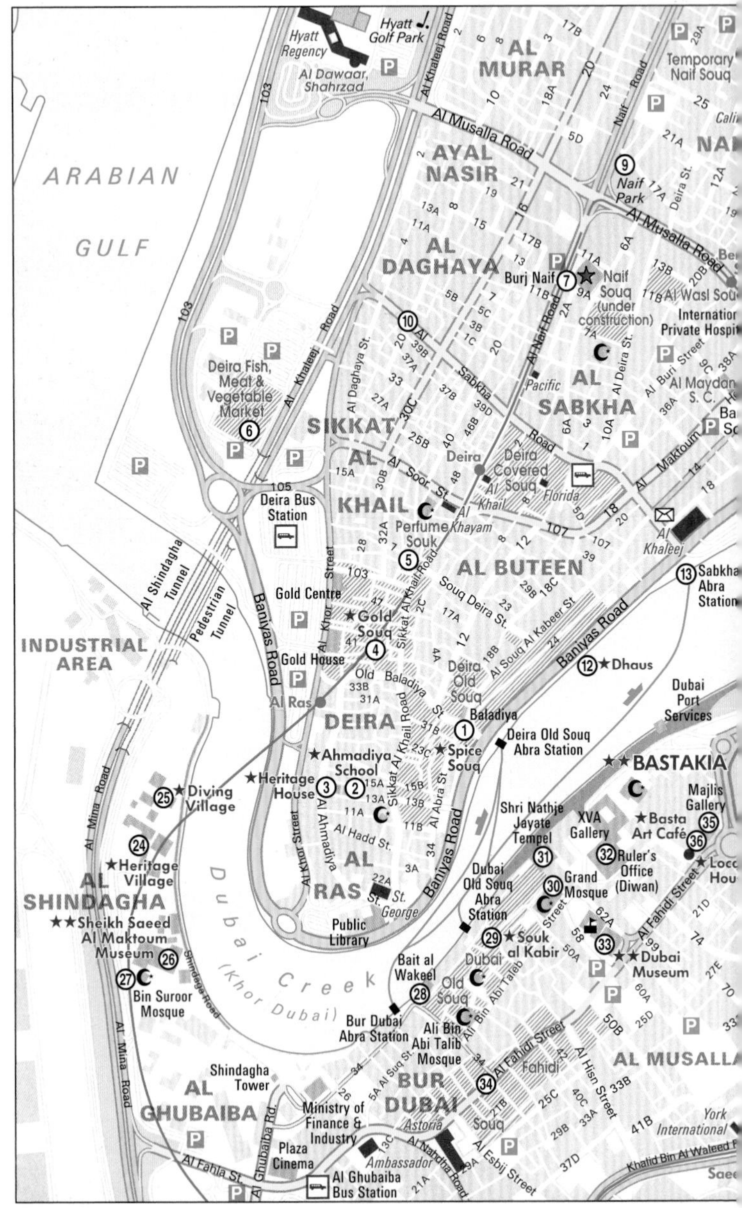

ARABIAN GULF
Hyatt Regency
Hyatt Golf Park
Al Dawaar, Shahrzad
AL MURAR
AYAL NASIR
AL DAGHAYA
Temporary Naif Souq
Naif Park
Burj Naif
Naif Souq (under construction)
Al Wasl Souq
AL SABKHA
Al Musalla Road
Al Khaleej Road
Naif Road
Al Naif Road
Deira St.
Al Deira St.
Al Buri Street
Al Maydan S. C.
Al Maktoum
Pacific
Sabkha Road
Deira Fish, Meat & Vegetable Market
SIKKAT AL KHAIL
Al Daghaya St.
Al Soor St.
Deira
Deira Covered Souq
Florida
Al Khail
Al Khayam
Deira Bus Station
Perfume Souk
AL BUTEEN
Al Khaleej
Sabkha Abra Station
Al Shindagha Tunnel
Pedestrian Tunnel
Baniyas Road
Al Khor Street
Gold Centre
Gold Souq
Sikkat Al Khail Road
Souq Deira St.
Al Souq Al Kabeer St.
INDUSTRIAL AREA
Gold House
Old Baladiya St.
Deira Old Souq
Dhaus
Dubai Port Services
Al Ras
DEIRA
Baladiya
Deira Old Souq Abra Station
Ahmadiya School
Spice Souq
BASTAKIA
Heritage House
Diving Village
Al Ahmadiya
Al Hadd St.
Al Abra St.
Shri Nathje Jayate Tempel
XVA Gallery
Majlis Gallery
Basta Art Café
Al Mina Road
Heritage Village
AL RAS
St. George
Dubai Old Souq Abra Station
Grand Mosque
Ruler's Office (Diwan)
AL SHINDAGHA
Sheikh Saeed Al Maktoum Museum
Dubai Creek (Khor Dubai)
Public Library
Souk al Kabir
Al Fahidi Street
Bin Suroor Mosque
Shindagha Road
Bait al Wakeel
Dubai Old Souq
Dubai Museum
Bur Dubai Abra Station
Ali Bin Abi Talib Mosque
Ali Bin Abi Taleb
Fahidi
Al Hisn Street
AL MUSALLA
Shindagha Tower
AL GHUBAIBA
Al Ghubaiba Rd.
Ministry of Finance & Industry
Al Suq St.
BUR DUBAI
Astoria
Souq
Plaza Cinema
Ambassador
Al Nahdha Road
Al Esbij Street
Al Fahia St.
Al Ghubaiba Bus Station
York International
Khalid Bin Al Waleed Rd

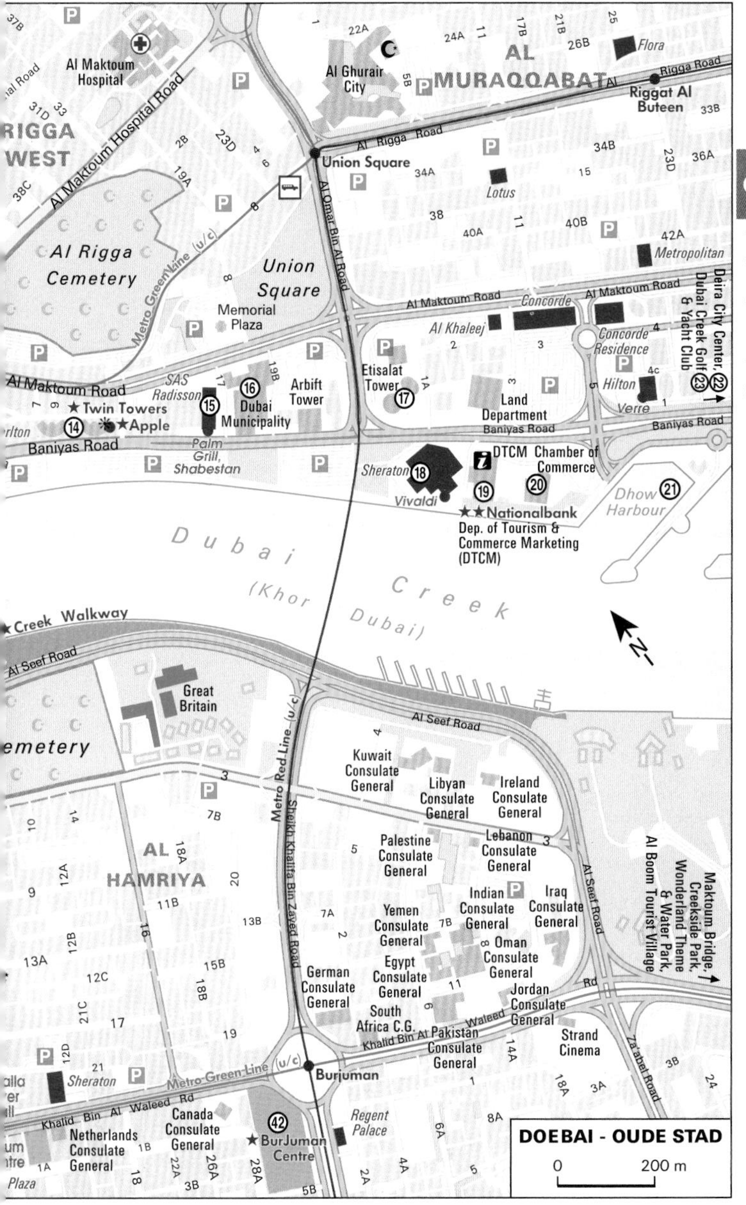
DOEBAI - OUDE STAD
0
200 m
Al Maktoum Hospital
Al Ghurair City
AL MURAQQABAT
Flora
Rigga Road
Riggat Al Buteen
RIGGA WEST
Al Maktoum Hospital Road
Al Rigga Road
Union Square
Al Omar Bin Al Road
Lotus
Metropolitan
Al Rigga Cemetery
Metro Green Line (u/c)
Union Square
Memorial Plaza
Al Maktoum Road
Concorde
Al Khaleej
Concorde Residence
Hilton
Verre
Etisalat Tower
Land Department
Arbift Tower
Dubai Municipality
SAS Radisson
Twin Towers
Apple
Baniyas Road
Palm Grill, Shabestan
Sheraton
Vivaldi
DTCM
Chamber of Commerce
Dhow Harbour
Nationalbank
Dep. of Tourism & Commerce Marketing (DTCM)
Dubai Creek (Khor Dubai)
Deira City Center, Dubai Creek Golf & Yacht Club
Creek Walkway
Al Seef Road
Great Britain
Cemetery
Metro Red Line (u/c)
Sheikh Khalifa Bin Zayed Road
Kuwait Consulate General
Libyan Consulate General
Ireland Consulate General
Palestine Consulate General
Lebanon Consulate General
Indian Consulate General
Iraq Consulate General
Yemen Consulate General
Oman Consulate General
Egypt Consulate General
German Consulate General
Jordan Consulate General
South Africa C.G.
Pakistan Consulate General
Khalid Bin Al Waleed Rd
Strand Cinema
Za'abeel Road
AL HAMRIYA
Al Boom Tourist Village
Maktoum Bridge, Creekside Park, Wonderland Theme & Water Park
Burjuman
Sheraton
Metro Green Line (u/c)
Canada Consulate General
Netherlands Consulate General
BurJuman Centre
Regent Palace
Plaza

⋆Specerijensouk

De ⋆**specerijensouk** ① (Spice Souk) begint meteen aan het begin van de **Old Baladiya Street**, die loopt van de Creek naar de **Souk al Dhalam** (**Old Souk**). De ingang ligt tegenover de **abra-aanlegplaats**. Vooral 's ochtends is het op het kleine plein, van waaruit meerdere steegjes naar het marktterrein voeren, een drukte van belang. Rollen tapijt, plastic stoelen, balen stof in allerlei kleuren en enorme kartonnen dozen liggen metershoog opgestapeld op de stoep en wachten tot ze worden afgevoerd. Een paar Pakistani met kleurige mutsen laden goederen in op vrachtwagens, die ze naar de nabije kades brengen, waar de bemanning van de oude **dhows** ze in ontvangst neemt. Andere waren zijn bestemd voor de handelaren in de wirwar aan steegjes van Deira, waar ze met tweewielige handkarren worden afgeleverd.

Nauwelijks heeft u naast het gerestaureerde gebouw waar vroeger het stadsbestuur zat, de **Baladiya**, de specerijenmarkt betreden, of de neus zwelgt in allerlei geuren. In open zakken of houten kisten liggen daar de essentiële ingrediënten van de Arabische keuken, van kardemom, komijn, kruidnagel, peper, gemberwortel, gedroogde Chili-pepers en muskaatnoten (nootmuskaat) tot gedroogde limoenen, gedroogde vis en een van de duurste specerijen – **saffraan**. Ofwel in poedervorm, ofwel in natuurlijke draadjes (bloemstampers) van de krokus, bijna iedere koopman heeft meerdere plastic doosjes voor het uitkiezen. Let u er bij het kopen op dat er zo weinig mogelijk lichtgele draadjes in het doosje zitten, want die zijn kwalitatief niet zo hoogwaardig en hebben een minder intensieve smaak. Per slot van rekening heet de door de Arabieren zeer gewaardeerde specerij hier 'rood goud' – niet geel.

Boven: De specerijensouk – een lust voor de zintuigen. Rechts: Pauze in de souk.

Maar er wordt niet alleen eetbare waar te koop aangeboden. Voor kleine kwaaltjes zijn er diverse kruiden, waarbij vooral de oudere generatie nog zweert. Het groene pulver is **henna**, vervaardigd uit de bladeren van de hennastruik. Daaruit wordt samen met water en geuroliën een pasta gemengd en in filigraanpatronen op handen en voeten aangebracht. Bruiden hebben erg weelderige rode henna-ornamenten. Naar verluidt gaat deze hennaversiering terug op Fatima, dochter van de profeet Mohammed. Omdat ze zich geen dure sieraden kon veroorloven, zou ze deze verfraaiing hebben verzonnen.

Behalve welriekende mirre en geurend sandelhout uit India zijn er ook 'tranen van de goden' te koop – **wierookkorrels** (harsdruppels).

⋆Ahmadiya-school

Als u meteen bij de ingang van de specerijenmarkt linksaf buigt, leidt de weg naar twee historische gebouwen die het oude stadsleven van Doebai op zeer levendige wijze documenteren: de **⋆Ahmadiya-school** ② (Museum of Education) en het Heritage House (zie p. 106 e.v.). Vermoedelijk droomt elke scholier wel een keer hierover: de school sluiten en die in een museum veranderen. Voor sjeik Raschid, de grondlegger van het moderne Doebai, ging deze droom in vervulling, maar hij was toen allang geen leerling meer van de middelbare school, maar staatsman. In zijn jeugd moest hij zich tussen de smalle schoolbanken persen, zoals ze in het museum staan opgesteld.

De eerste scholen in de Emiraten ontstonden rond 1912. Daarvoor hadden korandeskundigen, zogenaamde *muttawas* (vrijwilligers), enkele scholieren om zich heen verzameld in hun huizen, ze in lezen en schrijven onderwezen en ze ingewijd in de leer van de koran. Ook vrouwen waren werkzaam als leraressen en vaak zaten jongens en meisjes samen tijdens het leren op de grond. Wat in Europa zwarte leien waren om op te schrijven, waren op het Arabisch Schiereiland schouderbladen van kamelen. Toen de eerste klaslokalen van de nieuwe school klaar waren, waren er

evenwel nog altijd geen schoolbanken; de scholieren zaten op de grond.

In een vertrek van de Ahmadiya wordt deze periode realistisch en gedetailleerd weergegeven aan de hand van levensgrote poppen. Vooral parelhandelaren (*al tawaweesh*) en plaatselijke sjeiks steunden het schoolproject en financierden allereerst de bouw van elf klaslokalen en een keuken (met drinkwater), die in een vierkant werden gebouwd rond een binnenplaats. Het leerplan behelsde nu klassieke Arabische schoolvakken als kalligrafie, geschiedenis, wiskunde en astronomie. Tot 1927 werden er vijf scholen in Doebai gebouwd, geleid door eerbiedwaardige inwoners die zich onderscheidden door wijsheid en oprechtheid.

In het begin was het onderwijs kosteloos, later voerde men een klein schoolgeld in om de basiskosten te kunnen dekken. Voor armere scholieren, wier ouders de geringe bijdrage tussen de 3 en 5 Indiase roepies niet konden opbrengen, kwam aan de Ahmadiya-school sjeik Mohammed bin Dalmouk op. Diens vader, sjeik Ahmed bin Mo-

hammed, was een van de beroemdste parelhandelaren van zijn tijd en had de oprichting van de school gestimuleerd. Om die reden draagt ze ook zijn naam. Maar toen in 1930 de markt instortte, omdat de economische wereldcrisis uitbrak en de Japanse cultivéparels de handel ruïneerden, ontbrak het aan geld om de scholen te onderhouden. Vele zagen zich genoodzaakt te sluiten; het Ahmadiya hield het nog twee jaar vol.

Met de opbrengst uit de in toenemende mate florerende goudhandel begonnen in 1937 betere tijden, met in het begin slechts vier leraren en een moderner leerplan. Vanaf 1956 leerden de kinderen Engels en in 1962 zaten er tot 40 leerlingen in elk van de 21 klassen. De school groeide uit zijn voegen, ook een ijlings gebouwde dependance kon de misère geen halt toeroepen. Om het gestaag groeiende leerlingenaantal meester te worden, verhuisde de school in 1963 en het Ahmadiya sloot tot aan haar renovatie in 1997 haar poorten.

Boven: De Ahmadiya-school werd zorgvuldig gerestaureerd en betovert met het stucwerk van de binnenplaats. Rechts: Een nagebouwde Majlis (ontvangkamer) in het Heritage House.

*Heritage House

U moet het naast de Ahmadiya-school staande ***Heritage House** ③ niet overslaan, want het behoort tot de mooiste en meest kostbaar ingerichte gebouwen van het oude Deira. De geschiedenis ervan begint in 1890, toen een zekere Mattar bin Saeed zich weliswaar het grote stuk grond met uitzicht op zee kon veroorloven, maar niet meer dan een klein huisje met twee kamers kon bouwen. Op het erf zette hij een paar voor deze tijd typerende hutten van palmbladeren neer. Na 20 jaar nam de oprichter van de aangrenzende Ahmadiya-school, sjeik Ahmed bin Mohammed, het perceel over en liet het verbouwen. Aan de noord- en westkant kwamen extra kamers.

Pas 25 jaar en twee eigenaren verder verwierf Ibrahim al Said Abdullah huis en erf. Hij liet het niet alleen opnieuw verbouwen, maar ook grondig renove-

plattegrond p. 102-103, info p. 155-159

ren en decoreren. Voor het interieur nam hij kunstenaars in dienst die alleen de beste materialen mochten gebruiken.

De restauratie nam in de jaren negentig anderhalf jaar in beslag. Daarbij ontstond uit het door Ibrahim gecreëerde bouwwerk een **museum**, dat een indruk van het familieleven uit vervlogen tijden moet geven. U moet daarbij niet vergeten dat het gaat om de ‘high society’ van het toenmalige Doebai. Want het huis beschikte over een eigen bron (*al-khareejah*), waarvan het water weliswaar, omdat het zout was, slechts deugde om te wassen, maar dat was al een luxe. Keuken (*al-matbakh*) en opslagruimte (*al-bakhar*) zijn voorzien van de gebruiksvoorwerpen van het dagelijkse leven uit die tijd, de vloeren van de woonvertrekken bedekt met elegante tapijten en aan de muren hangen lampen, geweren en spiegels. Vroeger werd in Arabië alles aan de wand gehangen of in nissen in de muren gelegd, want kasten bestonden niet.

Eerst betreedt u de ruime **binnenplaats** (*al haush*), typisch voor een Arabisch huis. Zulke binnenplaatsen waren vroeger vaak beplant met dadelpalmen, amandelbomen of fruitbomen die schaduw gaven en waar kinderen konden spelen. Rondom de binnenplaats loopt de **veranda** (*leewan*), die verhindert dat de zon direct de kamers binnen schijnt en waaronder de familie tijdens de koelere tijd van het jaar bijeenkwam.

Via de veranda komt u in de vele kamers van het Heritage-huis, waarvan de voormalige functies aan de hand van poppen worden duidelijk gemaakt. Het belangrijkste vertrek van een Emiraats, respectievelijk Arabisch huis is nog altijd de *majlis* genoemde **gasten- of ontvangkamer**. Hier kunnen aan de geboden van de islam en de gastvrijheid gevolg worden gegeven en vreemdelingen worden onthaald zonder dat ze het intieme familiegedeelte verstoren. De *majlis* is in de regel ook de grootste kamer van een huis, want hier werden familiebijeenkomsten gehouden – en als zo’n Arabische familie met broers en zusters, ooms en tantes, nichten en neven bij elkaar kwam, had men veel plaats nodig (het begrip *majlis* duikt ook op in de politiek, de volksvertegenwoordi-

ging in Oman heet bijvoorbeeld *majlis ash-Shura*). Daarnaast was er nog de **woonkamer** (*al makhzan*), waarin de persoonlijke voorwerpen van de leden van de familie in grote, met koperen nagels gedecoreerde teakhouten kisten (*bu al nojoom*) werden bewaard.

Niet elk huis beschikte over een **bruidskamer** (*al hilja*), waarvan de decoratie in geval van nood door de vrouwen van de betrokken families onder leiding van de moeder van de bruidegom moest worden geregeld. In het vertrek is een bruidspaar in vol ornaat tentoongesteld. Voordat het origineel (de bruid dus) er zo uitzag als deze pop, moest ze zich onderwerpen aan een lange procedure. Eerst een grondige wasbeurt, dan moest ze urenlang stil zitten om de hennabeschildering aan handen en voeten te laten drogen. Vervolgens werden de oogleden met *khol* (loodglans) opgemaakt, aansluitend werd ze geholpen bij het aantrekken van de fraaie gewaden door vrouwen die ervaring hadden met deze zaken. Nu ontbrak alleen nog het passende kapsel. Daarvoor bestonden meerdere traditionele varianten, die met een beetje vreemd klinkende namen als 'al agfa', 'al shonky' of 'al sout' werden aangeduid. De kroon op het werk was een wolk van parfum van sandelhout-, rozen- of jasmijngeur; dan kon de bruid naar de echtgenoot worden gebracht.

Boven: De goudsouk trekt zowel toeristen als Emirati's aan.

⋆Goudsouk

Ze noemden hem 'de Syriër', want toen hij in 1958 uit Damascus hier naartoe kwam, was hij de enige Arabier in zijn branche. In zijn bagage had hij parels, geen goedkope Japanse cultivéparels, maar echte, oriëntaalse parels uit het Golfgebied. Hij viel op in zijn kleine winkel, want rond hem domineerden – zoals ook nu nog – Indiase en Perzische kooplieden de markt. Maar de Syriër hield zich staande, verkreeg met zijn parels een klein beginkapitaal voordat de parelhandel ten einde liep, schakelde over op sieraden en creëerde de basis voor een van de grootste detail-

plattegrond p. 102-103, info p. 155-159

handelsketens in een sinds 75 jaar uiterst lucratieve business – de goudhandel. Met een beetje fantasie kunt u zich deze geschiedenis voorstellen, een paar stoffige steegjes erbij denken, bedompte lucht die slechts door de zwakke ventilator aan het plafond van de winkel in beweging wordt gebracht, en daarbij dikke bundels bankbiljetten die in een donkere hoek van eigenaar wisselen. Daarvan is niets overgebleven. De **Sikkat al Khail Street**, waar zich de huidige ***Gold Souk** ④ bevindt, glittert en glanst, de etalages zijn fel verlicht, de grond allang bestraat en de smalle steegjes met een fraai houten dak overdekt, zodat noch sterke zon, noch een incidentele regenbui de winkelpret kunnen verstoren. En in plaats van met dikke bundels bankbiljetten betaalt men tegenwoordig voornamelijk met creditcard. Maar de bekoring van het goud trekt allen aan, autochtonen en vreemdelingen. Geen straat heeft zoveel bezoekers als deze misschien driehonderd meter lange goudlaan.

Nergens wordt zoveel goud verwerkt en verkocht als in Doebai. In de etalages ziet u naast 24-karaats staven goud en verzamelaarsmunten veel kostbare sieraden. Vooral de bruidstooi met zijn traditionele motieven ontleend aan de zilveren sieraden van de bedoeïenen, is in trek bij de lokale bevolking. Het is voor de bruidegom in spe nog altijd gebruikelijk de bruidsschat (*dowry*) voor een groot deel in de vorm van waardevolle kostbaarheden te overhandigen. Zoals fijn bewerkte kroontjes, hals- of voetkettingen, oorhangers en ringen.

Beheerste vroeger hoofdzakelijk Indiaas design de etalages, inmiddels hebben, naast Arabische motieven, ook Europese stijlelementen terrein gewonnen. Zo ziet u in toenemende mate de namen van westerse designers in de etalages, soms tot een derde voordeliger dan in Europa. Hoe is dat mogelijk, want de goudprijs wordt toch op de internationale markt vastgesteld? Doebai importeert jaarlijks rond de 700 ton goud, het meeste voor de re-export. Een kwart daarvan belandt in de ateliers van de goudsmeden. Bij deze hoeveelheid kunnen de handelaars kleinere winstmarges berekenen, temeer omdat de arbeidskracht van de smeden nauwelijks van invloed is. Nog gunstiger wordt het als u geen waarde hecht aan met de hand gemaakt werk en door machines geproduceerde sieraden koopt. Zo kost een armband van de goudsmid ongeveer 500 dh (ca. 105 euro), een machinale echter slechts 300 dh (ca. 63 euro). Een persoonlijke noot krijgt het verworven kleinood door iets erin te laten graveren, wat veel juweliers als extra service aanbieden, bij grotere bedragen soms ook gratis.

Er wordt verkocht naar kwaliteit (18, 21 en 22 karaat) en gewicht, en wie de actuele dagprijs van goud kent, heeft bij het afdingen nog een klein voordeel. Maar u hoeft niet bang te zijn om afgezet te worden, want een onafhankelijke commissie controleert regelmatig het warenassortiment. Bovendien is elke handelaar verplicht zijn goudimport te declareren en bij een overtreding is de vergunning snel ingetrokken – een risico dat niemand neemt. Want uit deze '**City of Gold**' (gouden stad) – zoals de naam boven de ingang in grote letters verkondigt – vertrekt niemand graag.

Nadat u de goudmarkt een handvol euro's lichter verlaat, is het de moeite waard door de levendige **Sikkat al Khail Street** naar de **Naif Road** te wandelen en daarbij de **parfumsouk** ⑤ niet over te slaan, want het gaat eigenlijk om een paar kleine winkels die niettemin een aanzienlijk assortiment aan Europese en Arabische geuren verkopen. Arabische vrouwen stellen graag zelf hun persoonlijke parfum samen, en hier vinden ze de benodigde ingrediënten zoals bijvoorbeeld de betoverende sinaasappelbloesem-essence. Arabische parfums zijn veel sterker en ruiken kruidiger dan Europese. Voor sommigen schijnt echter de kitscherige verpakking een koopargument te zijn.

Stadswandeling door Deira

Wie op de vroege ochtend op pad is, moet overwegen een uitstapje te maken naar de noordelijk gelegen **Deira vis-, vlees-, groente- en fruitmarkt** ⑥. Hier zijn weliswaar vooral de grootinkopers van de hotel- en restaurantgastronomie op pad, maar u krijgt, vooral op de vismarkt, een overzicht over het zeer uitgebreide aanbod. Met een beetje geluk ligt er een grote merlijn met zijn zeilachtige rugvin te koop en bij de grote haaien, die hier af en toe belanden, haasten de verkopers zich de ietwat verontrust toekijkende Europeaan te verzekeren dat die ver van de kust werden gevangen!

Oostwaarts op de Naif Road rijst plotseling de **Burj Naif** ⑦ op, een oude vestingtoren, die in de moderne tijd zijn functie is kwijt geraakt. Hij heeft als een van de weinige historische gebouwen op de Deira-kant het verbreden van de straten in de jaren zeventig en tachtig van de vorige eeuw overleefd, toen men van mening was dat de oude ruïnes slechts in de weg stonden.

De toren en de bijbehorende kleine vesting liet sjeik Saeed rond 1930 bouwen. In de laatste bevindt zich tegenwoordig een **politiekantoor** met historische sfeer. Mannelijke bezoekers zijn misschien geïnteresseerd in het kleine **politiemuseum** en laten hun vrouwelijke gezelschap alleen over de naburige **Naif Souk** ⑧ slenteren, omdat daar toch hoofdzakelijk kledingaccessoires voor inheemse dames worden aangeboden, waaronder ook tal van voordelige schoenen. In 2008 verwoestte een brand de souk; momenteel bevindt die zich in een nabij gelegen tijdelijk onderkomen, maar ze zal spoedig weer op de oude plek worden heropend.

Het slechts twee straten verderop gelegen **Naif Park** ⑨ is weliswaar meer een groot uitgevallen grasveld dan een park, maar alle palmen geven schaduw en in de omgeving zijn kleine restaurants, waar u ook maaltijden kunt afhalen voor een picknick.

Zo tegen 16 uur is het ideale tijdstip om af te slaan naar de dan zeer levendige **Al Sabkha Road** ⑩ richting Creek. Als met de ondergaande zon de felle neonreclames als om strijd beginnen te flikkeren, begeven ook de lastdragers zich weer op pad met hun tweewielige karren en proberen zich een weg te banen door de beginnende chaos. De straten raken verstopt met overstekende voetgangers, taxi's, vrachtwagens en hulpzoekende toeristen in huurauto's. Voor de etalages van de elektronicazaken en goedkope modewinkels bemoeilijken rondslenterende passanten en weinig succesvolle verkopers het doorkomen. In het weekeinde verrijken Indiase families met drukke kinderen en Arabische ouders, die meestal een Filipijns kindermeisje in dienst hebben genomen om het zelfbewuste kroost te temmen, het straatbeeld, want shoppen is een van de lievelingsbezigheden. Wat opvalt bij dit alles: niemand heeft werkelijk haast, zelfs niet de lastdragers, en hoewel de auto's nauwelijks vooruit komen, valt er geen onvertogen woord.

Een uitstapje naar het dichtbijzijnde, druk bezochte **Baniyas Square** ⑪ wordt zowel hongerigen aanbevolen – u vindt er een bonte verzameling snackbars – als liefhebbers van oriëntaalse weefkunst: in de **Deira Tower**, die het plein domineert, vindt u **Perzische tapijten** in overvloed.

*CREEK-TOUR

Aan het eind van de Al Sabkha Road stuit u op de **Baniyas Road**, die langs de gehele Creek-oever loopt. Interessant zijn hier de **aanlegplaatsen** van de ***dhows** ⑫, de traditionele vrachtzeilschepen die het beeld van Deira tot op de dag van vandaag bepalen. Met zijn drieën, vieren of vijven liggen de boten

Rechts: Een Creek-tour op een gehuurde abra is vooral laat in de middag de moeite waard.

plattegrond p. 102-103, info p. 155-159

naast elkaar en wachten op een vrije ligplaats om hun waren te lossen of aan boord te nemen. De bemanning hurkt bijeen en drinkt thee, waarbij ook vaak vreemdelingen worden uitgenodigd.

Op de kades stapelen zich plastic stoelen op en olievaten, ook een auto heeft een exportstempel op het raam geplakt. Een enorme stapel pakketten van 10 kilo spaghetti verdwijnt langzaam maar zeker in de reusachtige buik van een *boom* – dergelijke vrachtzeilschepen beheersen al meer dan 1000 jaar de Indische Oceaan. De noedelhandelaren zijn met het vliegtuig uit Somalië gekomen en hebben het inkopen van grote partijen achter de rug, die nu vervoerd moeten worden. Natuurlijk wordt alles hier door de douane geregeld, zodat er bij aankomst thuis geen problemen optreden, maar het een of andere 'souvenir' van de bemanning, bijvoorbeeld een paar horloges of mobiele telefoons, blijven op de douanedocumenten onvermeld – die zijn voor de zwarte markt.

Direct aan het eind van de Sabkha Road ligt het **Sabkha Sation** ⑬ van de ***abra's**. Deze watertaxi's zijn het snelste vervoermiddel van de ene oever naar de andere en horen bij Doebai als gondels bij Venetië. Wie de amper vijf minuten durende overtocht te kort vindt, kan ook een abra huren; een uur kost circa 80 dh (voor vertrek de prijs afspreken!).

Vooral laat in de middag is een ***Creek-tour** richting de Maktoumbrug de moeite waard. Want dan is het licht op zijn allermooist en de ondergaande zon spiegelt zich in de reusachtige glazen gevels van de architectonische hoogstandjes die de afgelopen jaren ten zuiden van de Sabkha-aanlegplaats zijn gebouwd.

De ***Twin Towers** ⑭ bijvoorbeeld zijn het nieuwe herkenningsteken aan de Creek geworden. Met hun ultramoderne spiegelende glazen façades staan ze in opvallend contrast tot de eerbiedwaardige dhows, die nog met de hand worden geladen. In de zuidelijke toren bevindt zich een klein winkelcentrum. Interessanter is het ***Apple restaurant** op de derde etage vanwege zijn **panoramaterras** boven de Creek. Bijzonder

'fotogeniek' zijn de tweelingen vanaf de andere oever na zonsondergang, als hun glanzende façades weerkaatst worden in het water van de Creek.

Naast het **Radisson SAS** ⑮ staat ietwat ineengedoken het markante marmeren gebouw van de **municipality** ⑯, dat u herkent aan de open voorgevel en het waterbassin. Daarvoor staat, door struikgewas en laag hangende palmbladeren enigszins aan het zicht onttrokken, een onopvallende kameel met schaakdeken en toren op zijn bult. Die herdenkt de in 1986 in Doebai georganiseerde en door de Sovjet-Unie gewonnen schaakolympiade.

Makkelijk te herkennen is ook het gebouw van de Emiraatse telefoonmaatschappij **Etisalat** ⑰, waarvan het dak door een ronde antenne wordt bekroond, die eruitziet als een reusachtige golfbal (dezelfde constructie ziet u ook in alle andere steden van de Emiraten).

Boven: In de dhowhaven. Rechts: Origineel gestyled – het clubhaus van de Dubai Creek Golf & Yacht Club.

Daarop volgt het drietal dat bestaat uit Sheraton hotel, Nationale Bank en Kamer van Koophandel. Het **Sheraton** ⑱ bestaat uit het hoofdgebouw en de daarachter oprijzende toren met een plat dak – een landingsplaats voor helikopters. De ****Nationale Bank** ⑲ (zie foto p. 88/89), waar zich een **parelmuseum** en op de 12de etage de centrale van het **bureau voor vreemdelingenverkeer** (DTCM) bevindt, wordt gesierd door een spectaculaire concave **façade**. De glazen vensters wisselen, al naar gelang de stand van de zon, van kleur en schitteren vroeg in de avond in een warme tint uit koper en goud. In de kromming spiegelen zich de voorbijvarende schepen en op verzoek zal ook uw abra-kapitein er dicht genoeg langs varen voor een spiegelfoto.

Ietwat monstrueus oogt het driehoekige gebouw van de **Chamber of Commerce** ⑳ (Kamer van koophandel en industrie), direct ernaast, dat met zijn donkerblauwe buitenmuren bijna de indruk wekt alsof het wat te verbergen heeft. Terwijl in deze tempels van moderne architectuur met draadloze high

tech de aardbol over wordt getelefoneerd en de actueelste beurskoersen over het platte scherm rollen, werken ernaast, in de grote **dhowhaven** ㉑ (dhow warfage), arbeiders zich dood in het zweet des aanschijns met het vrachtgoed van de traditionele schepen. Aan het zuidelijke einde houden de voetpaden op en om de stad verder te verkennen moet u een taxi nemen.

Wie wil, kan zich voor een winkeltochtje of middagpauze naar een van de grootste winkelcentra aan deze kant van de Creek laten varen, het **Deira City Center** ㉒, waar ook verschillende cafés en restaurants zijn.

Landschapsplanners en architecten hebben met de **Dubai Creek Golf & Yacht Club** ㉓ een nieuwe mijlpaal opgericht in het dynamische Doebai. Duidelijk herkenbaar is het silhouet van het ***clubhuis**, dat doet denken aan de zeilen van traditionele dhows. Op het 18 holes-golfterrein speelt de wereldtop en vanuit de jachtclub gaan diepzeevissers de zee op, terwijl smulpapen zich tegoed doen aan voortreffelijke vis in **Restaurant Aquarium**.

*MAMZAR BEACH PARK

Om te ontspannen is er een groot strandpark dat ligt aan de stadsgrens met het emiraat Sjardja. De Abu Bakrstraat loopt langs de Golfkust, die volgt u in oostelijke richting tot aan het ***Mamzar Beach Park** (zie plattegrond p. 99), dat op een schiereiland ligt. Bij de ingang stuit u op een restaurant en een amfitheater, daarachter liggen grote weides.

De rechteroever van het park ligt aan de **Khor al Mamzar** (Mamzar-baai). Aan het noordelijke einde ervan staan 15 chalets met badkamer en barbecue die voor een paar dagen gehuurd kunnen worden. In de baai verhuren clubs diverse watersportartikelen. De linkeroever aan de Perzische Golf is door golfbrekers in drie rustige badbaaien onderverdeeld, waar douches, wc's, strandstoelen, badmeesters en schaduw gevende palmen en kleine houten huisjes voor onbekommerd strandplezier zorgen.

Het ongehinderde uitzicht over de Golf zal de komende jaren vermoede-

lijk worden verstoord, want nu al zijn de eerste drijvende baggermachines bezig het fundament voor een van de drie palmeilanden te storten. Voor de kust komt **The Palm Deira** (zie plattegrond p. 99), die bijna twee keer zo groot moet worden als de Jumeirah-Palm. Nog meer appartementen, villa's, hotels en vrijetijdcomplexen moeten ertoe bijdragen Doebais economische toekomst veilig te stellen zonder olie-inkomsten.

*BUR DUBAI

Bur Dubai was voor Doebai lange tijd zoiets als Amsterdam-Noord – de 'verkeerde kant'. Want de dhows legden aan aan de andere oever, in Deira. Daar lag de markt, klopte het hart van de stad. Weliswaar bouwde de heersende Maktoum-familie eind 19de eeuw een voor toenmalige maatstaven prachtige residentie in **Shindagha** bij de ingang van de zeearm. Maar pas met de grote immigratiegolf van Perzische handelaren vanaf 1902, toen die op de Deira-kant geen plaats meer vonden en zich vestigden in de Bastakia-wijk, begon ook Bur Dubai uit te groeien tot een aanzienlijk stadsdeel met markt en woonwijken. Hier staat een groot deel van de historische gebouwen, die samen met de souk de afgelopen jaren uitvoerig werden gerestaureerd. Tot halverwege de jaren negentig van de 20ste eeuw was de historische woonwijk van Shindagha een doods gebied, van de oude gebouwen was nauwelijks iets over. Vervolgens bezon het stadsbestuur van Doebai zich op dit culturele erfgoed en besloot Shindagha in oude glorie te laten herrijzen.

In het Heritage Village – boven: Barastis, uit de bladnerven van de dadelpalm vervaardigde hutten; rechts: het repareren van een waterzak uit leer.

*Heritage Village

De Maktoum-familie wilde zich niet alleen tevreden stellen met het restaureren van historische gebouwen, maar ook een plaats creëren waar de oude ambachten konden blijven voortbestaan. Die hadden er in het verleden

voor gezorgd dat men had overleefd en moesten – hoewel niet meer van essentieel belang – als cultureel erfgoed voor de volgende generaties behouden blijven. Dat ook toeristen het verleden liever op levendige wijze zien verbeeld en bijvoorbeeld dansen live willen meemaken in plaats van een muziekcassette te kopen, heeft eveneens een rol gespeeld. De beide naast elkaar liggende kleine 'dorpjes' Heritage Village en Diving Village werden in 1997 aan de noordkant van Shindagha geopend en het bezoek van veel schoolklassen en toeristen bevestigt het succes van het concept. Vooral tijdens het Dubai Shopping Festival in het voorjaar en op de feestdagen wordt hier veel spektakel geboden, de rest van het jaar moet u een beetje geluk hebben. Bij de ingang ligt het actuele programma. Wie liever alleen een rondgang wil maken en ongestoord wil fotograferen, moet in de ochtend gaan, dan is er bijna niemand. Pas later in de middag wordt de oever weer drukker en daarmee ook de beide historische dorpjes.

Het *****Heritage Village** ㉔ beeldt zowel het leven van de nomaden als dat van het harde dagelijkse leven van de kustbevolking uit. Eerst bezoekt u een klein **museum**. De tentoonstellingstukken zijn afkomstig uit de vindplaatsen van diverse opgravingen in verschillende delen van het land, bijvoorbeeld grof gemaakte stenen schalen of pijlpunten en naalden uit beenderen. Maar de bijzondere aandacht gaat uit naar een levendige uitbeelding van het verleden. Naast de eigenlijke Village werd bijvoorbeeld een klein 'woestijnlandschap' gecreëerd, met veel zand, bedoeïenentent, stookplaats en echte kamelen. 's Avonds pruttelt de typisch Arabische koffiekan *(dalla)* op het vuur en een paar eerzaam uitziende mannen met gegroefde gezichten zitten er ontspannen naast. Wie wil, wordt uitgenodigd hier een koffie te proberen. Maar voorzichtig, als de koffie net uit de kan komt, is hij heet – zoals hij moet zijn: 'Heet als de liefde, bitter als de dood.'

Op de binnenplaats van het Heritage Village staan verschillende hutten uit palmbladeren *(barasti)*, de typische behuizing van eenvoudige mensen uit vervlogen tijden. Dat was een geniale constructie, waarvan het bouwmateriaal in zijn geheel afkomstig was van de dadelpalm. De bladeren werden tot een soort schutting gevlochten en daarna als muren rond vier houten palen 'gewikkeld'. Deze *barastis* waren ook bij een paar rondzwervende woestijnstammen populair, want de palmmuren konden binnen de kortste keren worden opgerold en op de rug van een kameel worden gebonden. Normaal werden de palmbladvezels zeer dicht tegen elkaar gevlochten, maar voor de warme zomermaanden was er een 'geklimatiseerde' variant met grotere kieren, zodat het lichtste zuchtje wind er doorheen kon trekken.

Tijdens evenementen gebruiken de Emirati's deze hutten om hun waar uit te stallen, terwijl ze er zelf voor zitten en producten vervaardigen. Er is aardewerk, zoals de typische waterkruiken met hun buikige vorm, waarvan de wanden licht poreus zijn; door de verdampingskoelte blijft het water aangenaam koel. Grotere kruiken werden vroeger ofwel met wierook uitgerookt of men deed er een paar harskorrels in, opdat het water niet brak zou worden. Een paar meter verderop vindt u gevlochten manden en geweven artikelen. Populair zijn machinaal geproduceerde tapijtjes met het portret van de heersende familie of de in 2004 gestorven president van de VAE, sjeik Zayed.

De meeste souvenirshops verkopen de gebruikelijke snuisterijen, zoals glazen miniaturen van het Burj al Arab-hotel of pluche kamelen. Eén heeft zich echter in oude radio's en grammofoonplaten gespecialiseerd, die onder het stof in de stellingen staan. Later op de avond trekken door het dorp wolken van geuren van inheemse gerechten die de vrouwen op aloude wijze boven open vuur bereiden. U kunt onder andere goed gekruide vleesspiesjes proberen of verschillende eenpansgerechten met veel groenten of vis, die samen met vers gebakken brood worden geserveerd.

Rechts: Backgammonspelers in een café in Shindagha.

*Diving Village

De poort naar het ***Diving Village** ㉕ bevindt zich slechts een paar meter naast het Heritage Village en is amper te missen, want er staat een **dhow** voor die met zijn boeg naar de ingang wijst, en op de poort troont een kleiner scheepsmodel. Meteen bij de ingang links is een winkeltje dat behalve ansichtkaarten ook een kleine selectie aan literatuur verkoopt. Daarna krijgt u zicht op een ruime binnenplaats, die op het eerste gezicht misschien niet helemaal voldoet aan de verwachtingen van een Europese bezoeker. Hij ziet er wat 'onaf' uit met een eenzaam boompje in het midden en een droog duikbassin ernaast. Maar u moet zich hierdoor niet laten bedriegen, want de expositieruimtes zijn goed.

Meteen na de ingang gaat u linksaf naar hal 5, het **aquarium**. Hier staan verschillende aquaria opgesteld met wisselende 'bewoners' van de Perzische Golf, soms slechts populaire eetbare vissen, soms echter ook zeldzame soorten. Op aanvraag krijgt u een **film** te zien die over actuele problemen gaat zoals overbevissing en de verontreiniging van de zee. Deze werd gemaakt door de *Emirates Diving Association*, die ook verantwoordelijk is voor de Village. Die moet niet alleen buitenlandse bezoekers een inkijkje geven in de zeefauna, maar richt zich ook doelbewust tot de inheemse bevolking, om milieubewustzijn te creëren.

Behalve de film is er ook een goede **fototentoonstelling** en een zeer goed uitgeruste bibliotheek, gesticht door de Maktoum. Het bestand wordt doorlopend geactualiseerd en met media als cd-roms of dia's uitgebreid. Op de historische afdeling wordt het **leven van de parelduikers** door de eeuwen heen, tot 1930, vertoond. Er worden minimalistische 'duikpakken' uit linnen ten-

toongesteld, die tegen kwallen moesten beschermen, handschoenen ter bescherming tegen de scherpe rotsen, eenvoudige neusklemmen uit hout en messen om de schelpen af te breken. Al aan boord van de schepen werden de parels op grootte gesorteerd, gewogen en in kleine stoffen zakjes gedaan. Al deze voorwerpen zijn te zien en het lijkt net alsof ze zo opnieuw gebruikt kunnen worden voor een duiksessie – maar schijn bedriegt: deze tijden zijn allang voorbij. Alleen voor het eiland Bahrein, waar men, naar men zegt, de beste parels vindt, wordt tegenwoordig nog op kleine schaal naar de 'tranen van de engelen', zoals de parels ook wel worden genoemd, gedoken. Maar wie geluk heeft, kan aanwezig zijn tijdens een live-demonstratie, want daarvoor is het duikbassin op de binnenplaats bedoeld.

**Sheikh Saeed al Maktoum museum

Hier bevond zich in de eerste helft van de 20ste eeuw de centrale zetel van de regering van Doebai en de woning van de heersende Maktoum-familie. Het gigantische huis was met in totaal dertig kamers een van de grootste huizen, gebouwd rond 1896 in de destijds gebruikelijke stijl met vier windtorens, twintig veranda's, drie open binnenplaatsen, keukens en waslokalen. Volgens Arabische traditie woonden hier verschillende generaties onder één dak en ook de grootvader van de huidige regent, sjeik Saeed, groeide hier op onder de vleugels van grootouders, ouders, ooms en tantes. Hij leefde hier tot aan zijn dood in 1958. Daarom draagt het museum zijn naam. Met zijn begrafenis kwam ook een einde aan het leven in het huis uit twee verdiepingen, want ondanks de prachtige ligging aan de ingang van de Creek gaf zijn opvolger sjeik Rashid de voorkeur aan het nieuw gebouwde Za'abil-paleis.

Het ****Sheikh Saeed al Maktoum Museum** (26) werd precies honderd jaar nadat het gebouwd was, in 1996, opnieuw feestelijk geopend, na uitgebreide restauratiewerkzaamheden. Daarmee kreeg het culturele erfgoed van Doebai een waardige plaats. In het ui-

terst omvangrijke en prachtig ingerichte museum kan de bezoeker op een interessante tijdreis gaan. In het in verschillende vleugels (*wings*) opgedeelde gebouw kunt u historische documenten zoals brieven, verdragen of landkaarten bestuderen. Ook is er een interessante **munten- en postzegeltentoonstelling**. Alles wat in het verleden als betaalmiddel werd gebruikt, is hier te zien. Nieuwe munten kregen vroeger soms enigszins merkwaardige namen. Zo heette bijvoorbeeld de munt die de koning van Engeland, koning Edward VII, (1841-1910) uitbeeldde, *umm salaah* – vrij vertaald 'Moeder van het kale hoofd'. Bij de deels zeer zeldzame postzegels van de Trucial States en de Emiraten bevinden zich eveneens verrassingen: Wie heeft al eens van de 'Arabische moederdag' gehoord? De bijbehorende postzegel is in ieder geval tentoongesteld.

Boven: Windtorens, de airconditioning uit vervlogen tijden, kenmerken het beeld van Bur Dubai en Bastakia. Rechts: Arbeiders in de souk van Bur Dubai.

Andere tentoonstellingsvertrekken zijn gewijd aan diverse leefgebieden en de bewoners ervan; er is een maritieme afdeling met scheepsmodellen; voorts is één vertrek gewijd aan het leven van de bedoeïenen en een derde ruimte, de 'Al Maktoum-vleugel', toont op zeldzame zwart-witfoto's de voormalige heersers in de kring van hun onderdanen.

Bij de ingang vindt u een kleine souvenirwinkel.

*Oeverpromenade

Gaat u via de **oeverpromenade** vanaf het Heritage Village richting westen, dan passeert u een paar **restaurants** die zich laat in de middag vullen met toeristen en autochtonen die genieten van het uitzicht over de Creek en de verlichte ***skyline** (zie foto p. 88/89). Aan de kade liggen de typische **abra-watertaxi's** die u kunt huren voor een rondvaart.

Het eerste gerestaureerde **huis** waar u langs komt, draagt de naam van **sjeik Juma**, een broer van sjeik Saeed.

Volgt u de oeverpromenade van het sjeik Saeed-huis Creek-inwaarts naar het zuiden, dan komt u bij het centrum van Bur Dubai. Langs deze route staan verschillende gerestaureerde huizen die in de komende jaren geopend zullen worden.

Naast het Saeed-huis staat de onopvallend kleine **Bin Suroor-moskee** (27) uit het jaar 1930, die sinds zijn renovatie hoofdzakelijk door de bouwvakkers wordt bezocht. Kort daarna verheft zich de **Shindagha-toren**, een wachttoren uit 1910, waarvan het markantste kenmerk zijn vierkante ontwerp is – in tegenstelling tot de destijds typische ronde bouwwijze, die beter bestand was tegen kanonkogels.

Na het eerste **abra-station** op deze Creekkant begint de wirwar aan steegjes van het historische stadsdeel **Bur Dubai**. Blijft u in de buurt van het water, dan bereikt u door een smal

 plattegrond p. 102-103, info p. 155-159

steegje het **Bait al Wakeel** ㉘ of **Gray Mackenzie House**. De firma Mackenzie werd in 1862 in Basra in het huidige Irak opgericht, groeide binnen de kortste keren uit tot een van de belangrijkste scheepsagenturen in de Golfregio en was al sinds 1916 in Doebai vertegenwoordigd met een agent (*wakeel*). Na de overname van de vertegenwoordiging van de 'British India Steam Navigation Company' verlangde men echter een eigen representatief kantoor en sprak daarover met sjeik Rashid bin Saeed, zoon van de heerser en kroonprins. Die had in 1930, het jaar waarin de eerste automobiel naar de Emiraten kwam, dit huis op exclusieve ligging direct aan de Creek voor zichzelf laten bouwen, en stelde nu een complete vleugel met dakterras ter beschikking aan het voor de handel belangrijke agentschap Mackenzie. Het Bait al Wakeel werd rond 1995 gerestaureerd. Met zijn 's nachts verlichte ronde bogen en vensternissen levert het een fraai plaatje op – vooral vanaf de andere Creekkant. Bait al Wakeed is niet alleen als fotomotief de moeite waard, maar ook als voortreffelijk **restaurant** met een omvangrijke menukaart. U kijkt er uit op het levendige reilen en zeilen van de Creek onder het genot van bijvoorbeeld heerlijke zeevruchten.

De souk van Bur Dubai

De **souk van Bur Dubai** strekt zich uit tussen Creek en Al Fahidi Street, waarbij de oude en mooiere souk te vinden is in de steegjes in de buurt van de kleine **Ali Bin Abi Talib Street**, direct langs het water. In de stegen aldaar zitten weliswaar hoofdzakelijk Indiase groothandelaren in stoffen, die hun waren niet per meter verkopen, maar meteen met hele balen, maar er zijn ook detailhandelaren, met uitgestalde waar in de meest bonte kleuren. Het aanbod rijkt van tweedelige Indiase sari's via beschaafde stoffen voor pakken tot aan pashminasjaals, kussenovertrekken of kleine handtassen van stof. De restauratiewerkzaamheden van de afgelopen jaren hebben dit historische deel van de markt, die ook wel ***Souk al Kabir** ㉙

(Grote Markt) wordt genoemd, veel goed gedaan. Er zijn met poorten met beeldsnijwerk en bazaarhuizen met windtorens gekomen. Daarvoor was alles tamelijk verloederd en zag het er voor een deel grauw uit, omdat men in de jaren zeventig slechts herstelwerk had gedaan met beton en bakstenen die door het vochtige zomerklimaat snel verweerden en geen enkele charme bezaten. Nu, met het nieuwe houten dak dat voldoende zonlicht doorlaat, is een bezoek de moeite waard, zowel overdag als laat in de middag. Het is er niet erg druk, u kunt in alle rust genieten van de atmosfeer en aandacht schenken aan de vele kleine details. Vooral 's avonds, als de lampen een warm licht verspreiden op de in oude stijl bepleisterde muren en de fraai bewerkte houten deuren van de huizen, bespeurt u een vleugje van het oude Doebai.

In de buurt van het tweede **abra-station** voor de watertaxi's bij het Bait al Wakeel strekt zich een groot, open plein

Boven: Uitzicht vanaf de Deira-oever op de Diwan en de Grote Moskee.

uit, ideaal voor een mooie, avondlijke picknick met uitzicht over de Creek en de skyline van Doebai. Tot de al geplande restaurants daadwerkelijk klaar zijn, kunt u bij de kleine restaurants in de Al Fahidi Street iets te eten halen.

In de Ali Bin Abi Talib Street staan twee moskeeën. De ene, aan het westelijke eind, heet net zoals de straat **Ali Bin Abi Talib**. Karakteristiek is het platform voor de muezzin, die eruitziet zoals een kraaiennest aan de mast van een schip. 's Avonds herkent u de moskee heel makkelijk aan de groene neonbuis.

Aan het oostelijke eind ligt de **Grote Moskee** ㉚. Aangezien half Bur Dubai uit gerestaureerde gebouwen bestaat, zou u ook bij de Grote Moskee de indruk kunnen krijgen dat de oude muren ervan een facelift hebben ondergaan. Want het gebruikte bouwmateriaal en de decoratieve elementen van de façade passen heel goed bij de historische omgeving. Maar omdat de moskee op religieuze feestdagen wordt bezocht door leden van de heersende familie, die er de voorgeschreven gebeden doen, besloot men om de in 1960 gebouwde moskee, af te breken. Tussen 1996 en 1998 ontstond naar het voorbeeld van een nog ouder gebedshuis uit de periode rond 1900, dat in 1960 had moeten wijken, de op dit moment grootste moskee van Doebai. Ongeveer 20.000 gelovigen en een koranschool vinden onderdak onder de negen koepels van het hoofdgebouw, dat wordt geflankeerd door een 70 meter hoge minaret, de hoogste van de stad. Met zijn vierkante voetstuk en ronde opbouw ziet hij er meer uit als een vuurtoren. Maar bij de tegenwoordige bouwkoorts en de concurrentiestrijd met Aboe Dhabi, waar net een moskee met plaats voor mar liefst 70.000 (!) biddende moslims werd geopend, is het slechts een kwestie van tijd of Doebai zal antwoorden met een nog omvangrijker monumentaal bouwwerk.

Voor de liberale houding van de overwegend soennitische Emirati's tegenover andere religies pleit het feit dat in de directe omgeving van de grote moskee twee Indiase tempels staan, die zich makkelijk laten identificeren aan het grote aantal schoenen die aan het eind van elke trap naar de ingang staan. De ene is de **Shri Nathje Jayate Tempel** ㉛, ook wel Krishna Mandir genoemd, waarbij *mandir* het Hindiwoord voor tempel is. Bezoekers wordt verzocht niet te fotograferen. Mocht u toevallig kort voor een gebed aankomen, dan moet u een half uur wachten voordat u de tempel kunt bezichtigen, maar u kunt ondertussen luisteren naar het spirituele gezang. In de omliggende stegen worden hindoeïstische religieuze voorwerpen zoals heilige as, bloemenguirlandes en heilige beeldjes verkocht.

Om de hoek, richting Creek, ligt de **Sikh Gurdwara**, een grote schrijn, waarin het heilige boek Guru Granth wordt bewaard. Hier alstublieft het hoofd bedekken (er worden hoofddoeken verstrekt) en geen foto's maken!

U moet eveneens niet te vrijpostig met uw camera omgaan voor het ijzeren hek dat een groot, wit gebouw omgeeft, want hier werkt de emir van Doebai in zijn **Diwan** ㉜. En dat niet alleen. Het gehele bestuursapparaat van Doebai is hier ondergebracht en hoewel er zelden iemand te zien is, kan er bij onbekommerd gebruik van het fototoestel plotseling een strenge soldaat opduiken. Maar gelukkig is het gebouw ook niet echt fotogeniek.

**Dubai Museum

Het ****Dubai Museum** ㉝ in het Fahidi-fort is een must. Langs twee oude kanonnen, passeert u de met messing punten versterkte toegangspoort. De meesten van de vele bezoekers lopen achteloos langs het eerste, bezienswaardige tentoonstellingsstuk, want de grote **luchtfoto** van Doebai uit de jaren vijftig van de 20ste eeuw hangt uiterst rechts achter de ingang tegenover de kassa's. De huidige museumburcht is daarop nog door woestijn omgeven... De binnenplaats van de voormalige vesting maakt nieuwsgierig: daar staan bijvoorbeeld simpele **hutten uit palmbladeren** die u misschien al in het Heritage Village heeft bewonderd, hier in een 'luxe uitvoering', met functionerende **windtoren**. De grote kuip ervoor reisde vroeger mee op de schepen van de parelduikers als verswatertank. Ook **scheepsmodellen** ontbreken niet en wat menigeen wellicht voor een bundel palmbladeren zal houden om de hutten mee te repareren, is ook een boot, namelijk een *shasha*, waarmee men dicht langs de kust ging vissen. Wel moesten de vissers oppassen, want de vezels zogen zich vol water en als men niet op tijd terug kwam aan de oever, zonk de boot regelrecht. Voor hij opnieuw kon worden ingezet moest men hem eerst laten drogen.

De **Fahidi-vesting** is vermoedelijk het oudste stenen gebouw van Doebai. Gebouwd in 1787 om de kleine plaats te beschermen tegen ongenode bezoekers, bezetten in 1833 de Maktoums deze

vesting, toen ze zich, vanuit Aboe Dhabi komend, hier vestigden. De daaropvolgende zestig jaar verbleven ze in dit fort, verhuisden daarna naar Shindagha en de vesting verloor zijn betekenis. In tegenstelling tot andere historische gebouwen liet men het fort echter niet eerst tot ruïne vervallen en werd het al in 1971 verbouwd tot museum. Alles wat in het dagelijks leven niet meer werd gebruikt, van keukengerei tot aan verbleekte visnetten, verzamelde men en exposeerde het in de voormalige soldatenverblijven of munitievertrekken. Er werden ook waardevolle dolken geschonken, evenals traditionele wapens en geweren.

Vervolgens kreeg het bestuur van het museum te maken met hetzelfde probleem als veel andere musea op deze wereld – er was geen plaats meer. Verhuizen? Een nieuw museum bouwen? De oude vesting afbreken? Dat alles kwam niet in aanmerking en daarom werd Al Fahidi uitgebreid met iets wat men zelden ziet in Arabië, een **kelderverdieping**. Een heel aantrekkelijke: want alle bijeengebrachte voorwerpen werden niet als levenloze objecten in fraai verlichte vitrines tentoongesteld, maar werden opnieuw deel van een 'levendige' oriëntaalse stad, zoals **Doebai rond 1950** eruit moet hebben gezien. Er is een marktsteeg in een **souk** met kleine winkeltjes, op de hoek van een straat zit een lezende man, voor een winkel staat een gesluierde vrouw die de uitgestalde artikelen bekijkt, een smid stookt zijn vuur op – allemaal poppen. Een geluidsband produceert passende geluiden en verdekte sproeiers verspreiden geuren van kruiden, maar de kroon op al die technische snufjes zijn videoprojecties om het levensechte effect nog perfecter te maken.

Op de overige afdelingen is het wat rustiger, maar niet minder interessant. Er wordt bijvoorbeeld een scène uit het **leven van de bedoeïenen** uitgebeeld – toegegeven, ietwat romantisch, zoals de vier baardige mannen daar voor hun tent rond het kampvuur zitten, één met

Boven: Het Dubai Museum met dhow wordt 's nachts verlicht. Rechts: Er worden kostbare dolken geëxposeerd.

plattegrond p. 102-103, info p. 155-159

de eensnarige 'woestijnviool' in zijn hand, terwijl een tweede koffie zet. Daaromheen grazen een paar kamelen en geiten.

Andere vertrekken zijn gewijd aan de landbouw in de oases, de **archeologie** met behulp van een graf uit het bronzen tijdperk met inbegrip van skelet en grafgiften als pijlpunten en dolk, de flora en fauna van de VAE en aan de astronomie. Slechts één vertrek had men zich wellicht kunnen besparen, want de scène van een dhow die voor een panoramadoek met de hand wordt gelost, kunt u tegenwoordig nog altijd zien langs de kades van Deira.

Wie na deze reis door de tijd nog in staat is om meer informatie op te nemen, kan in de zijgang links van de ingang **video's** bekijken met historische **dansen** en **gezang**.

In het vertrek ernaast is een historisch **wapenarsenaal** samengesteld. Behalve de genoemde dolken en geweren zijn vooral de kleine ronde schilden opmerkelijk. Ze zien er een beetje uit als Aziatische strohoeden, alleen veel kleiner, en werden vervaardigd uit de huid van neushoorns, die uit Afrika kwam. Uit de hoorn van de neushoorn sneed men de heften voor de dolken (tegenwoordig streng verboden door de dierenbescherming), en samen met een goed lemmet en kostbare zilveren versiering op de schede maakte dat de *khanjar* zo duur.

In de vertrekken aan de andere kant van de binnenplaats wordt de **geschiedenis van de Fahidi-vesting** aan de hand van foto's gedocumenteerd.

Nadat u het museum heeft verlaten, moet u nog één keer achterom kijken, want op de **wachttoren** hurkt een laatste grote pop die aandachtig de omgeving in het oog houdt – dag en nacht.

Al Fahidi Street

Het museum ligt aan een van de drukste straten van Bur Dubai, de **Al Fahidi Street** ㉞. Die laat zich vergelijken met de Sabkha Road in Deira, want ook hier zijn tijdens de openingstijden veel mensen op pad, en proberen talloze auto's vooruit te komen. Vooral elektro- en modeartikelen zijn hier voordeliger

dan in de grote winkelcentra, maar er wordt ook veel goedkoop spul aangeboden. Wie tevoren op de stoffenmarkt heeft gewinkeld, kan in een van de talrijke kleermakerijen meteen een passende garderobe laten maken. Maar als u meerdere wensen heeft moet u er niet op de laatste dag naartoe gaan, want de kleermakers zijn behoorlijk vol geboekt.

**Bastakia-wijk

Vanaf het Dubai-Museum oostwaarts via de Al Fahidi Street bereikt u na een paar meter een van de fraaiste wijken van heel Doebai. 'Toen we kinderen waren, ontmoetten we elkaar na school daar onder die boom. Tegenwoordig is het plein geasfalteerd, vroeger was alles stoffig. Toch was het ons lievelingsplekje. We konden met de fiets de bocht om suizen, wat niet zo makkelijk was, want de stegen zijn smal, zoals u ziet.

Boven: Een steegje in de Bastakia-wijk. Rechts: Een rustige plek voor een langere pauze – het Basta Art Café in Bastakia.

Soms, als we te snel waren en tegen de muren botsten, kon het gebeuren dat een stuk koraalsteen uit de toch al brokkelige muur brak – dat betekende moeilijkheden. In het gebouw daar vooraan op de hoek had een oude man zijn fietswerkplaats, die pompte altijd onze banden op.' Lerares Bariya is hier opgegroeid en komt graag terug naar deze wijk van haar jeugd, hoewel alles er erg is veranderd.

Begin 20ste eeuw verhuisden veel Iraanse kooplieden naar deze wijk, hoewel het eigenlijk gebruikelijk was om boven de winkel in de souk te wonen. Die lag echter aan de andere kant in Deira. Maar omdat daar nauwelijks nog plaats was, kwam men hier naartoe en noemde men de wijk naar de Zuid-Perzische stad Bastak. De Iranezen drukten ook een stempel op de architectuur, want van hen zijn de beroemde **windtorens** (*barjeel*) afkomstig, de eerste airconditioning met een eenvoudig principe: men bouwt een naar vier kanten open, circa 10 meter hoge toren op het dak en metselt er diagonale wanden in, laat onder de toren een gat in het dak – en het kleinste zuchtje wind wordt naar de daaronder liggende kamer gevoerd. Tegelijkertijd wordt de warme lucht afgevoerd via de andere, van de wind afgekeerde kant. Wie niet over stenen en specie beschikte, kon voor zichzelf een kleinere versie van de toren maken uit palmtakken, en banen stof binnenin hangen. Dit principe raakte heel snel bekend en werd ook overgenomen door de Emirati's. Tegenwoordig worden deze windtorens alleen nog als stijlelement gebruikt.

Tot aan het begin van het olietijdperk was ****Bastakia** een welvarende buurt, maar daarna wilden de bewoners grotere huizen met elektrische airconditioning, waarvoor echter geen plaats was. Men verhuisde van de nauwe steegjes naar de buitenwijken. Bastakia verweesde, armere mensen namen de verlaten huizen over, maar konden die niet in stand houden. Rond 1995 bood de

plattegrond p. 102-103, info p. 155-159

ooit trotse wijk een treurige aanblik. Voordat het verval volledig om zich heen greep, greep de gemeenteraad van Doebai in en saneerde het hele district. Tegenwoordig is het een mooie, rustige tegenpool van de soms hectische, blinkende hotelstraat van Jumeirah.

In één van de inmiddels ongeveer 50 gerestaureerde gebouwen vindt u cafés, restaurants, twee kleine hotels, musea en interessante kunstgalerieën. Eén daarvan is de in de hele stad bekende **Majlis Gallery** ㉟; de eigenaar woont hier al twintig jaar en is zeer goed op de hoogte van de kunstwereld. Ook als u niet van plan bent iets te kopen, zijn bezoekers hartelijk welkom; de binnenplaats is de moeite van het bekijken waard. Eromheen liggen de wit gekalkte tentoonstellings- en verkoopvertrekken, waar per jaar ongeveer tien wisselende exposities worden vertoond. Vooral nationale kunstenaars moeten hier de gelegenheid krijgen hun werk aan het publiek te presenteren. Hoewel de moderne kunst in de Emiraten nog relatief jong is, valt er absoluut veel interessants te ontdekken, ook als de schilderijen en beelden voornamelijk betrekking hebben op plaatselijke onderwerpen en tradities. Behalve de kunstwerken valt er ook het nodige antiek te bewonderen en woonaccessoires, zoals kussenovertrekken, pottenbakkerswerk en glaswaren.

Eveneens interessant is de **XVA Gallery**, slechts een paar blokken verderop. Ze biedt weliswaar een iets kleinere selectie aan kunstvoorwerpen, maar wie zich voor contemporaine kunst interesseert, moet het niet overslaan. Bijzonder zijn de vier zeer gezellig ingerichte hotelkamers. Wie daarom een keer in een van de oude huizen zou willen overnachten, kan dat hier in een zeer authentieke ambiance doen!

Voordat u de Bastakia-wijk verlaat en op de Creek Walkway stuit, kunt u nog stijlvol genieten van een cappuccino in het ***Basta Art Café** ㊱ of van een kameelgoulash in het aangrenzende ***Local House**; beide hebben schitterend rustige binnenplaatsen met kleine bomen en Arabische zithoeken en zijn gewoonweg voorbestemd voor een – ook wat langere – pauze.

⋆Creek Walkway

De ⋆**Creek Walkway** ㊲ (wandelpad) begint eigenlijk al aan het oostelijke einde van de souk Al Kabir, loopt echter eerst langs het hoge hek van de Diwan. Een allee van palmen, grote bloembedden met bougainville en banken fleuren de brede, geplaveide weg op.

Na de Bastakia-wijk ziet u aan uw rechterkant een klein **park** dat veel wordt gebruikt door kinderen van Indiase gastarbeiders die er na schooltijd cricket spelen. In de buurt schittert het **model van een windtoren**, een gedenkteken van messing dat de stad Doebai werd toegekend voor haar verdiensten voor het milieu. Terwijl het er overdag rustig aan toe gaat, komen er vanaf vijf uur in de namiddag zienderogen steeds meer wandelgangers, fietsers en inlineskaters op het **wandelpad**; de **restaurantboten**, die hier tegen halfacht wegvaren voor een twee uur durende **dinervaart**, schakelen hun verlichting in en bereiden de buffeten voor.

Creekside Park

Het **Creekside Park** ㊳ (Dubai Creek Park) ligt ver weg van de Creek Walkway en u moet een taxi nemen, want er loopt geen wandelroute naartoe. Dit grootste recreatiepark heeft meerdere ingangen en is vooral in het weekend zeer druk, want een van de lievelingsactiveiten in Doebai is picknicken met familie en vrienden. Daartoe staan kinderspeelplaatsen, barbecueplaatsen en grote, met bomen beplante grasweides ter beschikking.

Een **kabelbaan** verbindt de beide, 2,5 km uitelkaar liggende kanten van het park. Vanuit de gondels heeft u vanaf 30 meter hoogte een prima uitzicht over het gehele park, de Creek en de tegenoverliggende oever met de Creek Golf & Yachtclub. U kunt echter ook bij toegangspoort nr. 2 (Gate 2) een **fietsvoertuig** huren met vier wielen en luifel tegen de zon om gemoedelijk door het park te fietsen. Of u kunt u met een **treintje** laten rondrijden en waar het u geliefd een stop inlassen. Families wordt toegangspoort nr. 8 aanbevolen, want daar bevindt zich **Children's City** (kinderstad), een interactief museum dat is bedoeld voor 5- tot 12-jarigen en op speelse wijze kennis doorgeeft. Bijvoorbeeld over onderwerpen als de bouw van het menselijke lichaam en het heelal.

U moet zich warm aankleden in de beide naburige hallen, want de in veel kleuren belichte ijssculpturen van de **Frozen World** worden bij -28°C beschermd tegen wegsmelten. Geen zorg, er worden dikke jacks en schoenen verhuurd, ook voor de **Snow World**, een kunstmatige wereld van sneeuw met een kleine rodelbaan.

Wandelt u nog verder in zuidelijke richting, dan komt u bij het eerste grote pretpark van Doebai, dat eind jaren negentig werd geopend, het ⋆**Wonderland Theme & Water Park** ㊴. Zo lang als de naam is, zo talrijk zijn de attracties, want eigenlijk gaat het hier om twee parken. In **Splashland** draait alles om water. Voor kinderen zijn er negen waterglijbanen, bruggen over het water en waterkanonnen. Die reiken echter niet tot aan het zwembadgedeelte voor volwassenen, anders zou het vermoedelijk niets worden met rustig zonnebaden.

Het **themapark** doet met autoscooters, gocartbanen, kinderspeeltuinen en draaimolens eerder aan als een Europese kermis; ook achtbaan en reuzenrad ontbreken niet. Voor kinderen staan bovendien trampoline, westerntrein en piratenschipschommel klaar. 's Middags gaat de 'kameelrijschool' open. Wie zin heeft, kan hier een keer op een woestijnschip een rondje hobbelen. Vooral interessant voor de al iets oudere kinderen zou het *paintballing* kunnen zijn: na een korte instructie en uitrusting met gezichtsmasker, beschermende kleding

plattegrond p. 102-103 en p. 127, info p. 155-159

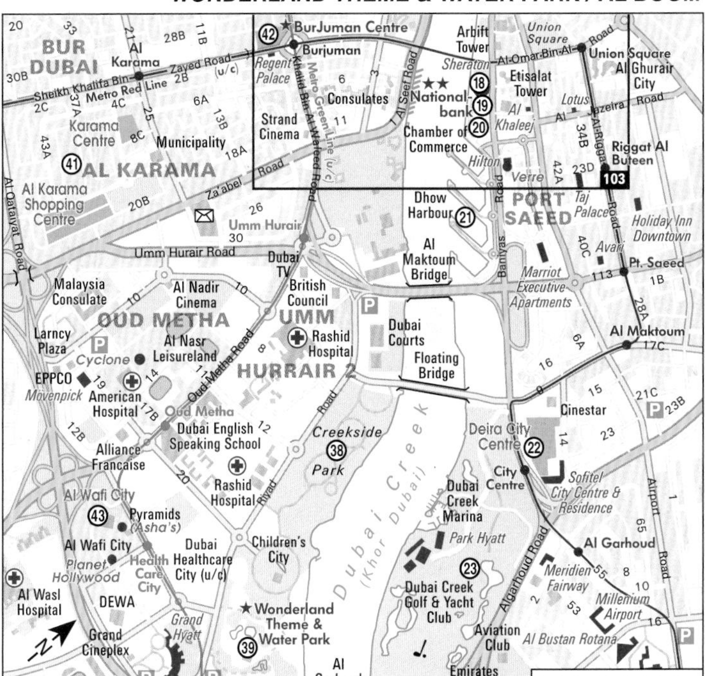

en geweer kan men elkaar met verfbommen beschieten. En wat denkt u ter afsluiting van een *space shot*, een schot in het heelal? Daarbij gaat u binnen 2,5 seconden van 0 naar 130 km/u – niets voor zwakke magen! In de reclame ervoor staat: 'you may regret it, but you'll never forget it' – u zal er misschien spijt van krijgen, maar het nooit vergeten. Goede vlucht!

In het zuiden van het park vindt u het **Al Boom Tourist Village** ⑩, een recreatieterrein met hoge 'voedingswaarde'. Want hier liggen, behalve het traditionele **Al Areesh Restaurant** met zijn Arabische keuken en de om zijn grillspecialiteiten bekende **Al Dahleez Restaurant** ook vijf dhows, die op verschillende tijden van de dag afvaren. De **Liwa** biedt bijvoorbeeld een goed ontbijtbuffet, de **Kashti** serveert op dinner cruises scherpe Indiase gerechten. Reserveren is aan te bevelen, de boten kunnen ook 's avonds voor privépartijen worden gecharterd.

Landrotten kunnen chalets huren met een barbecueplaats. Met een beetje geluk krijgt u een Emiraats bruiloftsgezelschap te zien, want op het terrein bevinden zich vijf zalen die onder autochtonen heel populair zijn om er bruiloftspartijen te geven.

Wie **flamingo's** en **reigers** wil observeren, kan een bezoekerspas kopen voor het **Ras al Khor Wildlife Sanctuary**, aan het binnenste einde van de Creek (formulier onder www.environment.dm.gov.ae). Daar staan drie **vo-**

gelobservatietorens; verrekijkers kunt u huren.

WINKELEN IN DOEBAI

Doebai is een winkelparadijs met welhaast onuitputtelijke mogelijkheden en meestal onovertroffen prijzen. Zou er een onderscheiding zijn voor het hoogste aantal vierkante meters winkeloppervlak per inwoner, Doebai zou hem zeker krijgen. Het spectrum in de detailhandel reikt van de kleine winkel om de hoek, waar u tot diep in de nacht het hoogstnodige kunt kopen, tot aan de supermarkt die zo groot is dat hij hypermarkt heet. Als u op zoek bent naar souvenirs zult u overal iets vinden, om het even of u een prachtig versierde kromme dolk, een oude houten kist, een paar dadels, specerijen, de stoffen pop in Arabisch gewaad of het obligatore t-shirt met de opdruk 'I ♥ Doebai' prefereert.

Boven en rechts: Shopping, traditioneel of modern, geheel naar persoonlijke wens (goudsouk en Deira City Centre).

Markten en koopjes

Nostalgische personen slenteren graag over de kleine markten van de **Deira Souk** zoals de **specerijensouk** (①), de **goudsouk** (④) of de stoffenmarkt met zijn wirwar aan steegjes en het overzichtelijke warenaanbod.

Diverse plaatsen aan beide kanten van de Creek zoals de **Fahidi Street** (㉞) of het **Baniyas Square** (⑪, bij de voor de kopers van tapijten interessante **Deira Tower**) staan bekend om hun voordelige aanbiedingen, maar ook om goedkope imitaties van elektronische merkartikelen, van de nieuwste mobiele telefoon tot aan digitale camera's.

Voor vrijetijdskleding loont een rondje over de **Sabkha Road** (⑩), maar wie zich modieus in het nieuw wil steken zonder veel geld uit te geven, zoekt de **Karama-wijk** ㊶ op. Hier hangen weliswaar in één enkele straat alle bekende labels van topdesigners, maar wees voorzichtig: alles wordt vervalst, van jurken tot aan schoenen, en steeds opnieuw doen geruchten de ronde dat het met de verkoop snel afgelopen zal zijn, omdat het gaat om illegale waar. Europeanen moeten dat niet vergeten, want het importeren van zulke imitaties is eigenlijk verboden. Maar de prijzen zijn verleidelijk, temeer omdat men overal kan afdingen.

'Shop 'till you drop'

Tijdens de jaren negentig bouwde men in verschillende stadswijken simpelweg grote gebouwencomplexen met drie of vier etages en bracht er zoveel mogelijk winkels onder. Weliswaar boden ook hier al diverse restaurants, cafés en entertainmentmogelijkheden wat afwisseling, maar vooral de koopwaar moest de clientèle naar de geklimatiseerde hallen lokken. Het beste voorbeeld daarvan is het **Deira City Center** (㉒). Ruim 300 winkels uit de meest uiteenlopende branches, waarvan het aanbod loopt van bodylotion tot aan kostbare sieraden, zijn onder één dak vertegenwoordigd.

De architectuur van deze shoppingmalls is zeer royaal, de gangen zijn breed, veel lichtkoepels laten natuurlijk licht binnen en planten zorgen voor een aangename atmosfeer, zoals in het ***BurJuman Centre** ㊷ dat designmode uit de hele wereld aanbiedt. Dat zich deze grote centra mogen verheugen in een groeiende populariteit, bewijst de uitbreiding van het BurJuman een paar jaar geleden, ondanks het feit dat er in Doebai al meer dan 30 winkelcentra waren.

Ook in het vakantiegangersbolwerk Jumeirah zijn de laatste jaren extra malls gekomen, die niet buitensporig groot lijken, maar toch een uitermate omvangrijk aanbod hebben. De ***Mercato** (㊻, zie p. 136) direct aan de Jumeirah Beach Road is met zijn Florentijnse façade niet over het hoofd te zien. Vooral op vrijdagen en feestdagen zijn de brede gangen vol mensen die winkelen in parfumeriezaken, sportwinkels, de Virgin Megastore met gloednieuwe cd's of in bloemenwinkels.

Bij seizoensaanbiedingen en acties wordt niet alleen rekening gehouden met lokale feestdagen – het zou toch zonde zijn om het hindoeïstische lichtfeest Diwali of de verkoop in verband met kerstmis voorbij te laten gaan. En de exploitanten van de consumptietempels doen er flink wat moeite voor om, ondanks 30°C en een stralende zon, de bijbehorende atmosfeer te doen ontstaan. In de Egyptisch geïnspireerde mall **Al Wafi City** ㊸ hangen bijvoorbeeld al vroeg enorme arrensledes met rendieren aan het plafond. In de etalages van de bijna 150 winkels ligt namaaksneeuw en een huizenhoge kerstboom raakt met zijn door een ster gesierde top het plafond van de entreehal. Een berg aan kleurig ingepakte geschenken ligt er als aansporing onder: 'Shop 'till you drop' – winkel tot je er bij neervalt. Dat is niet alleen het motto van Al Wafi, maar van heel Doebai.

In Doebai gaat men echter niet zoals elders gewoon 'winkelen' en daarom proberen planologen het ruimtelijk te verbinden met andere vrijetijdsbestedingen en creëren ze geïntegreerde

kunstmatige belevingswerelden. Temeer omdat de verwende mens het meestal 'buiten' sowieso te warm vindt voor bijna alles. Naast de Al Wafi was nog bouwgrond vrij, dus zette men daar een nieuw piramidevormig gebouw neer en opende de **Pharaos Leisure Club** met whirlpools, massagesalons, klimmuur en fitnessstudio.

Opdat zulke 'verbeteringen achteraf' in de toekomst niet meer nodig zijn, worden ze tegenwoordig vanaf het begin gepland bij een winkelcentrum, zoals het geval is bij de ***Mall of the Emirates** (59, zie p. 144 e.v.). Daar bouwde men meteen de grootste indoorskihal **Ski Dubai** mee.

De in 2005 in het zuidwestelijke Jebel Ali geopende ***Ibn Battuta Mall** (58, zie p. 144) zou men als gigantisch winkelthemapark kunnen aanduiden, want de 260 winkels vertegenwoordigen met hun waar zes verschillende 'landen' (China, India, Perzië, Egypte, Tunesië, Andalusië), die in de 14de eeuw door de Marokkaanse naamgever werden bereisd; een goudmijn voor souvenirjagers.

Boven: Winkelen als event – Al Wafi City kopieert het oude Egypte. Rechts: Het Mercato in Jumeirah houdt het meer op een mediterrane life style.

In 2008 ging de ***Dubai Mall** open, een shoppingtempel van de buitencategorie, die eigenlijk met meer recht een overdekt evenementenpark kan worden genoemd. Onder aan de duizelingwekkend hoge Burj Dubai (61) kunt u zich niet alleen vergapen aan 1200 winkels maar ook aan o.m. een voor wedstrijden geschikte **ijsbaan**, een bioscoopcomplex en een10 miljoen liter bevattend ***aquarium** met een 'verzonken stad', waar haaien, roggen en andere zeebewoners ronddartelen.

Opdat de klanten in de hallen en gangen de weg kunnen vinden, bieden bijna alle malls gratis oriënteringskaarten aan. Die zijn erg nuttig, want aan de afmetingen van deze consumptietempels in het formaat van een kleine stad worden schijnbaar geen grenzen gesteld. Elke nieuwe mall wordt aangekondigd als 'de grootste' en is dat slechts een paar maanden lang, voordat

de volgende opengaat. Nu al hebben ze de kleine winkels om de hoek het gras voor de voeten weggemaaid en als de openingstijden verder worden uitgebreid, moet 'Onkel Yussuf' in Doebai vrezen voor zijn bestaan net als de kleine kruidenier in Europa.

Door mensen die veel reizen wordt de **Duty Free Shop** op de **Doebai Airport** geprezen: wereldwijd een van de grootste (9000 m^2), met een zeer groot 24 uurs-aanbod voor aankomende en vertrekkende reizigers. Er worden regelmatig luxewagens verloot.

JUMEIRAH

Omdat in het noordoosten van Doebai meteen het emiraat Sjardja begint, groeit Doebai hoofdzakelijk naar het zuidwesten. Daar vindt u alle spectaculaire bouwplannen en luxehotels waarover de vette koppen in de kranten berichten. Hier liggen de meeste grote winkelcentra en het stuk langs de kust bij **Jumeirah** met zijn kilometerslange **zandstrand** is het centrum geworden van vakantiegangers in Doebai.

Tot 1970 was deze omgeving tamelijk leeg en zonder noemenswaardige vegetatie. Alleen aan het strand hadden een paar vissers hun hutten. Verder wilde in deze woestenij niemand leven. Tegenwoordig betaalt men hier met 3000 euro huur per maand voor een vier-kamerwoning de hoogste prijzen van Doebai. In het begin van de jaren zeventig was het dankzij de oliemiljoenen plotseling mogelijk de benauwde woonomstandigheden van Deira of van Bur Dubai te verlaten en konden grote families zich een eigen huis veroorloven met airconditioning en een palm ervoor. De prijzen van grond rond de stad schoten omhoog en Jumeirah behoorde met zijn lange witte strand al snel tot de meest populaire nieuwbouwgebieden. De leden van de regerende familie maakten er een begin mee, schaften grote stukken grond langs de oever aan en bouwden daarop chique villa's, kleine paleisjes eigenlijk. Een muur rond zo'n stuk grond kan soms wel een kilometer lengte bereiken. Naast de inheemse bevolking gaf ook het gestaag groeiende aantal westerse gastarbeiders de voorkeur

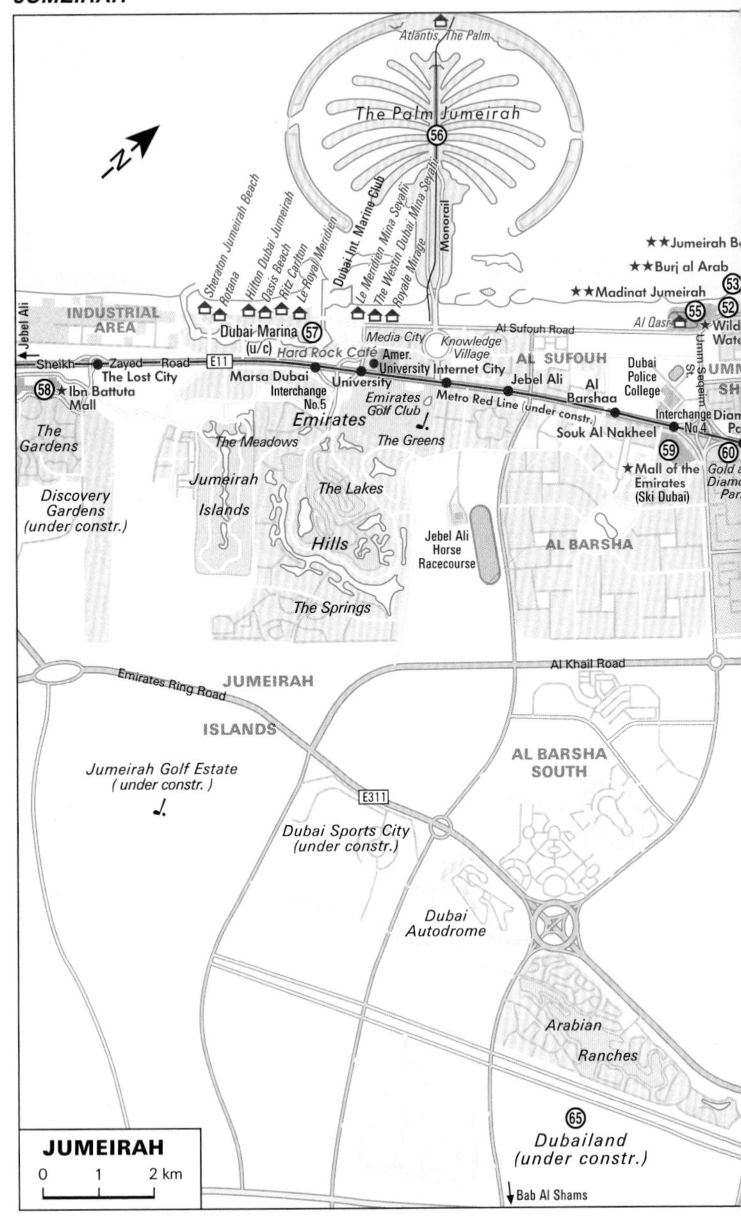
Atlantis, The Palm
The Palm Jumeirah
56
Monorail
Sheraton Jumeirah Beach
Rotana
Hilton Dubai Jumeirah
Oasis Beach
Ritz Carlton
Le Royal Meridien
Dubai Int. Marine Club
Le Meridien Mina Seyahi
The Westin Dubai Mina Seyahi
Royale Mirage
★★Jumeirah B
★★Burj al Arab
★★Madinat Jumeirah
53
52
55
Al Qasr
★Wild Wat
INDUSTRIAL AREA
Jebel Ali
Dubai Marina 57
(u/c)
Hard Rock Café
Media City
Knowledge Village
Al Sufouh Road
AL SUFOUH
Amer. University
Internet City
Sheikh Zayed Road
E11
The Lost City
Marsa Dubai
Jebel Ali
Al Barshaa
Dubai Police College
Umm Seqeim St.
58
★Ibn Battuta Mall
University
Interchange No.5
Emirates Golf Club
Metro Red Line (under constr.)
Interchange No.4
Souk Al Nakheel
The Gardens
Emirates
The Meadows
The Greens
59
60
★Mall of the Emirates (Ski Dubai)
Gold & Diamond Park
Jumeirah Islands
The Lakes
Discovery Gardens (under constr.)
Hills
Jebel Ali Horse Racecourse
AL BARSHA
The Springs
Al Khail Road
Emirates Ring Road
JUMEIRAH ISLANDS
AL BARSHA SOUTH
Jumeirah Golf Estate (under constr.)
E311
Dubai Sports City (under constr.)
Dubai Autodrome
Arabian Ranches
65
Dubailand (under constr.)
Bab Al Shams
JUMEIRAH
0 1 2 km

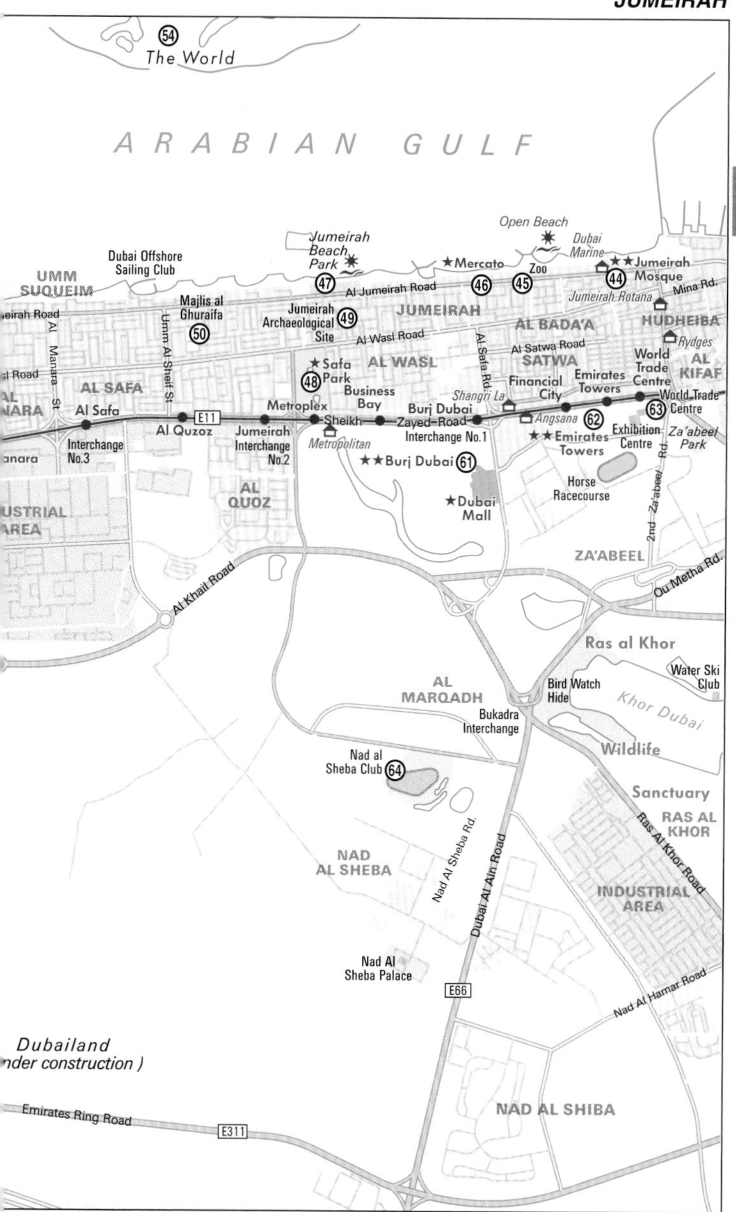

54
The World
ARABIAN GULF
Open Beach
Dubai Marine
Jumeirah Beach Park
Dubai Offshore Sailing Club
UMM SUQUEIM
★Mercato
Zoo
★★Jumeirah Mosque
47
46
45
44
Al Jumeirah Road
Mina Rd.
Jumeirah Rotana
Majlis al Ghuraifa
50
Jumeirah Archaeological Site
49
JUMEIRAH
AL BADA'A
HUDHEIBA
Al Wasl Road
Al Safa Rd.
Al Satwa Road
Rydges
Umm Al Sheif St
Al Manara St
★Safa Park
48
AL WASL
SATWA
World Trade Centre
AL KIFAF
AL SAFA
Business Bay
Financial City
Emirates Towers
Shangri La
World Trade Centre
63
Al Safa
Metroplex
Burj Dubai
Sheikh Zayed Road
E11
Al Quzoz
Jumeirah Interchange No.2
Metropolitan
Interchange No.1
Angsana
62
★★Emirates Towers
Exhibition Centre
Za'abeel Park
Interchange No.3
★★Burj Dubai
61
AL QUOZ
Horse Racecourse
★Dubai Mall
2nd Za'abeel Rd.
ZA'ABEEL
Ou Metha Rd.
Al Khail Road
Ras al Khor
Water Ski Club
AL MARQADH
Bird Watch Hide
Khor Dubai
Bukadra Interchange
Wildlife Sanctuary
Nad al Sheba Club
64
RAS AL KHOR
Ras Al Khor Road
NAD AL SHEBA
Nad Al Sheba Rd.
Dubai Al Ain Road
INDUSTRIAL AREA
Nad Al Sheba Palace
E66
Nad Al Hamar Road
Dubailand
nder construction)
Emirates Ring Road
E311
NAD AL SHIBA
3
Emiraat Doebai

aan een woning in de buurt van het strand. Veel van de Britse vrouwen, die overdag niets te doen hadden en hebben, behalve bruin worden, worden tegenwoordig ietwat spottend als 'Jumeirah-Janes' aangeduid.

Binnen 20 jaar ontstond een infrastructuur met wegen, restaurants, een beach park en klein winkelcentrum met slechts één badhotel. Maar in 1995 schakelde Doebai over naar de eerste versnelling voor de toeristische ontwikkeling, liet het hotel afbreken, op dezelfde plaats het markante golfvormige Jumeirah Beach Hotel optrekken en gaat sindsdien nog slechts in de vijfde versnelling vooruit.

**Jumeirah-moskee

Aan het begin van de Jumeirah Beach Road staat de mooiste en bekendste moskee van Doebai. Ze blijft zelfs 's middags, als het licht eigenlijk te fel is, zeer fotogeniek; daarvoor zorgen de ivoorkleurige kalksteenmuren. In de vroege avonduren ziet ze er het indrukwekkendst uit of na zonsondergang, als ze van alle kanten belicht wordt. Toen de aardoliedollars begonnen te stromen, besloot de Maktoum-familie dat geen enkele moslim meer dan een kilometer naar de volgende moskee hoefde af te leggen en liet meteen meerdere moskeeën neerzetten, waaronder de **Jumeirah-moskee** (44). De voormalige gebedshuizen waren stilistisch eenvoudig, want door ontbrekende bouwmaterialen en een kleine gemeente had men geen grote moskeeën nodig. Er ontwikkelde zich ook geen specifiek Emiraatse architectuur, waardoor men bij het bouwen van nieuwe moskeeën soms op prachtige voorbeelden uit Perzië, Turkije of Noord-Afrika terugviel. Als voorbeeld voor de (kleiner uitgevallen) Jumeirah-moskee diende de Mohammed Ali-moskee in Caïro. De laatste werd gebouwd ten tijde van de Fatimidenkaliefen (909-1171), die hun gebedshuizen lieten bouwen in een speci-

Boven: Een kilometerslang zandstrand heeft Jumeirah tot toeristisch centrum van Doebai gemaakt. Rechts: De Jumeirah-moskee.

plattegrond p. 132-133, info p. 155-159

fieke, Egyptische architectuurstijl. Daartoe behoorde onder andere de beroemde Al Azhar-moskee, die zich tot een van de belangrijkste theologische centra van de islam ontwikkelde. Belangrijkste bijdrage tot de bouwgeschiedenis was destijds de introductie van een portaal dat, geflankeerd door twee minaretten, uitsteekt boven de hoofdfaçade. Om die reden wordt ook de ingang tot de Jumeirah-moskee door twee slanke minaretten omlijst. Ze straalt een sobere elegantie uit. Pas op het tweede gezicht herkent men de mooie details van de façaden.

Enkele jaren geleden nog konden moskeeën niet worden bezichtigd in de Emiraten, omdat men bang was dat de gelovigen tijdens het bidden zouden worden gestoord en men niet wilde dat de moskeeën toeristische attracties werden. Geen ongegronde zorg in het licht van de weinig respectvolle houding van veel toeristen met betrekking tot de kledingvoorschriften en hun vaak onbetamelijke gedrag. Maar na de aanslagen van 11 september zocht men een manier om de massale vooroordelen in de westerse wereld het hoofd te bieden en een brug te slaan tussen de culturen. Daaruit ontstond het *Sheikh Mohammed Centre for Cultural Understanding*, tel. 3536 666, waar u zich kunt aanmelden voor het **bezichtigen** van de Jumeirah-moskee. Twee keer per week, elke zondag en donderdag om 10 uur, begint de ongeveer één uur durende, gratis rondleiding. Het is echter meer een vraag-en-antwoord-bijeenkomst, waarbij de moskee 'slechts' een passend kader vormt. Na de entree is er eerst tijd om te filmen en te fotograferen, aansluitend nemen de bezoekers plaats voor de gebedsnis (*mihrab*) en volgt er een korte uiteenzetting over de ontstaansgeschiedenis van het gebouw. Soms wordt de rondleiding door een jonge moslima gegeven die op levendige wijze de verschillen en overeenkomsten tussen christendom en islam beschrijft. Daarna kan ieder de vraag die hem na aan het

hart ligt stellen; ze wordt naar eer en geweten beantwoord.

De dierentuin van Doebai

De douanebeambtes op het internationale vliegveld van Doebai zullen niet weinig verbaasd zijn geweest toen ze de onbeheerde kist, die niet werd afgehaald, openmaakten. In de papieren stond dat er een aap in zou zitten, maar er kwam uiteindelijk een jonge leeuw uit. Helaas is zoiets geen op zichzelf staand geval. Steeds weer proberen dubieuze handelaren wilde of zeldzame dieren te smokkelen, waarvoor de **dierentuin** ㊺ van Doebai vervolgens een tweede thuis wordt – en die daarom in toenemende mate lijdt aan ruimtegebrek.

De Europese toerist moet tijdens een bezoek niet de westerse maatstaven hanteren met betrekking tot het op juiste wijze gevangen houden van dieren en er zich bewust van zijn dat de dierentuin oorspronkelijk een particuliere collectie was. Toen een Oostenrijkse ingenieur halverwege de jaren zestig opdracht kreeg om de dierentuin te ontwerpen, ging het min of meer om een handvol dieren. De regerende Maktoum-familie bood hem het dicht bij de stad gelegen terrein in Jumeirah aan, en hij ontwierp op het 1,75 ha grote terrein een park met kooien, waarmee een van de eerste dierentuinen op het Arabisch Schiereiland ontstond. Daarna kwam er een leeuw, vervolgens een gazelle, de vogels hadden volières nodig, de spinnen een terrarium, en zo groeide de dierentuin, zonder dat ze zich kon uitbreiden, want om haar heen waren alle stukken grond al bebouwd. Tegenwoordig leven er ruim 1400 dieren van 120 soorten zeer dicht op elkaar, waaronder zowel inheemse soorten als gazellen en kleine Arabische wolven als gasten uit verre landen, zoals de nijlkrokodil of de onvrijwillig gearriveerde leeuw die niet meer alleen is.

Ondanks de beperkte omstandigheden vervult de dierentuin een belangrijke functie, want veel dieren van de VAE zijn in de vrije natuur al niet meer te zien. Om die reden behoort een excursie naar de dierentuin tot de vaste onderwijsonderdelen van de scholen van Doebai.

*Mercato

Mediterrane lifestyle is het thema en de Italiaanse architect Daniele Morelli heeft het aantrekkelijke winkelparadijs passend gestyled in Toscaanse renaissancestijl. De ***Mercato** ㊻ (zie ook p. 129) presenteert zich zowel van buiten als van binnen als een bezienswaardige mall met meer dan 30 winkels.

Jumeirah Beach Park en Open Beach

Doebainaren en vooral westerse gastarbeiders trekken er op vrijdag op uit, en omdat men comfort is gewend, ontmoeten de meesten elkaar op het goed onderhouden zandstrand van het tegen entreegeld toegankelijke, van groen voorziene **Jumeirah Beach Park** ㊼. Palmen en kleine houten huisjes geven voldoende schaduw, na het baden kunt u het zoute water van u afspoelen onder de stranddouches; er zijn toiletten, kiosken, barbecueplaatsen en een strandrestaurant. Het strand is groot genoeg, zodat er zelfs tijdens een Arabisch weekend geen drukte ontstaat en doordeweeks heeft u het strand bijna voor u alleen. Het park ligt direct aan de Jumeirah Beach Road, waaraan meerdere cafés op loopafstand van elkaar liggen, die ook take-away aanbieden. Op zaterdagen geldt: ladies only!

Op vrijdag ziet u eveneens een internationale schare aan bezoekers op het gratis toegankelijke **Open Beach** (bij taxichauffeurs ook bekend als 'Russian Beach'), ongeveer 4 km naar het noorden bij het Marine Beach Resort.

*Safa Park

Wie niet zoveel waarde hecht aan het strand, maar zich met een groot park tevreden stelt, die kan ook naar het nabij gelegen ***Safa Park** ㊽ gaan. De uitgestrekte gazons zijn hier en daar met palmen beplant, in het naar achter gelegen deel is een klein **meer** met **verhuur van boten** en een waterval; een rustig alternatief voor het drukke strand.

Nog niet onbeperkt vrij toegankelijk is een interessante opgravingsplaats tussen Beach Park en Safa Park, waaraan sinds 1969 regelmatig wordt gegraven. Wie deze **Jumeirah Archaeological Site** ㊾ wil bezoeken, moet eerst bij het toeristenbureau (DTCM in de Baniyas Road) een vergunning afhalen. Tot op heden werden op het 80.000 m² grote terrein de fundamenten van meerdere woonhuizen, een vroeg-islamitische moskee, een marktplein en een grote karavanserai bloot gelegd – een karavaanstation op de handelsroute van Irak naar Oman. Aan een paar deur- en

Rechts: Alle strandhotels in Jumeirah beschikken over uitstekende fitnessruimtes.

muurresten was nog stuwerk te zien van bloemen en geometrische vormen. De ouderdom ervan, net als van de talrijke vondsten, waaronder aardewerk, oorbellen, geglazuurde schalen en munten, wordt op meer dan 1000 jaar geschat. De vondsten worden echter bewaard in musea (Dubai Museum en Heritage Village) en de fundamenten laten hoogstens raden hoe de kleine stad eruit gezien kan hebben.

Majlis al Ghuraifa

Als u de Jumeirah Beach Road verder de stad uit volgt, wijst een van de bruin-wit beschreven toeristenborden naar de **Majlis al Ghuraifa** (50), die u bereikt als u vlak achter het Jumeirah Beach Park linksaf gaat. Over sjeik Rashid bin Saeed al Maktoum, de stichter van het moderne Doebai, wordt verhaald dat hij oog zou hebben voor 'de juiste plaats' – hij zou onder andere indertijd tijdens een wandeling over het strand bij Jebel Ali zijn kameelrijstok in het zand hebben gestoken en aldus de plaats voor een nieuwe haven hebben bepaald, die zich in de kortst mogelijke keren ontwikkelde tot de belangrijkste goederenoverslagplaats.

Ook bij de keuze van zijn zomerresidentie in het stadsdeel Umm Suqaim in Jumeirah bewees hij zijn goede smaak, wat ten aanzien van een lieflijk palmenbos en een kleine bron niet moeilijk was. Toen al, in het jaar 1955, toen het strand en het achterland nog onbebouwd waren, herkende sjeik Rashid de schoonheid van deze streek en liet in de schaduw van de palmen een zomerresidentie bouwen: de eerder genoemde Majlis al Ghuraifa, ook bekend onder de naam **Majlis Ghorfat Umm al Sheef**. U moet echter geen paleis verwachten. Het gaat om een knus gebouw uit de destijds gebruikelijke bouwmaterialen koraalsteen en stuc; alleen de zuilen, deuren en raamkozijnen zijn gemaakt uit kostbaar Indiaas teakhout. De begane grond is een open binnenplaats, omgeven door zuilen, erboven bevindt zich de eigenlijke ontvangkamer (*majlis*) en een open veranda, vanwaar men toentertijd nog vrij zicht over zee had. Sjeik Rashid kwam meestal 's avonds

hier naartoe, niet om te stoppen met werken, maar om zijn 'onderdanen' te ontvangen en zich in alle rust te kunnen wijden aan hun problemen en noden.

Een Britse officier bestempelde de Majlis ooit als het Arabische Camelot en sjeik Rashid als koning Arthur. Het kwam vaak voor dat audiënties tot diep in de nacht duurden, dan bleef de regent er overnachten en sliep hij graag op de veranda. Na de renovatie hechtte het stadsbestuur er grote waarde aan het oorspronkelijke uiterlijk van het gebouw te bewaren. Alleen de tuin werd uitgebreid rond een traditioneel bewateringssysteem en een klein Arabisch **café**. Hoewel de Majlis thans door een woonwijk wordt omgeven, heeft ze veel van haar oude charme bewaard.

⋆⋆Jumeirah Beach Hotel

Het 600 kamers tellende vijfsterrenhotel ⋆⋆**Jumeirah Beach Hotel** ⑤①, een

Boven en rechts: Waterglijbanen in alle snelheidsgraden en afstanden kunt u uitproberen in het Wild Wadi Water Park.

van de symbolen van Doebai, steekt als een in verspiegeld beton verstarde golf uit boven een 900 m lang, goed onderhouden zandstrand. Eind 1997 geopend, maakt het interieur variaties op de thema's aarde, water, vuur en wind. Het imposante, bijna 100 m hoge atrium wordt verfraaid door een astronomisch model. De kinderclub *Sindbad* en het grote conferentiecentrum, zijn gemaakt naar het voorbeeld van schepen. Wie bij het dineren afwisseling zoekt, zal dat hier vinden. Het culinaire aanbod van de ca. 20 restaurants en bars varieert van Indonesisch (in de Beachcombers) tot Duits (in Der Keller). Wie niet op een stuiver hoeft te kijken, huurt een van de 19 luxe strandvilla's.

⋆Wild Wadi Water Park

Doebai is een stad van superlatieven. Eén daarvan ligt voor het grote Jumeirah Beach Hotel en heet ⋆**Wild Wadi Water Park** ⑤②. Nog een waterpretpark? Ja, maar wat voor een, zoals een paar dorre cijfers laten zien. Drie jaar lang verwerkten 3000 arbeiders op een ruim 49.000 m^2 groot stuk land 50.000 m^3 beton, 6500 ton staal en 80 km kabel. Tot besluit zette men 40.000 planten neer, van palmen tot aan bougainville, draaide men de waterkraan open en liet 30 miljoen liter water in deze enorme avonturenbadkuip lopen, altijd nog de grootste buiten Noord-Amerika. Maar de 'badkuip' ligt in een fraaie omgeving, want het oog baadt mee en u kunt zich er goed uitleven. Voor meer dan genoeg afwisseling zorgen 23 glijbanen. Daarvan zijn er 14 met elkaar verbonden, zodat u kilometerslange opwindende waterwegen kunt afleggen zonder over te stappen. De echte waaghalzen storten zich meteen naar beneden van de **Jumeirah Sceirah**, een 33 meter lange en zeer steile vrije val-glijbaan, waarop u even met 80 km/u onderweg bent! Haar zusjes zijn de **Falcon Fury**, die een korte, maar geenszins ontspannende, wilde rit door

een spiraalglijbaan belooft, en de uitnodigende 'Tunnel der Verdoemenis', **Tunnel of Doom**, die helemaal onder de grond loopt. In de **Master Blaster** zorgen verschillende sterke waterkanonnen ervoor dat u in zijn rubberstroom zelfs bergop kan roetsjen. Voor kinderen een reuzenlol, maar niet voor niets luidt de eerste veiligheidsregel dat ze er niet alleen op uit mogen trekken om zich ergens de diepte in te storten. Maar het gaat ook gezapiger toe: in de 'luilakkenrivier' drijft u een halve kilometer slechts een beetje voor u uit en er zijn ook baden waar u gewoon zelf mag zwemmen. Voor de kleinere bezoekers is er een avonturenspeelplaats à la Robinson Crusoe ingericht – een aan een kunstmatige rots hangend scheepswrak! Verschillende restaurants en cafés zorgen voor de inwendige mens van de bezoekers van het pretbad.

★★Burj Al Arab, de Arabische hoteltoren

Sinds op 1 december 1999 het hotel **★★Burj Al Arab** ⑤③ openging, weten veel West-Europeanen waar Doebai ligt. De transfer vanaf het vliegveld begint met één van de acht witte Rolls Royces, tenzij men meteen de helikopter neemt. Daarna staat men voor dit 321 meter hoge prachtige paleis, waarvan de architectuur werd geïnspireerd door de vorm van een Arabisch dhowzeil en dat ondanks zijn enorme omvang toch een zekere lichtheid uitstraalt.

In de **lobby** stokt de adem. De hal is met 180 meter zo hoog dat het Amerikaanse vrijheidsbeeld makkelijk haar arm kan uitsteken zonder met de fakkel het plafond te raken. Alles wat in dit hotel goud glanst, is op z'n minst verguld; er werd ongeveer 1000 m^2 bladgoud verwerkt. De kleinste kamer is een deluxe-suite van 170 m^2 voor 1500 euro per nacht, inclusief een eigen butler. Die is inderdaad nodig om de gast in een kwartier durend onderhoud de 14 telefoons te laten zien en de technische voorzieningen toe te lichten, want zelfs de gordijnen worden per afstandsbediening geopend. Hoe lang de instructies wel niet duren in een van de beide ko-

ninklijke suites? Die liggen op twee etages en zijn in totaal 780 m^2 groot, beschikken over 27 telefoons en kosten circa 9000 € per nacht. Over geld praat men hier echter niet en zo tast men over de bouwkosten in het duister. Naar verluidt zou het hotel de komende vijftig jaar volgeboekt moeten zijn om rendabel te zijn. Gelooft men de Franse manager, die van een jaarlijkse bezetting van 90% spreekt, dan is dat misschien wel te halen, als het gewapende beton de zoute lucht zo lang weet te trotseren.

Boven: Twee architectonische hoogtepunten die Jumeirah wereldberoemd hebben gemaakt – het Jumeirah Beach Hotel en de hoteltoren Burj Al Arab.

The World

Ongeveer op zeven kilometer van het Burj Al Arab – richting zee wel te verstaan – ontstond **The World** (54). Ruim 300 kleine eilanden, allemaal kunstmatig gecreëerd, vormen sinds 2008 deze wereldbol in de Perzische Golf. Elk moet qua vorm een deel van een continent uitbeelden. Voor Europa zijn er bijvoorbeeld een Frans, Engels, Nederlands en Duits eiland – op aanzienlijk verkleinde schaal.

De eilanden zijn weliswaar af, maar nog lang niet allemaal bebouwd; op een paar ervan zullen in de komende jaren toeristische voorzieningen komen – in een reclamefilm is sprake van hotels in de vorm van Europese kastelen, van

 plattegrond p. 132-133, info p. 155-159

recreatieparken, duikparadijzen, golfterreinen, ja zelfs van een Afrikaans wildpark.

Veel van de 2 tot 4 ha grote eilandjes zijn intussen overgegaan in privébezit; afhankelijk van de grootte schommelden de prijzen tussen de 8 en 30 miljoen euro. 'Duitsland' bijvoorbeeld is reeds in bezit van een Oostenrijker. Voor de gigantische prijzen kregen de kopers overigens niet veel meer dan een hoop zand met zee eromheen – elke vorm van infrastructuur ontbreekt namelijk en voor wegen, stroom en drinkwater moeten de eigenaars zelf zorg dragen. Aangezien er geen verbinding met het land bestaat, moet een bewoner een boot of helikopter inplannen als extra onkosten.

**Madinat Jumeirah

Terug op het vasteland, waar men, 2 km vanaf het Burj Al Arab, een oriëntaalse stad heeft gebouwd: ****Madinat Jumeirah** ⑸. Tussen twee vijfsterrenhotels in oriëntaalse stijl, die door kanalen met elkaar verbonden zijn, kwam een kopie van een **Arabische markt**. Stoffige steegjes, kromme daken en een bedompte lucht ontbreken echter, want de grond is bedekt met steen, het dak bestaat uit mooi solide hout en de gangen zijn voorzien van airconditioning. Niettemin straalt de markt een gemoedelijke en uitnodigende atmosfeer uit. Er zijn weliswaar hoofdzakelijk kostbare souvenirs te koop, zoals zilveren kannen en siera-

den, maar u kunt er ook een beetje doorheen slenteren. De eigenlijke aantrekkingskracht – niet alleen voor hotelgasten, maar ook voor autochtonen – zijn de meer dan 20 verschillende **restaurants** die allemaal iets bijzonders hebben, hetzij de keuken, die uitgelezen specialiteiten aanbiedt, hetzij een exclusieve ambiance (zoals de 'Marokkaan'). Een paar restaurants liggen in de met palmen beplante tuin naast het kanaal van het hotel, waarop watertaxi's hotelgasten vervoeren. Andere liggen boven op een dakterras, waar u een prachtig uitzicht heeft op het 's nachts in wisselende kleuren verlichte hotel Burj Al Arab of geniet van de talloze van binnenuit verlichte windtorens van de beide chique onderkomens. Voor nachtbrakers dreunen in twee **discotheken** tot 's ochtends drie uur de bassen uit de boxen – er wordt rock en pop uit de hele wereld gedraaid!

Boven: De Club Suite van het Burj Al Arab biedt een weidse blik op zee. Rechts: Huwelijksreizigers kunnen zich synchroon laten verwennen in de Honeymoon Treatment Room van het Six Senses Spa (in hotel Madinat Jumeirah).

De palmeilanden

Een visioen met afmetingen als bij de farao's staat op het punt van voltooiing, althans eenderde ervan. Toen Cheops zo'n goede 4000 jaar geleden zijn piramide liet bouwen, had hij 2,3 miljoen blokken steen nodig die elk tweeëneenhalve ton wogen. Voor de kust van Jumeirah (en meer naar het westen bij Jebel Ali) liet het stadsbestuur van Doebai precies 80 miljoen kubieke meter steen en zand in zee storten om twee gigantische eilanden in zee te creëren in de vorm van een palm. Die bij Jebel Ali moet nog een beetje groeien, maar **The Palm Jumeirah** (56) draagt al rijpe vruchten: 1000 villa's in 28 verschillende uitvoeringen en 3000 appartementen. Natuurlijk alles het beste van het beste, onder andere technische finesses als de online-ijskast: die is met het magazijn van een supermarkt verbonden en als een artikel op raakt, wordt automatisch een nieuwe voorraad geleverd.

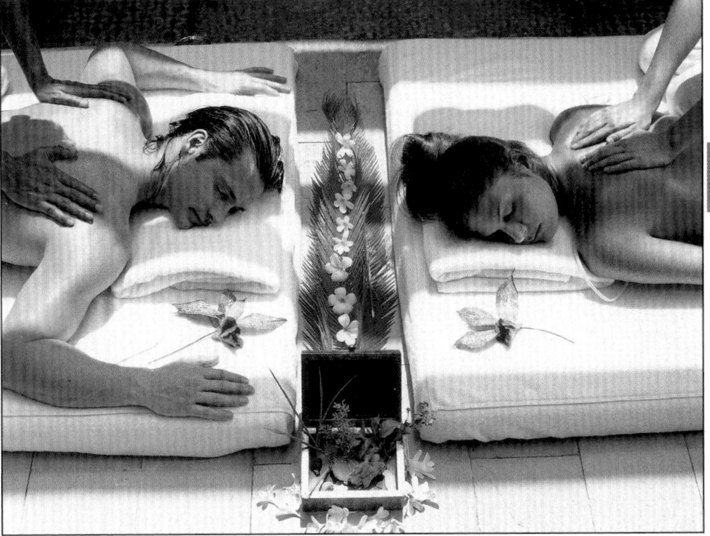

Maar zo'n villa kost natuurlijk wel een flinke duit. Niet echt goedkoop waren ook de openingsplechtigheden voor het eerste hotel op het eiland, het *****Atlantis The Palm Hotel**: een slordige 20 miljoen dollar, o.a. voor een gigantisch vuurwerkspektakel. In de twee Royal Towers bevinden zich ca. 1500 kamers, en tussen de torens loopt een brug die de duurste suite (ca 20.000 € per nacht) van het hotel herbergt. Daar krijgt men een in goud gevatte eettafel voor 16 personen voor, twee balkons met uitzicht op de zee of de stad, drie royale slaapkamers en een eigen butler. Het hotel ligt te midden van een enorme tuin en wie het zwembad zoekt zal terechtkomen in een *****aquapark** met o.a. een glijbaan waarvan de glazen tunnel aan het einde door een haaienbassin voert, en met een 'Dolphinbay', waar men het zwembad deelt met dolfijnen.

Een prominente vaste gast op The Palm Jumeirah is de eerbiedwaardige **Queen Elisabeth 2**: Doebai kocht het reusachtige cruiseschip en verbouwde het tot drijvend hotel dat voorgoed voor anker ligt.

Aangezien het concept van een palmeiland een succes blijkt, zal Doebai waarschijnlijk nog een derde 'palm' krijgen: **The Palm Deira**, die momenteel nabij de gelijknamige oude stadswijk verrijst. Bijzonder eraan is dat ze bijna drie keer zo groot moet worden als de eerste 'palm' en na haar voltooiing aan ruim 1 miljoen mensen een plek om te recreëren en te wonen biedt. Wanneer dat een feit zal zijn, staat momenteel echter nog niet vast want vanwege de internationale kredietcrisis en het daarmee samenhangende inzakken van de onroerendgoedmarkt werd het project voorlopig stilgelegd.

Dubai Marina

Aan de zuidwestelijke kant van het **Jumeirah Beach**, waar het strand breed is en uitnodigend, staan een paar moderne strandhotels van grote internationale ketens, zoals het **Hilton**, **Ritz Carlton**, **Sheraton** en **Metropolitan Meridien**. Daarachter rijzen de tweelingtorens **Al Fattan Marine Towers** op, en aan de **lagune** wordt op dit mo-

ment het ambitieuze stadsmiljoenenproject **Dubai Marina** ⑰ gerealizeerd, een 'stad in de stad' met high tech-woningen en internet voor meer dan 100.000 mensen en meteen ernaast een aantrekkelijk golfterrein: de **Emirates Golf Club** beschikt over een origineel clubhuis (dat doet denken aan een tentenkamp van nomaden) alsmede over twee groene 18 holes-terreinen met vijvers en heuvels.

SHEIKH ZAYED ROAD

Naast al deze reeds beschreven nieuwbouw en de binnenkort te voltooien architectonische nieuwigheden belichaamt in het bijzonder één straat de ontwikkeling van het Doebai van de afgelopen tien jaar: de **Sheikh Zayed Road**. Voordat de nieuwe Emirates Ring Road aan de zuidelijke kant van Doebai in woestijnzand werd gegoten, was dit de uit het westen komende invalsweg naar Doebai. Lange tijd verlaten en leeg, ontdekten architecten halverwege de jaren negentig de verweesde randgebieden van de brede weg en omheinden deze met flatgebouwen. Aan de fantasie werden geen grenzen gesteld en vooral liefhebbers van moderne gebouwen uit gewapend beton zullen genieten van een ritje langs deze erehaag van wolkenkrabbers. Sinds 2008 moet men tol betalen op de Sheikh Zayed Road (salik-systeem, p. 158).

Boven: Nu begint de woestijn nog vlak bij de Sheikh Zayed Road. Rechts: Wolkenkrabbers aan de Sheikh Zayed Road.

*Ibn Battuta Mall

Een shoppinghoogtepunt aan het zuidelijke einde van de Sheikh Zayed Road is de ruim opgezette ***Ibn Battuta Mall** ⑱. Het thema luidt hier 'Oriëntaalse reis' – in praktijk gebracht door toepasselijk vormgegeven 'hoven', van Andalusië tot China.

*Mall of the Emirates en Ski Dubai

Komend van de Burj Al Arab stuit u bij interchange (knooppunt) nummer 4 op de Sheikh Zayed Road, en buigt u of

linksaf naar Doebai – of maakt u een korte skivakantie. Daarvoor hoeft u slechts naar de andere kant van de straat te gaan, naar de ***Mall of the Emirates** ⑤⑨. Want naast dit gigantische winkelcentrum opende met **Ski Dubai** het grootste indoorskigebied ter wereld zijn koele poorten. De maandelijkse energierekening behoort zeker tot de hoogste van Doebai. Terwijl buiten het zand gloeit bij 40°C, kunnen tot 1500 skiërs zich bij een beschaafde -1 tot -2°C uitleven op vijf verschillende pistes tegelijkertijd. De grootste is nog altijd 400 meter lang. Er zijn diverse moeilijkheidsgraden, van de zwarte buckelpiste tot aan de 'Idiotenheuvel'. Een skischool voor kleine en grote beginners, waarvan er in de woestijnstaat meer dan genoeg zijn, helpt bij de eerste bochten in ploeghouding. Natuurlijk heeft men ook gedacht aan snowboarders. In het 'Stuntpark' kunnen ze hun sprongen uitvoeren en daarbij vanuit het 'Lawinecafé' worden bekeken.

Al vier maanden voor de opening begon men met de sneeuwproductie, want de benodigde 6000 ton liet zich niet zomaar even à la vrouw Holle uit de veren kussens schudden. En opdat er zich in de toekomst geen met ijs bedekte pistes zullen vormen, zal het vaker sneeuwen: 30 ton nieuwe sneeuw dwarrelt per dag op een oppervlak waarin drie voetbalvelden passen, opdat de kinderen in het 3000 m^2 grote 'Snow Park' genoeg sneeuwpoppen kunnen maken. Mama en papa warmen zich ondertussen bij een glühwein in één van de omliggende restaurants of cafés. De ski-uitrusting kunt u volledig huren. **Kempinski** leidt het bijbehorende luxehotel.

Gold and Diamond Park

Ten noorden van de interchange nr. 4 staat aan de Sheikh Zayed Road het populaire **Gold and Diamond Park** ⑥⓪. Het buitengewone is dat bezoekers er met hun eigen ontwerpen van sieraden naartoe kunnen gaan en die per omgaande meekrijgen. Maar dat wordt door Europese gasten zelden gedaan, zodat de 37 winkels veiligheidshalve een voorraad aan exquise sieraden ter verkoop aanbieden. En opdat de verkopers zich geheel en al op hun clientèle kunnen concentreren en niet zullen worden afgeleid door het beantwoorden van vragen over de geschiedenis of stijlelementen, is er een expositieruimte. De gratis, ruim een half uur durende **rondleidingen** beperken zich niet alleen tot deze ruimte, maar u wordt ook meegenomen naar de aan het park grenzende goudsmidhallen. U komt veel te weten over Arabische sieraden en de betekenis ervan, maar ook over de kwaliteit van moderne stukken.

**Burj Dubai

Via de Sheikh Zayed Road stadinwaarts, komt u langs een bouwterrein, waar het meest ambitieuze project van Doebai, de ****Burj Dubai** (61) (Doebaitoren), eind 2009 gerealiseerd moet zijn. Tot 2007 was de Taipeh-toren met 508 meter in Taiwan het hoogste gebouw ter wereld, maar de Doebai-toren zal deze met minstens 300 meter overtreffen. 'Minstens' omdat, daar de precieze hoogte nog niet vast staat, de architectuur zó is ontworpen dat er nog veranderingen kunnen worden aangebracht tijdens de bouwwerkzaamheden (uitgevoerd door het Koreaanse Samsung-concern, hoewel de Saoedische Bin Laden-groep lang als favoriet voor deze mega-opdracht gold). Men heeft het aangekondigd als het 'hoogste door mensenhanden opgerichte bouwwerk ter wereld' en dat zal het ook worden!

In januari 2009 heeft het gebouw zijn definitieve hoogte van 818 m en 206 etages bereikt, en het kan meteen op een paar superlatieven bogen: het hoogste tot nu toe geconstrueerde bouwwerk, het hoogste dak, de hoogste verdieping die in gebruik is, het op één na hoogste uitzichtplatform (440 m) en ook nog eens het allerhoogste gebouw.

Opdat niemand zich zorgen zal maken bij het betreden van het uitkijkplatform in ijle hoogte, werd voor het fundament 110.000 ton beton tot op 50 m diepte gestort en op de onderste verdiepingen moeten de buitenmuren tot anderhalve meter dik zijn. De plattegrond doet denken aan een woestijnbloem met zes bloembladen die veel voorkomt in de streek. Wat er allemaal in deze toren zal worden ondergebracht? Onder andere het **luxehotel Armani**, een gigantisch winkelcentrum genaamd **Dubai Mall** (500.000 m^2; zie p. 130), een bowlingcentrum, een ijsbaan en een bioscoopcentrum. Om de bouwkosten ter hoogte van 1,8 miljard dollar snel terug te verdienen, werd al met de verkoop van appartementen begonnen, hoewel die pas eind 2009 klaar zullen zijn. Eén vierkante meter is voor 5200 euro te verkrijgen.

Rechts: Vu's Restaurant op de 50ste verdieping van de hoteltoren Jumeirah Emirates Towers biedt een fantastisch uitzicht.

**Jumeirah Emirates Towers

Daarna volgt de **Allee van de wolkenkrabbers** met alle mogelijke aardigheden, façaden en vormen. Sommige worden als hotels gebruikt, andere fuctioneren als kantoorgebouwen en weer andere herbergen de appartementen van welgestelde employees. Hun glazen gevels schitteren in de meest uiteenlopende kleuren, weerkaatsen het gebouw ernaast en wie laat in de middag op pad gaat, zal zeker fascinerende foto's kunnen maken.

Een regelrechte blikvanger zijn de ****Jumeirah Emirates Towers** (62) (zie afbeelding p. 44), bijna aan het eind van de Sheikh Zayed Road. De beide flats hebben een uitstraling die zelfs critici van moderne architectuur doen verstommen. Alles lijkt perfect. Kijkt men vanuit een speciale hoek naar de tweelingen, dan zien ze er bijna uit als scalpels die de hemel boven Doebai doorsnijden. De hoogste kantoortoren meet 354 meter. Zijn 'kleinere' broertje is weliswaar 50 meter korter, maar is daarmee altijd nog het op twee na hoogste hotelgebouw ter wereld! De luxueu-

ze inrichting is in Doebai vanzelfsprekend, vooral in een hotel van de Jumeirah-groep die toebehoort aan de Dubai Holding. Opmerkelijk is echter dat een complete etage op de 40ste verdieping voor vrouwen is gereserveerd. Tot de inrichting van deze exclusieve vertrekken behoren speciale beauty- en badproducten en een koelkast voor cosmetica. Er werden zelfs eigen handdoeken, badjassen, kimono's en beddengoed ontworpen voor de vrouwelijke clientèle. Yoga-matten en een dvd met een introductie tot yoga-oefeningen liggen klaar om te ontspannen na de zakenafspraken en alleen vrouwelijk personeel heeft toegang tot deze etage.

Het Shopping Centre **Emirates Towers Boulevard** op de begane grond heeft zich met zijn kostbare interieur ingesteld op de bijbehorende welgestelde clientèle; de chicste Franse en Italiaanse designboetieks zijn hier vertegenwoordigd.

Zorg ervoor dat u op tijd bent voor de zonsondergang – ga met de glazen lift aan de buitenfaçade zo ver als u kunt naar boven, stap over in de volgende lift, en stap uit in ★★**Vu's Bar** op de 51ste verdieping. Dit is de hoogst gelegen bar van het Nabije Oosten, het uitzicht is onbeschrijfelijk en onvergelijkelijk. In het noorden strekt de Perzische Golf zich diepblauw uit. Keert u zich naar het zuiden, dan kijkt u tot aan de duinen aan de rand van de stad. Het is de moeite waard om hiervoor de kledingvoorschriften in acht te nemen, met open sandalen, korte broek en zonder colbert moet u helaas beneden blijven!

De Sheikh Zayed Road eindigt bij de rotonde van het Trade Center. Het witte gebouw aan de rechterkant met de antenne op het dak is het **World Trade Center** 63, ooit het hoogste gebouw van Doebai.

Paarden- en kamelenraces

Bij de Wafi City kruist de Al Athid Road de Oud Metha Road; volgt u deze richting het zuiden, dan ligt ten zuiden van het laatste stuk van de Creek de bekendste **paardenrenbaan** van de Emiraten, de **Nad al Sheba Club** 64. Zoals de Europese voetbalfan wacht op het

begin van het nieuwe seizoen, zo kan menig Doebainaar nauwelijks wachten tot eind oktober het paardenrenseizoen met een schitterende openingsrace van start zal gaan. Ook de ca. 350 paardenbezitters willen weten hoe hun lievelingen het er vanaf zullen brengen de komende 40 races die op deze 2200 m trajectbaan worden georganiseerd. Na een goed seizoen laten ze zich vervolgens misschien duur verkopen, maar met meer dan 1000 renpaarden die in geklimatiseerde stallen met deels duur, geïmporteerd krachtvoedsel worden gefokt, leveren alleen winnaars een goede verkoopprijs op. Die kan soms wel meerdere miljoenen dollars bedragen.

Wie zich interesseert voor de trainingsmethoden, kan tussen september en juni deelnemen aan een van de drie keer per week plaatsvindende **rondleidingen door de renstallen** en toekijken. Bij de prijs is ook een ontbijt inbegrepen: de bezichtiging begint om zeven uur 's ochtends precies. De wedstrijden vinden echter 's avonds plaats. Elke donderdag, soms ook vrijdag of op feestdagen, tegen 19 uur, wordt de vloedlichtinstallatie ingeschakeld, en stromen er gemiddeld 10.000 toeschouwers naar het parcours. De toegang is gratis en behalve de wedstrijdspanning lonken er aantrekkelijke prijzen. Niet dat er wordt gewed, Allah verhoede het, dat is verboden, maar een klein kansspel is toegestaan. De bezoeker vult een gratis loterijbriefje in en vult de winnaars in van de zes of zeven op een avond te lopen races. Als hij alle namen goed heeft, verdwijnt zijn lot in de bus en *inshallah* (als God het wil) komt het prijzengeld hem toe.

Boven: Eindspurt bij de Dubai World Cup, de hoogst gedoteerde paardenkoers ter wereld.

Wat betreft prijzengeld. Eén keer in uw leven een race winnen en daarna voor altijd vrij? De **Dubai World Cup** biedt paardenbezitters en jockeys uit de hele wereld deze mogelijkheid, want met een overwinningspremie van zes miljoen dollar zijn het de paardenrennen waar de hoogste prijzen ter wereld worden uitgereikt. De 'Cup' is dé nationale gebeurtenis, elk jaar eind maart stromen prominente personen en ieder-

 plattegrond p. 132-133, info p. 155-159

een die zich daarvoor houdt, samen. In totaal zijn dat ca. 50.000 mensen in elke huidskleur. De president van de VAE, de regenten van alle Emiraten en de gehele Maktoum-familie nemen plaats op de eretribune. Die is uitgerust met tv-monitors, opdat men zijn favorieten ook aan de overkant van de baan niet uit het oog verliest. Naast de renbaan loopt een weg waarop meerdere camerawagens meescheuren ter hoogte van de aanvoerders en achtervolgers. Uren voor de races heerst er een uitgelaten-gespannen sfeer. Sjeik Mohammed bin Rashid al Maktoum mengt zich onder het volk en praat over het vak met trainers, jockeys en het publiek. Hij was het die als kroonprins de paardenrensport in Doebai introduceerde en in 1996 voor het eerst deze race aller races liet organiseren. Vanzelfsprekend staat een van zijn eigen 140 volbloed Arabieren aan de start, en als die wint dan wordt het pas echt feest – want het lijkt een beetje op het winnen van de wereldkampioenschappen voetbal als een *asiles* (volbloed) Arabisch paard van een Arabisch vorstenhuis op Arabische grond wint. De profeet Mohammed al had de grootste hoogachting voor zijn snelle, onvermoeibare paarden, die op het slagveld van groot nut waren.

Op de **Camel Race Track**, 1 km naar het westen, vinden in de winter op Arabische weekends – donderdag- en vrijdagmiddag – **kameelraces** plaats, waarbij 40 tot 100 dromedarissen gelijktijdig starten en de bezitters ervan hoge prijzengelden te wachten staan. Dagelijks trainen hier honderden kostbare renkamelen, vaak onder toeziend oog van hun trotse adellijke bezitters.

AAN DE RAND VAN DE STAD

Dubailand

Het 'Ski Dubai' (zie p. 144 e.v.) is slechts het topje van de ijsberg van een gestaag groeiende belevenisparkindustrie. Slechts een paar kilometer richting zuiden begint **Dubailand** (65). Op een oppervlak van 180 km^2 (Disneyland Parijs = 0,57 km^2) moeten in de komende jaren diverse **themaparken** uit de grond schieten; de financiële crisis remde het bouwtempo in 2009 echter nogal af. Onder de 200 geplande entertainmentprojecten bevinden zich o.a. *Universal Studios*, *Legoland*, het Formule 1-park *F1-X*, een wereldruimtentoonstelling, een vliegtuigpark met vliegsimulatoren, een dinosauruspark en een skipiste. De andere attracties van dit recreatieterrein, dat bijna zo groot moet worden als het tot nu toe bebouwde gebied van de stad Doebai, worden in de plannen in superlatieven omschreven. Alleen al het aantal geplande hotels in Doebailand bedraagt 55.

Van de realisatie van de geplande grootste dierentuin van het Nabije Oosten zouden de dieren in de oude dierentuin (zie p. 135 e.v.) profiteren. Aan het grootste reuzenrad wordt al gebouwd, en daarnaast denkt men aan een megawinkelcentrum (*Mall of Arabia*), een galerie voor moderne kunst en zelfs piramides. Bij een totaal investeringsbedrag van 7 miljard dollar zal Cheops misschien niet lang meer gelden als bouwer van de grootste piramide.

Op het **Doebai autodroom** werden voor het eerst eind 2005 supersnelle races gereden, tijdens de door Doebais vorstenhuis in het leven geroepen Formule 1, met grand prix genormeerde, achtcylinderracewagens van Lola. Behalve het autodroom zijn er tot nu toe slechts twee andere attracties in Dubailand: het **Global Village**, dat echter maar voor een paar maanden per jaar als een soort internationale kermis fungeert, en het **Al Sahra Desert Resort**, een combinatie van varieté, restaurantcomplex en kinderparadijs.

Mushrif Park

Verlaat u Doebai via de Airport Road naar het zuidoosten, dan ligt als eerste mogelijke stop, ca. 9 km na het vlieg-

veld, het **Mushrif Park** ❼ (zie ook plattegrond p. 99) langs de weg. Het is het grootste park van Doebai, een mix van woestijn-acaciawoud-landschap, recreatiepark en openluchtmuseum. In het **World Village** worden in originele grootte onder andere een nagebouwde Hollandse windmolen getoond, een indianentent en huizen uit alle delen van de wereld, Nubië, Noorwegen, Engeland, Indonesië en Japan. Samen met het treintje, speeltuinen en **draaimolens** is dat weliswaar eerder iets voor families met kinderen, maar er zijn ook – op sekse gescheiden – **zwembaden** en meerdere **restaurants**.

Geen officiële toeristische attractie is de **kameelfarm** in de kleine plaats **Al Awir**, hoewel ze naar het heet de grootste in de Emiraten is. Hier zijn ongeveer 1600 kamelen verzameld, waaronder ook kostbare rendieren uit het bezit van sjeik Mohammed. Met een beetje geluk kunt u proberen toegang te krijgen tot het terrein, de verblijven bezichtigen en wellicht ook een blik werpen in het **kamelenziekenhuis**.

Boven: In Jumeirah Bab Al Shams Desert Resort & Spa. Rechts: op 50 km van Doebai begint een eldorado voor motorsportfans, die met quads door de duinen razen.

**JUMEIRAH BAB AL SHAMS

Dat hotels niet de hoogte van wolkenkrabbers hoeven te bereiken om bijzonder te zijn, bewijst het ****Jumeirah Bab Al Shams Desert Resort & Spa** ❽ (de naam betekent 'Poort naar de Zon'; zie foto p. 90/91). In de vlakke duinen is een smaakvol hotel ontstaan, waar u ook een middagje kunt verblijven. In de tuin ligt een **zwembad** dat met gemoedelijke, oriëntaals vormgegeven dakterrassen een fraai uitzicht over het weidse landschap geeft. Een bijzonder 'lokkertje' is de dagelijks om 17 uur plaatsvindende **valkenshow**. De beide valkeniers hebben meestal twee of drie dieren bij zich en laten zien hoe ze de kostbare dieren africhten (zie ook thema p. 232). Wie zin heeft kan een korte kameelrit door de duinen maken. Heel erg de moeite waard is de trip naar een op 40 km van het stadscentrum lig-

gende woestijndomicilie, als u daaraan een diner vastknoopt: er wacht de gast geen normaal restaurant, maar een door zandduinen omlijst woestijnfort dat op 300 m ligt van het hotel, het **Al Hadheerah Desert restaurant**. De weg erheen is met fakkels verlicht, de ingang lijkt op een markt en om te eten zijn er de heerlijkste lekkernijen uit de Arabische en internationale keuken. Soepen, vis, groente en vers gebakken brood zijn slechts een klein deel van het kleurrijk samengestelde buffet. Hier heeft u ook de gelegenheid het normaal slechts op religieuze feestdagen tijdrovende klaargemaakte *schoowa* (lam gegaard in een in de aarde gegraven oven) te proberen. Kaarsverlichting, verdekt opgehangen lampions en een kampvuur zorgen voor een romantische sfeer.

★★AL MAHA

Het ★★**Al Maha Resort** ❾ is pure luxe midden in de woestijn (60 km ten zuidoosten van Doebai, u rijdt er naartoe via de Al Ain Highway; bezichtigen is niet mogelijk – alleen voor gasten van het hotel!). De bungalows zijn gemaakt naar het voorbeeld van bedoeïenententen (maar stabieler), bieden een ongestoord uitzicht over de ★**duinen** van het Lege Kwartier, bij de suites zijn een privé-zwembad en persoonlijke butler inbegrepen. Tot het programma van het resort behoren demonstraties met valken, ritjes te paard en te kameel, boogschieten en deskundige rondleidingen over het 225 km^2 grote omheinde **natuurreservaat** in de woestijn. De eigenaars zetten zich in voor het ecotoerisme en hebben onder andere opnieuw **oryx-antilopen** uitgezet.

EXCURSIE NAAR ★HATTA

De bergoase Hatta ligt in een omgeving met prachtige landschappen aan de voet van het Hajjargebergte. De 100 km erheen leiden door een fantastisch zandduinengebied. Dat begint 50 km ten zuidoosten van Doebai en u heeft niet eens een terreinwagen nodig om het te verkennen, want er werd een weg dwars door de ★**duinen** ❿ aangelegd. De roodachtige zandheuvels rijzen tot

150 meter omhoog en wie er een half uur voor uittrekt en een paar meter wandelt, geniet van een prachtig uitzicht over de ronde sikkelduinen. De hoogste duinen kunt u echter nauwelijks meer beklimmen, en vooral daar heeft de motorsport zich geïnstalleerd. Doordeweeks is het er relatief rustig, maar u moet desondanks niet riskeren over het hoofd te worden gezien als men de duinen op- en afracet. In het weekend breekt de hel los: dan zijn de off road-piloten met hun terreinwagens onderweg en verandert het terrein in een raceparcours. Men ploetert de duinen op en stort zich weer naar beneden, en het wil wel eens voorkomen dat een van de zwaardere vehikels de bocht uit vliegt en over de kop slaat. U kunt ook met lichte quads, vierwielige terrein-plezeirvoertuigen met dikke banden, de duinen op razen. De streek tussen Doebai en Hatta heeft zich ontwikkeld tot

Boven: Terreinwagen-excursie naar de Kameelrots. Rechts: Verleidelijk na een rit door de zandduinen – een duik in het zwembad van het Hatta Fort Hotel.

een recreatiecentrum met **verhuurstations** en **restaurants**. Wie dieper de duinen in wil rijden, om er in alle rust te genieten, kan zich beter wenden tot een van de lokale reisbureaus, dat is minder gevaarlijk, meer ontspannen en u komt bijvoorbeeld ook bij de **kameelrots**, een door zandduinen omgeven rotsformatie die eruitziet zoals de naam aanduidt.

*HATTA

Slechts een paar kilometer verderop eindigt de zandwoestijn om over te gaan in een open vlakte aan de voet van de Hajjar-bergen die is begroeid met de typische doornige schermacacia. Als vervolgens rechts en links van de weg de eerste kraampjes opduiken met allerlei aardewerk, van waterkruik tot aan kleine wachttorentjes (leuk om kaarsen in te doen), is ***Hatta ⓫** bijna bereikt. Omdat het op ongeveer 900 meter hoogte ligt is het klimaat er in de zomer iets draaglijker en veel welgestelde Doebainaren hebben een tweede villa in en rond Hatta laten bouwen – Doebai ligt immers slechts op ongeveer 100 km

kaart p. 94-95, info p. 155-159

afstand. Doordeweeks gaat het er in het 10.000 zielen tellende stadje rustig aan toe; in het weekeinde stromen er scharen toeristen naartoe, zelfs uit Aboe Dhabi, want de omgeving van Hatta biedt met zijn palmbossen en waterbronnen te midden van de ruige bergwereld veel trek- en wandelmogelijkheden. De meeste bezoekers geven echter de voorkeur aan een tour door de verlaten wadi's met een terreinwagen.

Meteen als u het moderne Hatta binnenrijdt, gaat u bij de eerste rotonde linksaf naar het ***Hatta Fort Hotel** met zijn prachtige tuin, zwembad en een groot aanbod sportmogelijkheden met minigolf, 9 holes-golfterrein, boog- of kleiduivenschieten, joggingroutes. Het bergdecor is grandioos, daarom is er in het weekend nauwelijks een kamer te krijgen. Wie wil, kan door het hotel een helikopterrondvlucht laten organiseren.

Hatta Heritage Village

Het **Hatta Heritage Village** is het opnieuw herrezen Oude Hatta. De geschiedenis van de in de bergen liggende oude oase gaat meer dan 4000 jaar terug, zoals een in de buurt gevonden graf uit de Umm al Nar-periode (2700-2000 v. Chr.) bewijst; meer is uit het Neolithicum echter niet bewaard gebleven. De gebouwen van het in 2001 geopende **openluchtmuseum** stammen uit de 16de eeuw, toen een handelsroute tussen het naburige Oman en Doebai door de Hajjarbergen liep. Hatta stond toen al bekend om zijn tabak, dat via deze weg werd vervoerd. In tegenstelling tot de tabak uit Al Ayn is deze veel milder. Hij wordt gerookt in kleine zwarte pijpen, waarin slechts een paar kruimeltjes tabak passen, zodat er amper twee, drie snelle trekjes mogelijk zijn.

De dertig huizen van het historische dorp zijn geen nieuwe 'oude gebouwen', maar originele huizen, die uit vervallen staat met gebruik van traditionele bouwmaterialen zoals leem en palmbladvezels weer werden opgebouwd. Als pleisterlaag dient *saruj,* een mengsel uit leem, kalk en stro, waarvan de vervaardiging omslachtig is. Tijdens de wederopbouw documenteerde een fotograaf de verschillende fases van het pro-

ductieproces. Zijn foto's zijn in een 'er-voor-erna'-tentoonstelling te zien. Het **folklorehuis** toont Arabische gedichten, muziekinstrumenten en bezit een videoapparaat dat met een druk op de knop muziekstukken en dansen afspeelt. Andere huizen wijden zich aan het sociale leven in deze afgelegen bergregio, het ambachtelijke leven en het schoolwezen. Een waardige omlijsting vormen de 'Twee Stenen'. Zo heten de twee **verdedigingstorens**, beide ongeveer 200 jaar oud en één daarvan toegankelijk, met fraai uitzicht over het complex en de omgeving.

Geen dorp zonder vesting, want het waren barre tijden, en zo liet de toenmalige sjeik Maktoum bin Hashr al Maktoum in 1896 een solide **burcht** optrekken. Dit niet alleen ter verdediging, zoals de poppen in een vertrek van de vestingtoren demonstreren, maar ook om te vergaderen: de opperhoofden van de aldaar woonachtige clans beschikten er

Boven: Het hele jaar door helder water maakt de Hatta Pools tot een aantrekkelijk excursiedoel.

over het lot van de oase. Daarbij ging het niet alleen om politieke zaken, maar ook om essentiële vragen: aan wie bijvoorbeeld het toezicht over de zonnewijzer zou worden toegewezen. Dat was extreem belangrijk, want men had weliswaar een *falaj* (kanaal), dat uit de bergen het water naar de oase bracht, maar voor alle stukken land in één keer was dat niet genoeg. Zo werd voor elk veld een vaste bewateringstijd ingesteld, met behulp van de zonnewijzer. Omdat water kostbaar was en eerlijk verdeeld moest worden, kwamen voor deze taak alleen de meest respectabele hoogwaardigheidsbekleders in aanmerking. 's Nachts mat men de tijd met behulp van de sterren! In een ander vertrek van het fort vindt u een fototentoonstelling over de vestingen van de Emiraten. Te vermelden zijn ook de meer dan 200 jaar oude **Sharia-moskee** met gebedshal, binnenplaats en minaret, evenals de souvenirwinkel. In een van de gerestaureerde huizen is een **restaurant** ondergebracht dat hapjes uit de Arabische keuken serveert. Bovendien is er een speeltuin, en het hele jaar door vinden er live-evenementen plaats met traditionele dansen.

*Hatta Pools

Ongeveer 20 km ten zuiden van Hatta liggen in de **Wadi Qahfi** de bekende ***Hatta Pools** ⓬, van oudsher een plek om te baden. Het Wadi behoort weliswaar officieel tot het sultanaat **Oman**, maar u komt er probleemloos zonder visum binnen. U heeft ook geen terreinwagen meer nodig, want de voormalige gravelweg is nu geasfalteerd. De baden zijn natuurlijke kommen, gevormd door het bijna het gehele jaar door stromende water dat zich in de loop van miljoenen jaren een weg door de zachtere steenlagen heeft gebaand. Op sommige plaatsen zijn zulke diepe gaten ontstaan dat ze zelfs tijdens de zomermaanden, als er weinig water is, meestal genoeg kristalhelder bergwater bevatten.

kaart p. 94-95

DOEBAI (☎ 04)

Doebai heeft een heel goed verkeersbureau, het **Department of Tourism and Commerce Marketing** (**DTCM**). Er is een Europees kantoor in Duitsland: Bockenheimer Landstraße 23, 60325 Frankfurt / Main, tel. (49) (0)69/710 0020, fax: (49) (0)69/ 710 00234, www.dubaitourism.ae. De centrale in Doebai vindt u in de Baniyas Rd. in het gebouw van de National Bank of Dubai aan de Creek, tel. 223 0000. Ook in de grote winkelcentra (b.v. Bur Juman; Al Wafi) zijn kantoren. U krijgt kaarten en plattegronden evenals goede informatie over het openbaar vervoer, de winkelcentra en de toeristische infrastructuur van Doebai.

De regelmatig verschijnende brochures *What's On* en *Out and about* informeren over het actuele uitgaansprogramma. Ze liggen in de meeste hotels; de laatste is ook gratis verkrijgbaar bij de toeristeninformatie (DTCM) en bevat een omvangrijke lijst van restaurants, cafés en bars.

***AMERIKAANS**:* Behalve US-food kunt u ook het begeerde T-shirt kopen in het **Hard Rock Café Dubai**, Sheikh Zayed Road, tel. 399 2888. In **Planet Hollywood** naast Wafi City hangen de bijbehorende filmposters, aan het plafond een Harley; Californische burgers. De bekendste Amerikaanse fastfoodketens zijn trouwens ook aanwezig in Doebai.

***ARABISCH**:* **Local House** in de Bastakiawijk, tel. 050-774 6207, is het gezelligste en meest authentieke adres om plaatselijke lekkernijen te proberen. In **Al Khaimah** van het Royal Meridien Beach Resort in Jumeirah, tel. 399 5555, beheerst de Libanese kok de kookkunst perfect, de live-musici hun instrumenten eveneens, alleen het klimaat op het terras aan zee is wispelturig en soms te vochtig; dan lokt het gemoedelijke interieur. Eenvoudiger – maar niet minder aantrekkelijk – gaat het toe in **Bait al Wakeel**, tel. 353 0530, in de souk van Bur Dubai. De ligging is perfect, want het historische pand ligt pal aan de Creek; onder het genot van verse zeevruchten, Arabische specialiteiten of westerse gerechten ziet u verlichte dhows en abra's voorbij varen.

***DINNERCRUISE**:* Vroeger (z)at de scheepsbemanning op de grond, nu verlichten kaarsen prachtig gedekte tafels op het dek van oude dhows, het Arabische buffet geurend er bovenop terwijl de skyline betovert: **Ramee Cruise**, Bur Dubai, tel. 050-778 2628; **Al Boom Tourist Village**, dicht bij de Al Garhoud brug, tel. 324 3000. Moderne boot met Franse keuken: **Bateau Dubai**, tel. 337 1919.

***FRANS**:* Verwenservice en de betere Franse keuken biedt **Apartment** in het Jumeirah Beach Hotel, tel. 406 8181.

***GOURMET**:* U eet op driesterrenniveau in **Verre** van het Hilton Dubai Creek, tel. 227 1111; de verantwoordelijke kookkunstenaar is de Engelsman Gordon Ramsey.

***INDIAAS**:* De wereldberoemde Indiase zangeres Asha Bhosle kookt graag en houdt van de keuken van haar vaderland, en **Asha's** in de piramides naast het Al Wafi Center, tel. 324 4100, is ook voor onmuzikale fijnproevers een aanbeveling. Men zegt dat er een paar persoonlijke familierecepten van de zangeres op de kaart staan. Een goede vegetarische keuze heeft **Kitchen** te bieden in Satwa, Al Diyafah Street, tel. 398 5043, een vriendelijk en klein Parsi-restaurant.

***INTERNATIONAAL**:* Het **Vu's Restaurant** in de Jumeirah Emirates Towers, tel. 319 8088, is het hoogst gelegen restaurant van het Nabije Oosten met een exclusieve Europese keuken; u moet het uzelf een keer gunnen. Aan hoge eisen voldoet ook het **Al Muntaha Restaurant** op de 27ste etage van het hotel Burj Al Arab, tel. 301 7600, met zijn grote wijnkaart, mondiale lekkernijen en een fantastisch uitzicht op 200 meter hoogte. In het **Dubai Marine Beach Resort** aan het strand van Jumeirah, tel. 346 1111, vindt u diverse eethuisjes bij elkaar die alle een goede service, lekker eten en de typische sfeer van hun land bieden. Er is een Cubaans, Italiaans, Thais, Japans, Mexicaans en Frans restaurant.

***PERZISCH**:* *Fesenjan-Ba-Morgh* is geen buitenaards, maar een lekker Perzisch kipgerecht met granaatappelsaus, dat bijvoorbeeld in het **Shabestan**, tel. 222 7171, van het hotel SAS Radisson wordt geserveerd. Wie opziet tegen een reis naar Perzië, maar wel de keuken wil proberen, kan **Shahrzad** in het Hyatt Regency, tel. 317 2222, beloven te komen.

Het interieur is wat op leeftijd, niet echter het vermogen van de keuken om de smaakpapillen een uitgelezen genot te bezorgen.

PANORAMA: Een prachtuitzicht over Doebai bij een overvloedig buffet biedt het draaiende restaurant **Al Dawaar** op de 25ste etage van het hotel Hyatt Regency, tel. 317 2222.

SEAFOOD: In het Dubai Marina opende in de zomer van 2004 **Blues**, tel. 367 4747. De blues krijgt u van dit eten niet, want het is werkelijk voortreffelijk. Het visdeskundige personeel helpt bij het uitkiezen en adviseert over diverse bereidingsmogelijkheden. Het fraaie uitzicht vanaf het terras leidt soms af van het eten. **Pierchic** in het Al Qasr Hotel van de Madinat Jumeirah, tel. 366 6730, ligt uitnodigend op een houten pier aan het strand; onder de voeten van de gasten bruisen de golven. De presentatie van het voortreffelijke eten lijkt soms bijna te kunstzinnig. Het **Al Mahara** in het hotel Burj Al Arab, tel. 301 7600, behoort tot de meest exclusieve adressen, omdat de visite begint met een gesimuleerde duikbootvaart in een eetzaal met zicht op een reusachtig aquarium. De keuze aan gerechten is geweldig, de wijnkaart laat nauwelijks te wensen over en het personeel is buitengewoon hoffelijk. Geen goedkoop, maar wel een aanbevelenswaardig genoegen.

STEAKHOUSE: Het **Palm Grill** in het SAS Radisson Hotel aan de Creek, tel. 222 7171, weet hoe men steaks perfect grilt, maar ook hoe men ze afrekent. Populair is ook **Legends** in het zeilvormige clubhuis van de Creek Golf Club, tel. 295 6000. Perfecte angus beefsteaks, pianomuziek en een ontspannen sfeer voor een geslaagde avond.

BARS: De nummer 1 van de 'wauw-wat-een-uitzicht'-bar is zonder twijfel **Vu's Bar** in de Jumeirah Emirates Towers boven het gelijknamige restaurant op 220 m hoogte. De bar **Uptown** in het Jumeirah Beach Hotel bezet vlak daarachter de tweede plaats. Zo hoog als de andere zijn, zo gezellig uitnodigend is de **Rooftop Lounge & Terrace,** van het One & Only Royal Mirage Arabian Court Hotel, cocktails met en zonder alcohol, sterrenhemel, uitzicht op zee, Arabische sfeer – een topadres.

CAFÉS: Wie zijn porseleinsouvenir zelf wil maken, kan dat doen in **Café Ceramique** in het winkelcentrum Deira City Centre. U geniet van koffie, salades of sandwiches, leent een penseel en verf en maakt uw bord of kopje zelf. Hier is het echter meestal nogal druk; rustiger gaat het eraan toe op de schaduwrijke binnenplaats van het **Basta Art Café** in de Bastakia-wijk, dat een beetje een karavanserai-sfeer heeft. De koffiedrinker staat een oranjegele inrichting te wachten in de **Lipton T-Junction** van de Jumeirah Emirates Towers, echt eens iets totaal anders (voor Emiraatse begrippen); laptop- en palm-bezitters zullen de WLAN-hotspot waarderen. Aan te bevelen voor een lunchpauze en voor het uitzicht op de Creek is het **Apple Café & Restaurant** op de 3de verdieping van de Twin Towers aan de Baniyas Rd., tel. 227 4446.

VRIJDAGBRUNCH: Na een nacht doorzakken om 8 uur aan het ontbijt? Neen, liever eerst uitslapen en vanaf 11 uur naar een van de populaire late ontbijten, bijvoorbeeld in **The Colonnade** van het Jumeirah Beach Hotel, het kindvriendelijke **Planet Hollywood** naast Wafi City, het **Antigo** van hotel Le Meridien Dubai of de **Brasserie** van Le Royal Meridien Hotel.

INTERNETCAFÉS: Surfen tijdens het koffiedrinken kunt u b.v. in **Formel 1** in het Palm Strip Shopping Center, Jumeirah, in het **Dot Net Café** in het BurJuman Centre of in het **Al Jassa-café** in de Mankhool Road.

NACHTCLUBS: Een van de oudste is **The Lodge** in het Al Nasr Leisure Land, waar af en toe live-concerten plaatsvinden, maar waar ook verder altijd wel iets te doen is. Alleenreizende heren vinden tot in de ochtend gezelschap in **The Cyclone**, in de buurt van het American Hospital. 'Feelin' groovy'? – op naar het **Jimmy Dix** in het Mövenpick Hotel; goed personeel, goede sfeer, goede drankjes. Een tip voor jeugdige vakantiegangers: geld lenen van je ouders, naar **Apartment Lounge** van het Jumeirah Beach Hotel gaan en horen wat voor sound de internationale dj's uit hun platenkoffer halen. Hallo ouders: de kids laten gaan en zelf in de **Kasbar** van het One & Only Royal Mirage Palace Hotel de cocktail- of wijnkaart uitproberen en in de gemoedelijke lounge luisteren naar aangename muziek op bescheiden geluidssterkte.

BALLONVAART: Als het weer het toelaat een grandioze gelegenheid de stad of de woestijn van boven te bekijken: **Voyagers Extreme** in het stadsdeel Satwa, tel. 345 4504.

GALERIEËN: Behalve op de in de beschrijving van de Bastakia-wijk vermelde galerieën (zie p. 122 e.v.) zij hier vooral gewezen op het **Five Green** in de Oud Metha Road in de buurt van het Rashid ziekenhuis, tel. 336 4100. Ingericht door een kunstacademica, die een plek voor lezingen en exposities wilde creëren, zijn hier ook ongebruikelijke kledingaccessoires te koop. Er is hier een podium voor jonge autochtone kunstenaars, die niet terecht kunnen in de 'gevestigde' galerieën van de toeristenwijk met de karakteristieke afbeeldingen van bedoeïenen en woestijn, want daar zouden hun naakttekeningen vermoedelijk weinig geld in het laatje brengen.

GOLF: Doebai beschikt over meerdere eersteklas golfterreinen die ook voor internationale kampioenschappen worden gebruikt. Een van de oudste is de **Emirates Golf Club** aan de stadsrand van Doebai. De **Dubai Creek Golf & Yacht Club** (met spectaculair clubhuis) ligt direct aan de oever van de Creek. Het 18 holes-parcours van het **Nad al Sheba Clubs** kan met zijn lichtinstallatie ook 's nachts worden bespeeld. Alle drie tel. 347 5205, onder www.dubaigolf.com informatie over andere golfterreinen. Golfuitrusting kan worden gehuurd. Van de nieuwe terreinen vormen de **Desert Course**, tel. 884 6777, en de **Montgomerie Golf Club**, tel. 390 5600, aantrekkelijke uitdagingen.

DIEPZEEVISSEN: Een halve of hele dag op zee biedt **Club Joumana** in het Jebel Ali Golf Resort, tel. 883 6000. Aan te bevelen zijn ook de beide boten van het **Le Meridien Seyahi Beach Resort & Marina**, tel. 399 3333, die weliswaar gespecialiseerd zijn in het vangen van zeilvissen, maar deze na de vangst ecologisch correct weer vrij laten in zee.

HELIKOPTERVLUCHT: Te boeken bij **Aerogulf Services Company** op de internationale luchthaven, tel. 220 0331.

JETSKI: Deze flitsende apparaten zijn te huur aan de openbare stranden van Jumeirah of in de buurt van de Gharhoud-brug (Jetski Rental); 30 minuten ongeveer 80 DH.

KAMEELRITTEN: Worden aangeboden bij het **Bab Al Shams Hotel**. Nog mooier is de omgeving rond **Al Ayn**.

KLIMMEN: In de sportclub **Pharaos** naast Wafi City is een klimmuurhal, tel. 324 0000. In het wintersemester worden nu en dan ook klimexcursies naar de Hajjarbergen georganiseerd.

OFF ROAD-RIJDEN: Wie wil oefenen voor Parijs – Dakar en wil leren hoe men een terreinwagen uitgraaft of hoe die met de juiste rijtechniek niet te laten stranden in de duinen, moet bellen naar **Off Road Adventures**, tel. 343 2288, of **Voyagers Xtreme**, tel. 345 4504, www.turnertraveldubai.com.

ZANDSKIËN: Plaatselijke reisbureaus maken het mogelijk om op snowboards de duinen af te glijden.

SCHAATSEN: Maar liefst twee ijsbanen staan in Doebai ter beschikking, de grotere in de **Dubai Mall**, tel. 437 3200, de iets kleinere **Ice Rink** naast het Hyatt Regency Hotel in Deira, tel. 209 6551. Verhuur van schaatsen.

SKIËN: In **Ski Dubai** in de Mall of the Emirates, www.skidxb.com

RONDVAART DOOR DE STAD: Diverse plaatselijke reisbureaus bieden rondritten door de stad aan. De meest ongebruikelijke wordt door Wonder Bus Tours georganiseerd, tel. 359 5656, met een amfibievoertuig dat een deel van de route over de Creek aflegt.

DUIKEN: Informatie over duikgebieden en duikscholen bij de **Emirates Diving Association** in de Diving Villaga, Shindaga, tel. 393 9390, www.emiratesdiving.com. Een paar strandhotels regelen ook duikexcursies naar de vele scheeps- en autowrakken die voor de kust van Doebai liggen.

QUADRIJDEN: **Al Qudra Motor Cycle Rental,** ongeveer 50 km buiten Doebai richting Hatta aan een groot zandduin, vierwielige gokarts in verschillende pk-sterkten, 30 minuten kost 100 DH, ca. 20 €, tel. 050-631 1992.

DUTY FREE: In de **Dubai Duty Free Shop**, de op twee na grootste ter wereld, gaat u niet even gewoon een slof sigaretten, een voordelige fles alcohol of uw lievelingsparfum kopen: hier wordt niet alleen fors geshopt, maar kunt u behalve geld uitgeven

ook nog eens geld verdienen. Al bij aankomst kunnen passagiers toeslaan in juwelierswinkels, boetieks en hifi-stores. Geheel volgens het motto Fly Buy Dubai worden ook transitpassagiers op weg naar hun aansluitende vlucht in verzoeking gebracht en langs de winkels gesluisd. Om de titel 'Beste Duty Free' ook in de toekomst nog een paar maal te winnen, worden verder dure luxe limousines, staven goud en sieraden onder de kopers die een lot hebben ingevuld, verdeeld. Weliswaar komt u nog altijd alleen met een geldig vliegticket bij de 650.000 belastingvrije artikelen, maar via de website www.dubaidutyfree.com kunt u altijd nog een gelukslot kopen om aan een loterij deel te nemen. Het kost ongeveer 200 € en heet 'Finest Surprise'. De winnaars worden voor een weekend uitgenodigd naar Doebai – als extraatje bij de hoofdprijs.

BUS: Ruim 30 buslijnen doorkruisen de stad, een rit door Doebai kost ca. 4-5 DH, tickets krijgt u bij de bestuurder, een dienstregeling bij de DTCM (zie **Informatie**). De centrale busstations zijn voor stadsbussen: **Gold Souk Station** in de Al Khor Street, tel. 393 9435; **Al Sabkha Station** in de Al Sabkha Road; **Al Satwa Station** in de Al Satwa Road; **Hor al Amz Station** in de Salah al Din Road.

Stads- en **streekbussen** vertrekken vanaf het **Al Ghubaiba Station** vlakbij de Shindaga-markt, tel. 393 7014 en het **Deira Station** in de Umer Ibn al Khattab Road, tel. 227 3840. Bij Dubai Transport krijgt u meer inlichtingen, tel. 208 0808. Prijsvoorbeelden: Sjardja 6 DH, Adjman 8 DH, al-Foedjaira 25 DH.

METRO: De eerste, 52 km lange rode metrolijn wordt in september 2009 in bedrijf genomen; in 2010 komt er een tweede lijn bij en er zijn nog andere gepland.

TAXI: Voor vrouwen bestaat een eigen taxiservice, tel. 208 0808, met uitsluitend vrouwelijke chauffeurs. Deze taxi's zijn makkelijk herkenbaar – ze zijn rozekleurig. Een heel moderne voorziening zijn de belboxen zoals in het Mamzar Park; u gooit er een dirham in en er komt een taxi aangereden. Helaas nog niet wijd verbreid. Op drukke straten kan altijd een taxi worden aangehouden, er rijden er genoeg rond. Doebai heeft verschillende beltaxi-bedrijven: **Cars Taxi**, tel. 269 3344; **Dubai Transport**, tel. 208 0808; **National Taxi**, tel. 339 0002.

GEDEELDE TAXI: Bij de busstations staan ook gedeelde taxi's die echter op vaste routes blijven en de verschillende stadsdelen en Doebai met andere steden verbinden, b.v. Sjardja (ca. 6 DH), Adjman (ca. 7DH) of al-Foedjaira (15 DH).

HUURAUTO: (alle met kantoren in de stad en 24-uursservice op het vliegveld): **Hertz**, gratis nummer: tel. 800 4345, vliegveld tel. 224 5222; **Avis**, gratis nummer: tel. 800 5454, vliegveld tel. 224 5219; **Budget**, tel. 295 6667, vliegveld tel. 224 5192; **Autolease**, tel. 282 6565, vliegveld tel. 224 4900.

TOL: Voor een paar verkeersaders, zoals de Sheikh Zayed Road of de Al Garhoud Bridge, moet tolgeld worden betaald (ca. 4 dirham voor elke keer dat u er overheen rijdt). Dit wordt geëffectueerd door middel van een op de voorruit geplakte elektronische sticker ('salik'), die met een tegoed wordt opgeladen; het tolgeld wordt elektronisch afgeschreven. Als uw tegoed op is, krijgt u hiervan bericht via een sms'je. Alle huurautobedrijven hebben een dergelijke sticker op hun voertuigen; afgerekend wordt bij het terugbrengen van de auto. Wie zonder sticker op een tolplichtig traject wordt gesnapt, kan rekenen op een hoge boete!

VLIEGTUIG: Doebai heeft zijn eigen luchtvaartmaatschappij **Emirates Airways**, met dagelijkse verbindingen naar diverse luchthavens in Europa (www.emirates.com). Verder vliegen alle internationaal gerenommeerde maatschappijen op Doebai.

Vliegveld: Op amper 4 km van het stadscentrum (taxi binnenstad ca. 30-40 DH, naar Jumeirah ca. 50 DH), tel. 224 5555, informatie over vluchten tel. 216 6666. De buslijnen 4, 11, 15 rijden van ca. 6 uur 's ochtends tot ca. 23 uur tussen vliegveld en het stadsdeel Deira, lijn 401 dag en nacht. Lijn 402 verbindt de luchthaven met Bur Dubai, 24 uur lang.

De genoemde ziekenhuizen beschikken allemaal over een 24-uurs eerstehulppost: **Emirates Hospital**, op de Jumeirah Beach Road, tel. 349 6666. **Rashid Hos-**

pital, in Umm Hureir, Oud Metha Rd., tel. 337 4000. In de volgende ziekenhuizen werken **tandartsen**: **American Hospital**, in Umm Hureir bij het Al Nasr Leisure Land, tel. 336 7777; **Al Zahra Medical Centre**, Sheikh Zayed Rd., tel. 331 1155.
APOTHEEK: In het **Deira City Center** (Deira), in het **Lamzy Plaza Center** (Oud Metha), in het **Mercato** (Jumeirah), in het **BurJuman Centre** (Bur Dubai).

GELDAUTOMATEN EN WISSELKANTOREN: In de grotere winkelcentra zijn wisselkantoren en geldautomaten waar u meestal ook met een bankpas (Maestro) geld krijgt. In Bur Dubai vindt u in de Al Fahidi Street en in de souk wisselkantoren, in Deira in de Sabkha Road en in de straatjes van de souk.

EVENEMENTENKALENDER:
Tot de belangrijkste evenementen behoort het elk jaar in het voorjaar gevierde **Dubai Shopping Festival (DSF)**. Net als het Oktoberfest in München trekt het gasten vanuit de hele wereld aan, want er wordt een uitgebreid cultureel programma aangeboden. In de cafés treden live-bands op, in het Heritage Village vinden folkloristische opvoeringen plaats, in straattheaters voeren amateurtoneelspelers hun stukken op; de huizen en souks zijn van onder tot boven met lichtjes behangen, en natuurlijk lokken de winkels klanten met speciale prijzen. Het festival duurt een hele maand. Wie er bij wil zijn, moet op tijd reserveren, want alle hotels zijn dan volgeboekt. Oorspronkelijk zou het festival een eenmalige actie zijn om de detailhandel te stimuleren, maar nu is het al het 'vijfde' seizoen. In de uitverkoop treft u niet alleen restanten en gebruikte goederen, ook op nieuwe waar wordt speciale korting gegeven. Geen happening zonder loterij, elk winkelcentrum lokt met hyperprijzen al is het 'slechts' een tegoedbon van meerdere honderd dirham. In de goudsouk worden af en toe baren van het edelmetaal verloot ter waarde van meer dan 1000 €.
In het kader van het DSF vindt in de Media City het **International Jazz Festival** plaats, dat sinds 2003 in februari elk jaar veel toehoorders trekt. Er speelden bv. James Blunt, John Legend, Claire Martin en de Band Jazz Matrix, en ook in de toekomst zullen de groten uit deze scene drie lange nachten acte de présence geven. In december 2004 probeerde men het voor de eerste keer in Doebai met een **internationaal filmfestival**. De poging slaagde, het publiek was enthousiast en daarom wordt het nu jaarlijks herhaald.
Niet zo spectaculair als het DSF is het **Dubai Summer Surprises (DSS)**, dat in de warme zomermaanden, ergens tussen juni en september, wordt gehouden. Vanwege de hitte vinden de festiviteiten plaats in de geklimatiseerde hallen van de winkelcentra; het entertainmentprogramma is niet zo heel erg afwisselend als tijdens de DSF, maar lagere prijzen en loterijen trekken ook veel bezoekers.
Doebai heeft zich ontwikkeld tot organisatieplaats van grote **sportevenementen**. Daartoe behoren niet alleen de **paardenraces** met de hoogste prijzen ter wereld, maar ook het **Dubai Tennis Open**, waarbij alle grote sterren optreden. Spectaculairder zijn de **powerboot-wedstrijden**, bij wijze van spreken de 'Formule-1 op het water'. Al voordat de motoren worden gestart, heerst op de tribunes langs de kust een feestelijke stemming; luide concerten bereiden de oren van tevoren voor op het lawaai, eetstalletjes zorgen voor het lichamelijke welbevinden en daarna begint het feest. Maar er is geen agenda, info onder www.dimc-uae.com of tel. 399 4111.
Razendsnel racen de terreinracewagens tijdens de **UAE Desert Challenge** door de duinen tussen Aboe Dhabi en Doebai. Net als bij Parijs – Dakar doen ook motoren en vrachtwagens mee, inlichtingen onder www.uaedesertchallenge.com of tel. 282 3441.
Visuele golftraining krijgt de geëngageerde hobbyspeler tijdens de **Dubai Desert Classic** van Tiger Woods en collega's, die hier proberen met een paar slagen zeer veel prijzengeld te winnen. Meer onder www.dubaidesertclassic.com of tel. 399 5060.
Een mooier, maar zeldzamer schouwspel zijn de bolle zeilen van de oude **dhows** als die bij bijzondere gelegenheden zoals de **nationale feestdag** een **wedstrijd** houden. De in de werven van Aboe Dhabi en Doebai gebouwde **wedstrijdroeiboten** zijn dan ook te zien. Data: www.dimc-uae.com of tel. 399 4111.

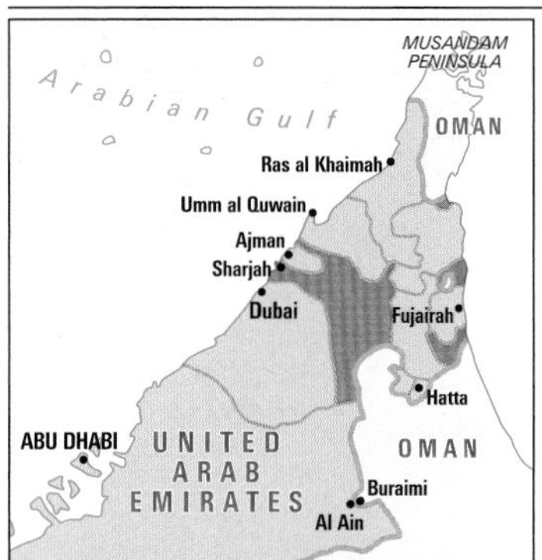

EMIRAAT SJARDJA

SJARDJA DESERT PARK

EMIRAAT SJARDJA

Het emiraat Sjardja ('Shardsha') is door zijn aardolie- en gasvelden en bloeiende landbouw de op twee na grootste economische kracht van de federatie, zodat het tegenover Aboe Dhabi en Doebai een zekere onafhankelijkheid kan bewaren en de stem van de vorst, dr. sjeik Sultan bin Mohammed al Qasimi, in de Raad van Zeven gewicht in de schaal legt. Met bijna 2600 km^2 is het ook qua oppervlakte het op twee na grootste lid van de federatie, waar ruim 680.000 mensen wonen. De meesten daarvan in de gelijknamige hoofdstad. Geografisch bijzonder is dat Sjardja als enige emiraat zowel aan de Golf- als aan de oostkust bezittingen heeft (zie hoofdstuk 'Oostkust'). Toen vanaf 1971 grensonderhandelingen in de nieuw opgerichte staat nodig waren, hield men daarbij rekening met de traditionele woongebieden van de stammen, die al eeuwenlang loyaal waren gebleven aan een bepaalde vorst. In Kalba, Khor Fakkan en Dibba leefden leden van de stam van de Qawasim (Qasimi), wier families nauwere verwantschapsbetrekkingen hadden tot de tak van de in Sjardja regerende familie dan tot de Qasimi-familie in het emiraat Ras al-Chaima. Dat heeft tegenwoordig economische voordelen, want de diepzeehaven van Khor Fakkan, waar bovendien prachtige stranden zijn, maakt het vele vrachtschepen mogelijk hun lading al aan de oostkust te lossen, zodat ze niet hoeven te wachten op toestemming om de dure, nauwe Straat van Hormoez door te varen. In vergelijking met de andere emiraten ligt Sjardja ver voorop wat betreft de overslag aan vrachttonnage. Terwijl in Doebai overwegend toeristen landen, wordt aan de terminals van Sjardja's internationale luchthaven hoofdzakelijk luchtvracht overgeladen, waaronder goederen die over land uit de oostkusthaven komen.

Voorgaande pagina's: In de oase van Al Dhaid, de groentetuin van het emiraat Sjardja. Links: Onder de koepel van het Museum of Islamic Civilisation.

Tot het emiraat behoren eigenlijk ook twee eilanden in de Perzische Golf, Sir Abu Nu'air en Abu Musa, 60 km voor de kust. De noordelijke helft van Abu Musa werd in 1971 bezet door Iran, vanwege de strategische ligging en omdat men er aardolie vermoedde. Het conflict zorgde in het begin voor grote opwinding en was een van de redenen waarom Sjardja zich aansloot bij de nieuwe federatie van de Verenigde Arabische Emiraten. Het verscherpte toen kort daarop daadwerkelijk de eerste aardolie in het Mubarak-veld in de buurt van het eiland Abu Musa werd gevonden. Men deelde de olie en de in-

komsten uit de olie. In 1994 plaatste Iran er raketten, wat de Emiraten en de VS sterk verontrustte.

Sjardja's economie berust echter niet alleen op de betrekkelijk geringe – en in de afgelopen jaren teruglopende – olie-inkomsten. Het emiraat bezit naar verhouding ook grote gasvelden. De in 1980 in de buurt van het moderne vliegveld op het Saja'a-veld gevonden reserves worden sinds de opbouw van een aardgasindustrie niet alleen geëxporteerd. Alle huishoudens en restaurantkeukens werken met gas, dat voor een deel uit eigen productie afkomstig is. En in de kookpannen belanden veel groentes uit de 'eigen tuin'. Die is ruim 10.000 ha groot en strekt zich circa 50 km ten zuidoosten van Sjardja-stad uit naar de uitgestrekte vlaktes rondom de oase Al Dhaid. Sjeik Mohammed heeft zijn doctorstitel verworven op het gebied van de landbouweconomie en het is daarom nauwelijks te verwonderen dat deze bedrijfstak hem bijzonder na aan het hart ligt. Ongeveer 4000 boerderijen rondom Al Dhaid bewerken de akkers en ook tijdens de warme zomermaanden wordt er ijverig geoogst. Dat wordt mogelijk gemaakt door vele kleine kassen die volgens een eenvoudig principe werken. Aan de ene kant stroomt permanent water over een metalen rooster dat met behulp van ventilatoren fijn verstoven naar binnen wordt geblazen. Er worden groente, fruit en veevoer verbouwd. Een van de meest exclusieve producten is waarschijnlijk de aardbei, die naar men beweert zelfs zijn weg vindt naar het tennismekka Wimbledon.

Boven: Een oaseboer vervoert veevoer. Rechts: Al Hisn, het fort van Sjardja, werd in 1820 gebouwd en huisvest tegenwoordig het volkenkundig museum.

Mileiha, kamelen- en paardengraven

Of er hier in de klassieke oudheid, toen Sjardja *Sarcoa* werd genoemd, al zulke kostbare vruchten groeiden, mag worden betwijfeld, maar dat er al heel lang mensen akkerbouw bedrijven in deze vruchtbare streek, daarvoor zijn onmiskenbare bewijzen. Net als in de andere Emiraten zijn er ook in het gebied van Sjardja aanwijzingen dat de vestigingsgeschiedenis 6000 jaar oud is, maar van bijzonder belang voor archeologen is een opgravingsplaats ongeveer 20 km ten zuiden van Al Dhaid. Daar ligt de kleine plaats **Mileiha**, een gat, net als vele andere, maar rechts en links van de doorgaande weg strekt zich aan beide kanten een 1 kilometer lang gebied uit waar wetenschappers de resten ontdekten van de tot nog toe enige nederzetting uit de derde, voorchristelijke eeuw. Terwijl uit het ijzertijdperk (ca. 1250-350 v. Chr.) zeer veel vindplaatsen in de Emiraten bekend zijn, lag de periode erna tot nu toe tamelijk in het duister. Met Mileiha kon daar tenminste een beetje licht op worden geworpen, en het schijnt een archeologisch spannende tijd te zijn geweest met een welvarende maatschappij. De nederzetting

 kaart p. 94-95, info p. 180-181

omvatte een groot aantal woonhuizen met daarbij werkplaatsen en een versterkt complex. De oude bewateringskanalen, waarvan de loop nog goed is te zien, voerden water uit de nabije Hajjarbergen naar de oase en duiden op een omvangrijke, intensieve landbouw. Maar in Mileiha woonden niet alleen boeren, er werden ook aanwijzingen gevonden dat het een handelsstad was: mallen om munten te gieten en munten die voor een zekere koning Abiël werden geslagen. Geïmporteerde, zwart geglazuurde aardewerkscherven van Attische oorsprong zijn afkomstig van amforen van het Griekse eiland Rhodos, zoals de versieringen bewijzen. Zuid-Arabische albasten schalen met leeuwenhandvaten (uit Jemen) wettigen de veronderstelling dat Mileiha tot ver in de eerste nachristelijke eeuw was bewoond.

Wetenschappers ontdekten een bijzondere schat in een paar onopvallende, ondiepe graven met botten van kamelen en paarden. Menselijke graven bestonden uit een met lemen bakstenen versterkte grafkamer, waarop een tot op grote afstand zichtbare toren werd gebouwd – dat lokte grafrovers aan, die alle waardevolle grafgiften meenamen. De graven van de dieren lieten de rovers links liggen – een vergissing, want men vond er waardevolle gouden medaillons en hangertjes, vooral bij de paardenskeletten.

Godsdienstoorlog of belastingontduiking?

Rond 633 vond nabij de tegenwoordig gedeeltelijk bij Sjardja horende stad Dibba (zie hoofdstuk 'Oostkust', p. 211 e.v.) een gedenkwaardige, voor de verspreiding van de islam belangrijke slag plaats, die vermoedelijk niet alleen om religieuze gronden werd gevoerd. In de stammenmaatschappij van Arabië uit die tijd was het gebruikelijk om verdedigende verbonden te sluiten. Nomadische bedoeïenen verenigden zich (zoals de Bani Yas-federatie in en rond Liwa); maar ook de oases en steden probeerden zich te beschermen tegen aanvallen (razzia's) van roofzuchtige nomaden. De permanent gevestigden sloten een soort 'niet-aanvals- en beschermingspact' met een van de stammen dat hen tegelijkertijd zou beschermen tegen rooftochten van andere nomaden. Als tegenprestatie zorgde de oase voor de voedselvoorziening van de stam. Voor de veehouders in de woestijn waren dergelijke 'razzia's' – de herkomst van dit woord is Arabisch – vaak uit nood geboren acties, om aan voedsel te komen. De beschermingsverdragen veranderden voortdurend. Werd een oase of stad bijvoorbeeld toch overvallen, dan zocht men een nieuwe bondgenoot en dat konden zelfs de leiders zijn van de geslaagde rooftocht.

Toen de profeet Mohammed rond 630 zijn boodschappers vanuit Mekka het Arabisch Schiereiland over zond, hadden die een brief op zak. Daarin nodigde Mohammed koningen, sjeiks en regenten uit zich aan te sluiten bij de nieuwe religie islam, anders zou hij zijn cavalerie uitsturen en ze afzetten. Het baarde opzien dat deze Mohammed het waagde hen met een eenvoudige brief bang te maken. Veel stamleiders en opperhoofden van oases en steden waren onder de indruk, zodat ze de voorwaarden accepteerden en zich aansloten bij de nieuwe religie. Tegelijkertijd zagen ze daarin niet meer dan een van de gebruikelijke beschermingsverdragen, in dit geval met Mohammed. Na zijn dood beschouwden veel stamleiders het verdrag dan ook als beëindigd. Daarom hadden de opvolgers van Mohammed (*kalif*) grote moeite de jonge gemeenschap van moslims bij elkaar te houden, hoewel ze vastberaden optraden tegen verraders.

In het zuiden van het Arabisch Schiereiland waren nauwelijks afvalligen – op de vorsten van Dibba na. De eerste kalief, Abu Bakr, stuurde daarom een leger naar Dibba om voor het voortbestaan van de islam te strijden. Op de grote begraafplaats aan de rand van Dibba liggen volgens de overlevering de deelnemers aan deze historische slag, die gewonnen werd door de ruiters van Abu Bakr. De tweede legende heeft een meer wereldse oorsprong – de stad Dibba weigerde, naar men zegt, tol te betalen en kreeg daarom te maken met grote woede en 'militair bezoek'.

Rechts: In 1932 bestond het eerste vliegveld van de Emiraten uit een stoffige weg in Sjardja. Nu beschikt de stad over een nieuwe luchthaven.

De Qawasim

De stad Sjardja wordt voor het eerst schriftelijk vermeld in 1490, en wel in de boeken van Ahmed bin Majid, die schreef dat men de stad zou kunnen vinden als men de sterren volgde vanaf het eiland Tunb. De Portugezen, die vanaf circa 1500 over de regio heersten, lieten nauwelijks geschreven stukken na, maar wel een paar vestingen aan de oostkust. Bij de Hollanders, die zich in de 17de en 18de eeuw eveneens in de Perzische Golf ophielden, heette de stad Scharge, want ze hadden moeite met de Arabische uitspraak, die zoiets als '*asch-schaariqa*' luidt, wat 'oosten' betekent. Later zouden de Engelsen de schrijfwijze 'Sharjah' bedenken. Eind 18de eeuw waren het de Qawasim die met hun vloot van bijna 1000 schepen en 20.000 zeemannen over de Perzische Golf heersten. Vanaf 1804 had sjeik Sultan bin Saqr bin Rashid al Qasimi een halve eeuw lang het lot van de stad en het emiraat in handen en veroverde hij de huidige bezittingen aan de oostkust. De Qawasim heersten nu over de Perzische Golf en de haven van Sjardja werd, naast Ras al-Chaima, tot hun tweede, belangrijke steunpunt. In de ambtsperiode van deze sjeik vielen ook de schermutselingen met het Britse Empire en de stad kreeg de slechte reputatie van 'piratennest'. Om die reden werd ze in 1820 samen met de vloot verwoest. Tijdens dit militaire conflict gingen de Qawasim een bondgenootschap aan met de uit Saoedi-Arabië afkomstige wahhabieten en gezamenlijk

kaart p. 94-95, info p. 180-181

streed men tegen de Britse heerschappij ter zee in de Perzische Golf (waarbij de Britten op hun beurt een verbond aangingen met de sultan van Oman). Dit historische bondgenootschap beïnvloedt het leven in Sjardja nog altijd, want het gaat door voor het meest 'zedige' van alle zeven Emiraten; het uitwisselen van liefkozingen is er meer dan slechts ongeoorloofd en er wordt ook geen alcohol verkocht.

Eén woord nog over de zogenaamde 'piraterij' waarover de strategen van het Britse Empire spraken. De huidige vorst, sjeik dr. Sultan bin Mohammed al Qasimi, is niet alleen een geletterde econoom, maar ook historicus, en hij heeft over deze periode een zeer interessant boek geschreven, *The Myth of Arab Piracy in the Gulf* (De mythe van de Arabische piraterij in de Golf). Daarin bewijst hij onder andere dat veel van de wandaden die de Europeanen in de schoenen hebben geschoven van de piraten en die de Europese geschiedschrijving aanvoert als reden voor de vernietiging van de stad en vloot, helemaal niet door hen werden gepleegd.

De eerste luchthaven

Nadat de Engelse vloot Sjardja kapot had geschoten, sloten de Britten een aantal vredes- en handelsverdragen om hun belangen te beschermen, waaronder één met deze stad. Omdat Sjardja destijds een belangrijker handelsplaats was dan Doebai, vestigde de Engelse *resident agent* zich hier in 1823 en niet in Doebai. Deze vertegenwoordiger beschermde niet alleen de Britse handelsbelangen (waartoe een veilige zeeroute naar India behoorde), hij had ook oog voor de politieke activiteiten van de Qawasim en bemiddelde tussen de emir en de Britse kroon. De nauwe betrekkingen met Engeland bleken in de jaren daarna belangrijk om te overleven. Want ook Sjardja werd getroffen door de neergang van de parelduikerij. De Tweede Wereldoorlog deed de handelsactiviteiten nog verder inkrimpen en in de jaren veertig verzandde de toegang tot de haven. Het tot een minimum gedaalde zeeverkeer verplaatste zich volledig naar Doebai en Sjardja verarmde zienderogen.

Alleen het vliegveld verzachtte de economische depressie een beetje. Ongeveer 3 km buiten de stad had Engeland in 1932 een stoffige zandweg en een barak aangelegd als tussenstop voor de luchtverbinding naar India. Alles wat aan materiaal nodig was, van water tot aan het eten aan boord, moest er met ezels naartoe worden vervoerd. Desondanks was er al wel een transferservice voor de eerste luchtreizigers die de stad inkwamen: ze reden op kamelen naar hun accommodatie.

Net als Aboe Dhabi beschikte ook Sjardja over een vesting, die echter niet buiten de stad lag, maar haar centrum was. Hier woonde de regerende familie die zowel eenvoudige burgers ter audiëntie ontving, als gasten (tegenwoordig ligt hier het bankdistrict). In de nabijgelegen Al Arooba Street vonden destijds nog paardenraces plaats.

Toen Wilfred Thesiger eind jaren veertig naar Sjardja kwam, was hij niet heel erg enthousiast over de armoedige stad en betreurde hij de negatieve gevolgen van het 'moderne' vliegveld: 'We naderden een kleine Arabische stad aan een ruim strand. Ze was net zo armoedig en bouwvallig als Aboe Dhabi, maar aanzienlijk smeriger, omdat ze met het vuil van onze beschaving was bedekt.'

*SJARDJA

Hoewel het kleine, gemoedelijke en vaak onderschatte ***Sjardja** ⓭ de eerste stad van de Emiraten was met een internationaal vliegveld en de eerste badhotels opende aan zijn **stranden** langs de **Al Meena Road**, bij het vissersdorp **Al Khan**, staat het toeristisch al lang in de schaduw van zijn grote buurvrouw Doebai. Dat heeft het eigenlijk niet verdiend, want onder zijn regent, sjeik dr. Sultan bin Mohammed al Qasimi, is het consequent zijn eigen weg gegaan. Toen de broer en voorganger van de sjeik, Khalid bin Sultan, er eind jaren zeventig naar het voorbeeld van Doebai mee begon de historische gebouwen van de stad op te offeren aan bredere straten, greep de sjeik in. Van de oude familieresidentie, de vesting in het hart van Sjardja, kon hij weliswaar alleen nog een toren en de toegangspoort redden, maar de oude binnenstad bleef vooralsnog bewaard, al was deze in vervallen staat. In de afgelopen decennia werd ze stapsgewijs opnieuw opgebouwd met gebruikmaking van oude materialen.

Sjeik dr. Sultan wilde niet met Doebai concurreren en als men een een groffe vergelijking maakt, dan is Doebai de fel geschminkte high society party lady, terwijl Sjardja het houdt op beschaafde kleuren en fraai aangelegde parken, het rustiger aan doet, het intellect en de muzen bevordert – en niet drinkt. Dat laatste is een concessie aan de Saoedi's. Dat zit zo: het Saoedische koningshuis bood de emir in de jaren tachtig bijstand toen hij in financiële nood was, op grond van de historische banden tussen wahhabieten en Qawasim, en schonk ook nog eens een moskee. Daarop voelde men zich in Sjardja moreel verplicht tegemoet te komen aan de Saoedische ideeën over omgaan met alcohol en kwam men tot de slotsom dat die verbannen moest worden. Sinds 1985 is het emiraat 'droog', wat betekent dat noch in hotels noch in bars sterke drank wordt verkocht.

Dr. sjeik Sultan bin Mohammed al Qasimi is een veelzijdig man, die onder de zeven regenten de bijnaam 'de geleerde' draagt, want hij, die zelf geschiedenis, geografie en landbouweconomie studeerde, bekommert zich ook om het uitbreiden van het onderwijs. Terwijl in Doebai de meest elegante hotels ontstonden, liet hij drie universiteiten, een bibliotheek en negen culturele centra voor vrouwen bouwen. Behalve zijn inspanningen voor de landbouw en

Rechts: Op de vismarkt van Sjardja is het vooral 's ochtends vroeg erg druk.

kaart p. 94-95, info p. 180-181

voor het behoud van het culturele erfgoed is hij ook een estheet en een liefhebber van de moderne kunsten. Terwijl zijn kinderen zelf actief de kunsten beoefenen, vergenoegt de sjeik zich met bezoeken aan musea over de hele wereld. Tijdens een bezoek aan het Uffizi in Florence zou hij vooral gefascineerd zijn geweest door de Maria-afbeeldingen – de witte hoofddoek van Maria zou hem aan de Arabische *dishdasha* hebben doen denken. Opdat ook zijn landgenoten kunnen genieten van moderne kunst, liet hij musea bouwen, organiseerde hij tentoonstellingen zoals de kunstbiennale, riep hij een kunstenaarsprijs in het leven en haalde hij kunstenaars uit de hele wereld naar Sjardja. Behalve de Heritage Area is er ook een Arts Area, een kunstenaarswijk.

De inspanningen van zijne hoogheid werden beloond met een bijzondere titel: de Unesco riep Sjardja in 1998 uit tot culturele hoofdstad, niet alleen van de Emiraten, maar van de hele Arabische wereld. Dat mag misschien een beetje flatterend zijn, als men denkt aan steden als Caïro of Damascus, maar het is een terechte beloning voor de inspanningen van de regent.

‘Smile, you are in Sharjah’

Maar ook in Sjardja kan men niet helemaal de ogen sluiten voor de verleidingen van de moderne tijd: de trend om kunstmatige eilanden aan te leggen grijpt op dit moment als een bacil om zich heen. Nadat Doebai begon met het wegzuigen van de zeebodem om land op te hopen in de vorm van een palm of zelfs van planeet aarde, begonnen ook in andere Golfstaten zoals Bahrein of Qatar soortgelijke bouwprojecten. In augustus 2005 kondigde Sjardja eveneens een megaproject aan: de **Al Nujoom Islands**, Sterren-eilanden. Voor 5 miljard dollar komen op een 50 km^2 groot gebied tien eilanden, die onderling door bruggen worden verbonden. Daarop moeten na de voltooiing vanaf 2010 zowel 2500 villa's als kantoorgebouwen en hotels komen. Het glimlachen, waartoe Sjardja zijn gasten uitnodigt in een toeristische slogan, zal dan nog wat breder uitvallen.

AAN DE CREEK

Net als Doebai ligt ook Sjardja aan een zeearm, de **Creek**, die echter niet verzandt in een vlakke delta, maar uitmondt in een grote baai, de **Khaled-lagune**. Het best rijdt u via de Al Arouba Street Sjardja binnen. Die loopt over een **eiland** dat midden in de lagune ligt. In de avonduren en in het weekend is het eiland een populaire bestemming voor families, want het **Jazeira Park** ① is met zijn kleine rondritjes en draaimolens een welkome afleiding van de dagelijkse sleur.

Meteen achter de brug ligt aan uw linkerhand de ★**vismarkt** ②. Hier is het het drukst in de vroege morgenuurtjes, als de vissers terugkeren van hun nachtelijke vaart, maar men heeft ook hart voor de wat langer slapende toeristen en daarom is er ook rond lunchtijd nog voldoende verse waar voor handen – niet alleen voor een foto: wie een vis koopt, kan die naar wens laten klaarmaken in een soort snackgelegenheid, verser kan niet. Schuin ertegenover is de **groente- en fruitmarkt** ③ in een eenvoudig, mooi gebouw ondergebracht, waar u rustig een keer door heen moet slenteren. De handelaren zijn zelfs 's avonds, na een lange dag, nog goedgehumeurd en stallen de meest exotische vruchten uit. Hier kunt u ook verschillende dadelsoorten en goede dadelsiroop proberen.

Op weg naar de oude binnenstad volgt u de weg langs de oever van de Creek, die aan de rechterkant opeens vol staat met bloembakken, want hier ligt de **plantenmarkt** ④. Slechts een paar meter verderop gaat deze weg langs de oever over in Sjardja's **Corniche Road** en meteen aan het begin, op de hoek met de Al Mina Road, is de **dieren- en vogelmarkt** ⑤, waar vermogende Emirati's jonge valken uit Perzië kopen. De Corniche loopt vervolgens langs de **haven** ⑥, waar oude **dhows** aanleggen om hun lading te lossen. Hier loont het laat in de middag te wandelen.

Boven: De groente- en fruitmarkt van Sjardja. Rechts: Op de plantenmarkt vindt u ook deze fraaie terracotta bloempotten.

★★HERITAGE AREA

Al Sheyouk en **Al Maraija** – achter deze beide stadswijken met hun welluidende namen aan de Corniche ligt het hart van Sjardja, de gerestaureerde ★★**Heritage Area** ⑦. Hier vindt u alle musea van het culturele erfgoed bij elkaar op een zeer klein oppervlak. In het begin is het wat moeilijk om u te oriënteren, want een paar huizen (Arabisch *bait*) dragen de namen van hun voormalige bezitters, zoals bijvoorbeeld het **Bait Sheikh Sultan bin Saqr al Qasimi**, ook wel Bait al Garbi genoemd, waar traditionele woonruimtes te zien zijn. Bij andere zegt de naam al wat de bezoeker kan verwachten, zoals bijvoorbeeld het **Museum voor klederdracht en cosmetica** of het **Schoolmuseum**.

Een overzicht van de musea en de kostbare restauratiewerkzaamheden geeft het **Restauratiemuseum**. Aan de hand van maquettes van huizen en ervoor-erna-foto's wordt duidelijk wat er allemaal is veranderd. U moet echter van tevoren bedenken wat u wilt zien, anders zult u veel van hetzelfde aantreffen. Zo zijn bijvoorbeeld in meerdere musea kleding en sieraden tentoongesteld. Wie toch alles wil bekijken, kan voor elk museum apart betalen, gemiddeld 3 DH, of de voordelige museumkaart voor 20 DH aanschaffen.

Bait al Nabouda / Heritage Museum

Wie niet alle musea wil bezoeken, maar slechts een overzicht wil krijgen van het historische Sjardja, moet zich begeven naar het prachtige gebouw **Bait al Nabouda**, waar het **Heritage Museum** is ondergebracht in lichte vertrekken. Er worden zaken tentoongesteld uit het dagelijkse leven zoals kleding en sieraden, maar ook gerei om vis te vangen of te koken. Het huis behoorde toe aan een welgestelde koopmansfamilie, de Naboudas, en was ook naar de maatstaven van weleer relatief royaal opgezet. Als een van de weinige historische gebouwen had het de eeuwen zo goed getrotseerd dat wat overgebleven was toereikend bleek voor een reconstructie; het hoefde niet helemaal

Arabian Gulf
Al-Khan Beach
Grand Beach
Lou-Lou'A Beach Resort
Sharjah Aquarium
AL KHAN
Carlton
Al Meena Road
Ewan
Summerland Motel
Premier
Marhaba Resort
Al Khan Road
Sanobar
Khaledia Park
AL KHALEDIA SUBURB
AL LAYEA SUBURB
Grand Hotel
Electricity & Water Authority
Al Huda Mosque
Arouba Road
Sharjah
Al Safia Park
Arab Cultural Club
Busheira Cinema
Metro Cinema
Al Khan Lagoon
AL JAZEIRA
Al Buheira Road
Marbella Resort
Hotel Holiday International
Fisherman Wharf
Mojo, Shiraz
Millennium
Clay Oven
Qanat Al Qasba
Al Qasba Canal
Corniche
Khalid Lagoon
Al Noor Mosque
Al Fardan S. C.
Road
AL MAJAZ
Al Majaz Park
Al Majaz Mosque
Corniche
Faisal
Al Fawar
Holiday Inn
Abu Shagara Park
Jamal Abdual Nasser Street
Al Wahda Road
King Faisal Square
ABU SHUGHARA
Safeer Mall, Dubai
INDUSTRIAL AREA 1
City Centre
INDUSTRIAL AREA 4
SJARDJA
0
400 m

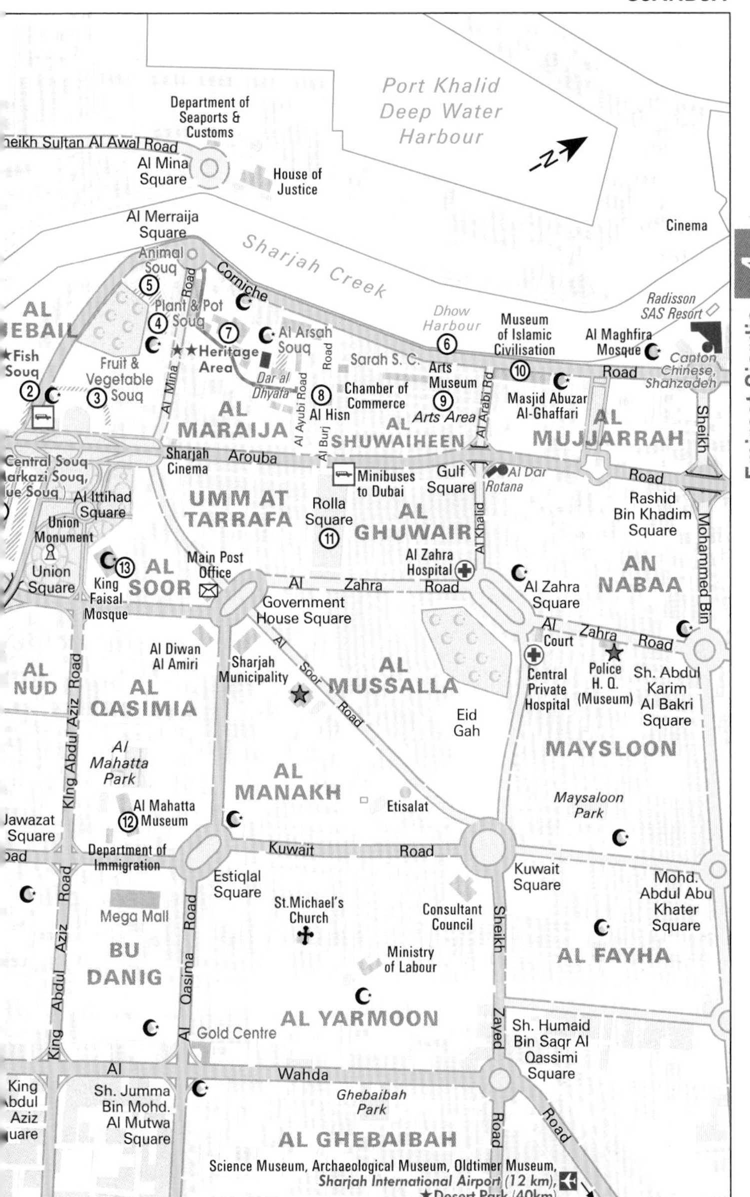

4 Emiraat Sjardja

nieuw te worden opgebouwd. Bij wijze van uitzondering heeft het Bait Nabooda geen windtoren: de verlichte alkoven in de vertrekken zijn eigenlijk luchtkanalen naar het dak.

Het **Majlis Ibrahim Mohammed al Midfa** is genoemd naar zijn eigenaar. Het huis en zijn inrichting zijn niet speciaal bijzonder, maar het is zeer fraai ingericht. Er is een kleine tentoonstelling gewijd aan de ook in Sjardja beoefende parelhandel en op het gebouw troont een architectonische eigenaardigheid: de enige ronde **windtoren** van de stad. Meneer Ibrahim, die hier tot 1983 woonde, speelde een bijzondere rol in de ontwikkeling van Sjardja tot culturele hoofdstad. In zijn functie als secretaris van het vorstenhuis had hij directe toegang tot de emir. Bij hem zette hij zijn beide verzoeken kracht bij om een bibliotheek op te richten en een krant in het leven te roepen – met succes!

Boven: Feestelijk getooide bruid. Het Museum voor homeopathie geeft informatie over schoonheidsmiddeltjes. Rechts: Schatkist met bedoeïenenzilverwerk in het museum voor traditionele sieraden.

Meteen om de hoek ligt de **Souk al Arsah**. Het probleem van gerestaureerde markten is echter elke keer hetzelfde: de muren zijn onberispelijk bepleisterd, de grond is niet stoffig, maar geplaveid, een paar lege winkels wachten nog op huurders en hoewel men met bouwmaterialen heeft gewerkt die op de originele materialen lijken, ontbreekt op de een of andere manier de juiste atmosfeer. Zo ook hier, maar een bezoek is niettemin de moeite waard. U kunt hier zelfs overnachten. In een van de zijstraatjes ligt een zeer fraai **hotel** met een paar kamers zonder de luxe van een vijfsterrenhotel. In plaats daarvan slaapt u direct boven de stegen van de markt. In het traditioneel ingerichte restaurant worden, als er voldoende gasten zijn, plaatselijke lekkernijen klaargemaakt. En voor souvenirzoekers is de souk helemaal de moeite waard, hoewel u met een paar artikelen mogelijk problemen met de Nederlandse of Belgische douane kunt krijgen. Daartoe behoren levende valken en, ietwat bevreemdend, borstbeelden van Hitler.

Voor een pauze is de **Al Arsah Coffee Shop** midden in de markt geschikt.

Museumtour

Het **Islamitische museum** heeft een prachtige tentoonstelling over zeldzame islamitische kunstwerken. Het draait er niet zozeer om religie, als wel om het exposeren van de aanwinsten van de islamitische wereld uit verschillende tijdperken en landen. De tentoongestelde voorwerpen, waaronder kostbare munten, gouden en zilveren sieraden, werden verzameld door dr. sjeik Sultan al Qasimi. In een aan de wetenschap gewijde zaal ziet u, behalve diverse instrumenten, een 1200 jaar oude Arabische wereldkaart.

Het **postzegelmuseum** is een must voor alle postzegelverzamelaars. In kleine sieradenkistjes worden onder an-

 plattegrond p. 172-173, info p. 180-181

dere de eerste gedrukte rijkspostzegels uit 1963 tentoongesteld, het jaar waarin ook het eerste postkantoor in Sjardja opende. Het Britse postagentschap in Bahrein hielp destijds bij het opbouwen van een functionerende service over land en per luchtweg. Op de postzegels werden niet alleen beroemde plaatselijke personen vereeuwigd, maar ook internationale gebeurtenissen.

Het **Museum voor traditionele sieraden** interesseert vooral vrouwen. Bij de bedoeïenen was het gebruikelijk om zilveren sieraden niet na te laten. Na de dood van de eigenares werden bv. onderdelen van zware kettingen uit elkaar gehaald en omgevormd tot nieuwe creaties. Ringen, arm- of voetbanden liet men omsmelten om tot nieuwe sieraden te verwerken. Daarom is dit museum, met zijn deels zeer oude stukken, zo bijzonder. Er worden ook nieuwere sieraden uit goud, deels met diamanten of parels bezet, geëxposeerd.

Als er voor papa en mama musea zijn, dan moeten kinderen er ook eentje hebben, namelijk het **Speelgoedmuseum**. De trotse bedoeïen die op zijn kameel zit met een geweer over zijn schouder en een valk op zijn arm en die met toegeknepen ogen in de verte staart– ook hij was ooit een dreumes die in het woestijnzand speelde. Maar waarmee? En waar haalde hij het vandaan? Uit welke materialen knutselden kinderen hun speelgoed in elkaar? Daarover geeft deze kleine tentoonstelling informatie.

Over de genezende kracht van de natuur vertelt het **Museum voor homeopathie**. Een melkachtig wit sap stroomt uit de zachte bladeren van de 'sodomsappel' (*Solanum sodomaeum*) als men deze inkerft. Het sap van de overal te vinden woestijnplant is tamelijk giftig, wist echter door te dringen tot de huisapotheek van de Emirati's, die daaruit een geneesmiddel samenstelden tegen astma en ademhalingsklachten. Meer spannende details, bijvoorbeeld met welke kruiden en lotions de grote en kleine kwaaltjes vóór de komst van aspirine werden behandeld of wat vrouwen ter beschikking stond om zich mooier te maken, krijgt u hier eveneens te horen.

Als laatste is er het **Museum voor munt- en penningkunde**. De Emiraatse dirham is er pas sinds de stichting van de staat in 1971, daarvoor was de rial betaalmiddel, de huidige muntsoort in het sultanaat Oman. Vóór de rial betaalde men zijn rekeningen een tijd lang met de Indiase roepie, die de vanwege zijn hoge zilvergehalte populaire Maria Theresia-daalder opvolgde. Hoe die in Arabië terecht kwam en welke munten sinds 2000 jaar in de zakken van Arabische dishdashas rinkelden, komt u hier te weten.

ARTS AREA

De Heritage Area wordt in het oosten begrensd door de Hisn Avenue (ook Burj Avenue), waarbij 'Avenue' vermoedelijk verkeerde associaties zal opwekken, want het gaat meer om een korte, doorgaande weg. Maar aangezien hier de voormalige residentie van de sjeik stond, het **Al Hisn** ⑧ (Arabisch 'vesting'), hoorde daar ook een welluidende naam bij. Het fort werd in 1820 gebouwd in het centrum van de stad en diende tot 1969 als woonhuis en vergaderplaats. Daarna werd het het slachtoffer van verkeersplanning. Er bleef slechts één toren over, de Muhalwasa Tower, die verloren op een vluchtheuvel stond. Tegenwoordig is het verloop van de straten veranderd, de gerestaureerde vesting ligt aan de rand van een autovrij plein. Binnen wacht de bezoeker een **volkenkundig museum** met foto's, wapens, documenten en een film over de ontwikkeling van de stad.

Aan deze Avenue grenst de stadswijk Al Shuwaiheen, waar de **kunstenaarswijk** ⑨ (**Arts Area**) ligt. In vijf historische huizen zijn onder andere ateliers van een paar kunstenaars ondergebracht, evenals verschillende galerieën, de Emirates Fine Arts Society en een **kunstenaarscafé** waar men heerlijk over de kunsten kan praten. Ertegenover, aan de zuidoostelijke kant van het Arts Square, rijst het imposante bouwwerk op van het in 1997 geopende **kunstmuseum** (Arts Museum). Sommige personen vinden de bijna saaie buitenkant ronduit lelijk, anderen zijn van mening dat de façade niet mag afleiden van de binnen geëxposeerde werken.

In de over twee verdiepingen verdeelde 72 zalen vindt u acht permanente exposities die onder andere gaan over de historische 'controverse tussen de Al Qawasim en het Britse leger'. Tot de kunstwerken behoren bedrukte stoffen, olieverfschilderijen, aquarellen en lithografieën, deels uit de 18de eeuw. Tijdens wisselende exposities worden modernere werken, waaronder foto's, bronzen beeldjes en beeldhouwwerk, tentoongesteld, deels gemaakt door de schilders en beeldhouwers van om de hoek. Opdat museumbezoekers de kunstenaars niet financieel ruïneren onder het motto 'Ik bewonder hun werken en heb ze allemaal gefotografeerd', moeten camera's in de tas blijven!

In het noorden van de kunstenaarswijk ligt het architectonisch zeer geslaagde gebouw van het **Museum of Islamic Civilisation** ⑩, dat u makkelijk herkent aan de goudkleurige koepel. Tot 2007 bood het onderdak aan de Souk al Majarra, maar omdat die amper bezocht werd besloot men het pand een andere bestemming te geven. Meer dan 5000 objecten van de meest uiteenlopende tijdperken verschaffen informatie over de geschiedenis en de verworvenheden van de islam. In de expositieruimte in het souterrain domineert de religie zelf; getoond worden historische munten, documenten, edities van de koran en, als een van de pronkstukken, een oude deur van de Ka'ba in Mekka. Op de eerste verdieping gaat het hoofdzakelijk om islamitische kunst, kleding en cultuur. Het ruime café bevindt zich direct onder de met een sterrenhemel ver-

Rechts: Souk al Markazi, het door een parel gekroonde Union Monument en de King Faisal-moskee.

sierde koepel en ook de obligate museumshop ontbreekt niet.

BINNENSTAD

Veel levendiger is het op het **Rolla Square** ⑪ in het centrum. Vroeger stond hier een enorme banyanboom (*Ficus bengalensis*), waarvan de loten rond het plein werden geplant. Naar men zegt bereikte de boom de bijbelse ouderdom van meer dan 180 jaar. Tegenwoordig gedenkt een betonnen monument de Abu Sjajjara, de vader van de bomen. In de avonduren is dit een populair trefpunt van de Indiase gastarbeiders. Op de nationale feestdag begin december wordt het plein gebruikt voor culturele evenementen.

Vanaf het Rolla Square is het slechts een paar meter naar het door flatgebouwen omzoomde **Al Zahra Square**. In de buurt vindt u het **hoofdbureau van de politie** met een klein **museum**, dat met tentoongestelde stukken zoals valse bankbiljetten en in beslag genomen drugs niet zoveel bezoekers aantrekt.

Het **Al Mahatta museum** ⑫, dicht bij het **Estiqlal-plein**, is interessant voor fans van de geschiedenis van de luchtvaart. Dit **luchthavenmuseum** staat op het terrein van de in 1932 aangelegde airport en laat gedenkstukken zien van de afgelopen 70 jaar. De korte film over de stoffige, dagelijkse gang van zaken op het vliegveld in het begin van de jaren dertig is amusant en toont mooie opnamen uit vervlogen tijden. De nabije **King Abdul Aziz Road** loopt over de toenmalige startbaan.

De **King Faisal-moskee** ⑬ is een geschenk van Saoedi-Arabië. Met plaats voor 3000 gelovigen was ze indertijd de grootste moskee van de VAE. De King Faisal-moskee staat naast een groot park, het **Ittihad Square** (Plein van de Vereniging). In het midden verrijst een hoge, met een parel gekroonde zuil, het **Union Monument**, dat de stichting van de staat herdenkt.

*SOUK AL MARKAZI

Hét symbool van Sjardja is de in 1979 geopende ***Souk al Markazi** ⑭ (Central Souk, Blue Souk). Het 19 miljoen euro dure bouwwerk is optisch erg aansprekend. De façaden zijn versierd met kalligrafieën en blauwe tegels, waardoor het ook wel de '**Blue Souk**' wordt genoemd. De beide parallel lopende tongewelven zijn elk voorzien van tien gestileerde windtorens en zien er vanuit de verte bijna uit als twee lange spoortreinen. Ondanks de moderne winkelcentra die de afgelopen jaren in Sjardja zijn geopend, heeft deze markt niets van zijn aantrekkingskracht verloren. Want de keuze in de ruim 600 winkels is groot. Er zijn juweliers, muziekwinkels, geldwisselaars, antiekzaken, boetieks en verkooppunten met vrijetijdskleding. De souk ligt aan de oever van de Khaled-lagune. Wandelt u richting het zuiden, dan komt u bij een fraai park.

SCIENCE MUSEUM EN ARCHEOLOGISCH MUSEUM

Dat het aan de oostelijke rand van de stad, dicht bij de Culture-rotonde gelegen **Science Museum** voor kinderen en jeugdige personen werd ontworpen, betekent geenszins dat niet ook volwassenen hier iets bij kunnen leren. U loopt niet slechts door de modern ingerichte expositieruimtes die gewijd zijn aan verschillende thema's als 'het menselijk lichaam, 'bouw en functie van de organen' of 'elektriciteit – je dagelijkse begeleider', nee, hier kunt u ook knoppen indrukken die dan borden doen oplichten, en bovendien is er een magische show waarin wordt gedemonstreerd hoe water in een omgekeerd glas kan blijven hangen, hoe bloemen worden ingevroren en vervolgens barste als glas – kortom, levendige wetenschap om aan te raken. Bijna iedereen heeft tegenwoordig een computer thuis om op internet te surfen; maar hoe het web tot stand kwam, functioneert en wie het toebehoort, weet bijna niemand. Het bijbehorende **planetarium** laat de sterrenhemel boven Sjardja zien en ontvoert jaarlijks ruim 50.000 bezoekers naar de eindeloosheid van het heelal.

Rechts: In het Arabia Wildlife Centre van het Sharjah Desert Park leven oryx-antilopen die bijna waren uitgestorven in de VAE.

Meteen daarnaast staat het **Archeologisch Museum** (Archeological Museum). Bij de trefwoorden 'archeologie' en 'museum' krimpt menig toerist ineen en denkt aan eindeloze reeksen vitrines met scherven van stenen die onder het stof zitten en verroeste handgrepen van dolken, waarbij scheef hangende, vergeelde of zelfs onleesbare bordjes hangen. Dat het ook heel anders kan, bewijst het door de sjeik persoonlijk ingewijde museum. Het hecht grote waarde aan creatieve tentoonstellingen waarbij men zich niet verveelt en die het klassieke tentoonstellingsconcept verbinden met de modernste technieken. Natuurlijk blijft een scherf van een pot een scherf van een pot, maar als op een eenvoudig te bedienen computer ernaast een grafiek verduidelijkt waartoe die pot behoorde en hoe ze werd gemaakt, wordt alles veel levendiger. Satellietfoto's, kaarten, foto's en videofilms behoren eveneens tot het informatieprogramma. Voor jongere bezoekers zijn op een paar pc's interactieve videospelletjes geïnstalleerd om op speelse aard en wijze het onderwerp archeologie dichterbij te brengen.

In het verleden zochten archeologen voornamelijk naar legendarische goudschatten of verdwenen steden en paleizen, waarvan de ontdekking hun roem en respect zou opleveren. Daarbij gingen ze voor een deel nietsontziend te werk en veel van wat thans van betekenis is voor het bestuderen van het alledaagse leven van de mensen van toen, ging onherroepelijk verloren. Hoe archeologen nu te werk gaan, hoe ze werken en wat ze precies willen onderzoeken en ontdekken, daarover informeert de eerste zaal van het museum met het thema 'Wat is archeologie?'. In de volgende zalen wordt de ontwikkeling van Sjardja gedocumenteerd, van het stenen

plattegrond p. 172-173, info p. 180-181

tijdperk tot aan de moderne tijd in chronologische volgorde.

Oldtimer-museum

Op de route naar Dibba moeten liefhebbers van oude auto's een stop inlassen bij het **Oldtimer-museum** (dicht bij het **vliegveld**). Meer dan honderd historische motorvoertuigen die over de eerste wegen van Sjardja reden, staan glimmend gepoetst in de hallen.

*SHARJAH DESERT PARK

Ook het ***Sharjah Desert Park** ⓮ is een excursie waard en ligt ongeveer 40 km buiten de stad. Daar nodigt het kostbaar ingerichte **Natuurhistorisch Museum** uit tot een reis door de tijd. Alle tijdvakken worden aanschouwelijk uitgebeeld, vanaf het begin van de aarde, toen deze nog roodgloeiend door het heelal zweefde, tot aan het ontstaan van menselijk leven. Modellen van dinosaurussen, een mechanische kameel met een huid van glas, kleurige borden en kaarten waarop een boel knoppen vallen in te drukken, en een 'actieve vulkaan' laten de tijd snel voorbijgaan.

Op het terrein bevindt zich verder het **Arabia Wildlife Centre**, de enige dierentuin in Arabië die meer dan 100 inheemse diersoorten presenteert die alle natuurlijk voorkomen op het Arabisch Schiereiland. Of het nu reptielen zijn, vissen, insecten of vogels, ze krijgen allemaal een plaats. In een speciaal ingericht verblijf kunt u zelfs dieren observeren die 's nachts actief zijn, en wie de uiterst zeldzaam geworden Arabische **luipaarden** wil zien, hier is het mogelijk. Vanuit het café heeft u uitzicht op het **flamingo-meer**, in de buurt rennen struisvogels die hun halzen tijdens het baltsen bijna in de knoop buigen. Rond 1965 was de **oryx-antilope** in deze streek uitgestorven; tegenwoordig is dit dier er weer op het Arabisch Schiereiland, zowel in de vrije natuur als hier in de dierentuin.

Voor de kleine bezoekers is er een **kinderboerderij** met ezels, koeien, paarden, kamelen en geiten, en in tegenstelling tot het Wildlife Centre is voederen hier wel toegestaan.

SJARDJA (☎ 06)

Het emiraat heeft geen afdelingen in het buitenland. Ter plekke kunt u zich wenden tot het bureau voor toerisme op de 9de verdieping van de Crescent Tower aan de Buhairah Corniche, tel. 556 6777. Op het vliegveld is een 24 uur geopend bijkantoor, tel. 558 1000, www.sharjah-welcome.com.

AMERIKAANS: **Chili's** in het Sahara Center, tel. 282 8484, behoort tot een keten die naast hamburgers ook een paar goede visgerechten aanbiedt. Voor de lunchpauze kunt u kiezen uit lichte soepen en salades. Verder zijn in de drukke stadswijken alle fastfoodketens te vinden.

ARABISCH: Tevergeefs zoekt men een restaurant met Emiraatse keuken in Sjardja, in plaats daarvan vindt u een paar goede Libanezen, bijvoorbeeld **Al Fawar** in de King Faisal Road, tel. 559 4662, of **Jabal Lebnan** in de Jamal Abdel Nasser street, tel. 555 7520, beide eenvoudig maar goed. U moet zich niet door de naam laten afschrikken bij **Automatic** aan de Buhaira Corniche, tel. 572 7335; het betreft weliswaar geen toprestaurant, maar u eet er goed en heeft zicht op de lagune. Eenvoudig, maar voordelig en goed is ook de keuken van **Sanobar** in de Al Khan Road, daarom zitten er altijd veel mensen.

CHINEES: In **China Town**, tel. 553 9778, vindt u goede noedelgerechten uit het Verre Oosten, alleen bij de Pekingeend krijgt men het gevoel dat die zelf is komen aanvliegen. Beter eet u die in het voorname **Canton Chinese** van het Radisson SAS Hotel, tel. 565 7777, dat ook mooier is ingericht.

INTERNATIONAAL: Het **Dhau Restaurant,** tel. 573 0222, ligt ten zuiden van de Central Souk vastgemeerd aan de oever van de Khaled-Lagune en is een van de oudste restaurants van de stad met voortreffelijke vis- en grillgerechten, een zeer goed lunchbuffet voor een redelijke prijs en een fraai uitzicht over de lagune. Een misschien wat willekeurige keuze aan internationale gerechten à la carte of bij het buffet biedt **Al Dar** in het Rotana Hotel in de Al Arouba Street, tel. 563 7777, wat echter geen afbreuk doet aan de kwaliteit!

INDIAAS: Uit de **Clay Oven** (klei-oven) vlak bij het Al-Qasba-kanaal, tel. 556 2312, verschijnen rond lunch- en dinertijd zeer goede tandorispecialiteiten. Vegetariërs opgepast, **Kwality** in de Al Wahda Road, tel. 559 1016, biedt veel vleesloze – en kruidige – Indiase gerechten.

ITALIAANS: Wie na een paar alweer-rijst-als-bijgerecht-dagen zin heeft in een stevig noedelgerecht of een flinke pizza, die rijdt naar het chique **Ceasar's Palace** in het Marbella Resort, tel. 574 1111. Reserveert u een plaats op het terras in de tuin! **Pizza Express** aan de Buhairah Corniche, tel. 572 8364; de naam dekt de lading.

PERZISCH: **Shahzadeh** van het Radisson SAS Resort aan het Ahmed bin Darwish Square, tel. 565 7777, heeft een goede reputatie, o.a. door het uitgebreide lunchbuffet voor een faire prijs. In **Shiraz** van het Millenium Hotel aan de Buhaira Corniche, tel. 519 2222, adviseert het vriendelijke personeel de onkundige gast over de finesses van de Perzische keuken.

SEAFOOD: De **Fisherman Wharf** in het Hotel Holiday International, tel. 573 6666, is weliswaar ingericht als een zeemanskroeg, maar men gedraagt zich er beter; de gerechten van het overvloedige buffet zijn zeer goed. Op de eerste verdieping van het Millenium Hotel aan de Corniche Road serveert **Mojo**, tel. 556 6666, zeevruchten in Aziatisch gewaad. Lekker! Er bestaan mensen die houden van de Engelse keuken – die kunnen eventueel gelukkig worden in **Oceans's Fish & Chip** op de hoek Al Arouba/Al Khan Road, tel. 556 7733.

BAR: Geen alcohol, geen bars – op naar Doebai!

CAFÉS: Aan de Buhaira Corniche zijn diverse goede cafés, waaronder **Gerards Patisserie**, altijd goed voor een koffie verkeerd en een tweede croissant, of het **1st Avenue Café.** Heel Arabisch is **Al Gahwa al Shahbeya**, veel zoetigheden vindt u bij **Samadi Sweets**. De **Starbucks** hier is zoals overal ter wereld. Lekker ontspannen gaat het toe in de **Al Arsah Public Coffee Shop** in de Al Arsah Souk.

IJS: Wilt u een ijsje? Bijzonder lekker is dat bij **Baskin Robbins** in de Al Wahda Road of in het **Café Gelato** aan de Buhaira Corniche.

INTERNETCAFÉS: Vindt u vooral in de nieuwe winkelcentra, in de Al Arouba Street en op het Rolla Square.

RECREATIE: Recreatiemogelijkheden beperken zich in Sjardja hoofdzakelijk tot de stranden en badhotels in het stadsdeel Al Khan. De beste duikgebieden van Sjardja bevinden zich aan de oostkust.

GO-KART: Naast de Sjardja Sport Club biedt **Formula One's** een 500 meter lang raceparcours voor professionals, beginners en kinderen vanaf 10 jaar. Enige voorwaarde: de kids moeten wel met de voeten bij de pedalen kunnen. Vóór de race is er een veiligheidsinstructie, voor helmen wordt gezorgd.

In Sjardja vindt u een paar grote winkelcentra die proberen te concurreren met Doebai. Tijdens de vastenmaand Ramadan vindt een klein winkelfestival met exposities plaats en in maart de zogenaamde 'voorjaarspromotie'. Dit kan in de verste verte niet rivaliseren met het Shopping Festival in Doebai, maar het biedt wel een goede gelegenheid voor het een of andere koopje. De zoektocht zou kunnen beginnen op de vier etages van de **Al Taawun Mall** aan de uitvalsweg naar Doebai en verder kunnen gaan in het architectonisch opvallende **Sahara Centre**. De ingang van het glazen paleis is met een tentconstructie overdekt, binnen bieden 155 merkwinkels overeenkomstige waar aan. Voor kinderen is **Adventureland** neergezet, voor volwassenen is er de **Multiplex-bioscoop**.

Begin 2005 opende de **Safeer Mall** in de Al Wahda Road, waarvan de 300 winkels naar eigen zeggen 'een enorme keuze aan winkel- en ontspanningsmogelijkheden voor de hele familie' bieden – dat mag ook wel, met 111.500m^2. Een groot aanbod aan mode en elektronica en een schoenmaker vindt u in het **Sharjah City Center** een paar honderd meter verder de straat in richting binnenstad.

BUS: Er is (nog) geen openbaar busnet in Sjardja, alleen een regelmatige verbinding naar Doebai. Die vertrekt vanaf het Rolla Square. Naar men zegt zal er een busnet worden opgezet. De badhotels bieden hun gasten meestal een gratis shuttle service naar Doebai aan.

GEDEELDE TAXI: Omdat er geen openbaar busnet is, zijn gedeelde taxi's het voordeligste reismiddel voor de lange afstand. Ze vertrekken vanaf verschillende plaatsen, richting Ras al-Chaima (ca. 15 DH) vanaf de Al Arouba Street ter hoogte van de Hamra-bioscoop, naar Al Ayn en Aboe Dhabi (beide ca. 30 DH) naast de groente- en fruitmarkt, naar Doebai (ca. 5 DH) vanaf het Rolla Square en naar de oostkust (tussen de 20 en 30 DH) via Al Dhaid (ca. 10 DH) vanaf de halte aan het Khaleej Square.

TAXI: Alle taxi's hebben een taximeter, de beginprijs bedraagt overdag (6-22 uur) 2 DH, 's nachts 3 DH, elke verdere kilometer ca. 1 DH. **Beltaxi's**: Delta Taxi, tel. 559 8598, Gharnata, tel. 539 8008.

HUURAUTO: Behalve de bekende internationale verhuurbedrijven als Avis en Hertz zijn er absoluut goede plaatselijke verhuurbedrijven; prijzen vergelijken loont (en helpt bij het onderhandelen).

Vliegveld: op 12 km van het centrum, tel. 558 1000. Een taxi kost ca. 40 DH, de bussen van Airport City Link rijden regelmatig naar de binnenstad en kosten 5 DH.

Het **hoofdpostkantoor** ligt in de Al Zahra Road vlak bij het Gouvernment House Square, tel. 572 2219.

WISSELEN / GELDAUTOMAAT: Wisselkantoren vindt u in de Central Souk en in de Arouba Street, banken met geldautomaten bevinden zich in de Burj of Hisn Avenue. Soms kunt u ook met een EC-pas geld pinnen.

APOTHEEK: In de Al Arouba Street. Alle ziekenhuizen hebben een aangesloten apotheek. Nachtapotheken staan vermeld in de kranten.

ZIEKENHUIS: **Al Qasimi Government Hospital**, in de Wasit Road, tel. 538 6444. **Al Zahra Private Hospital**, aan het Al Zahra Square, tel. 561 9999. **Kuwaiti Government Hospital**, in de Al Kuwait Road, tel. 524 2111.

TANDARTS: in het **Al Zahra Private Hospital**.

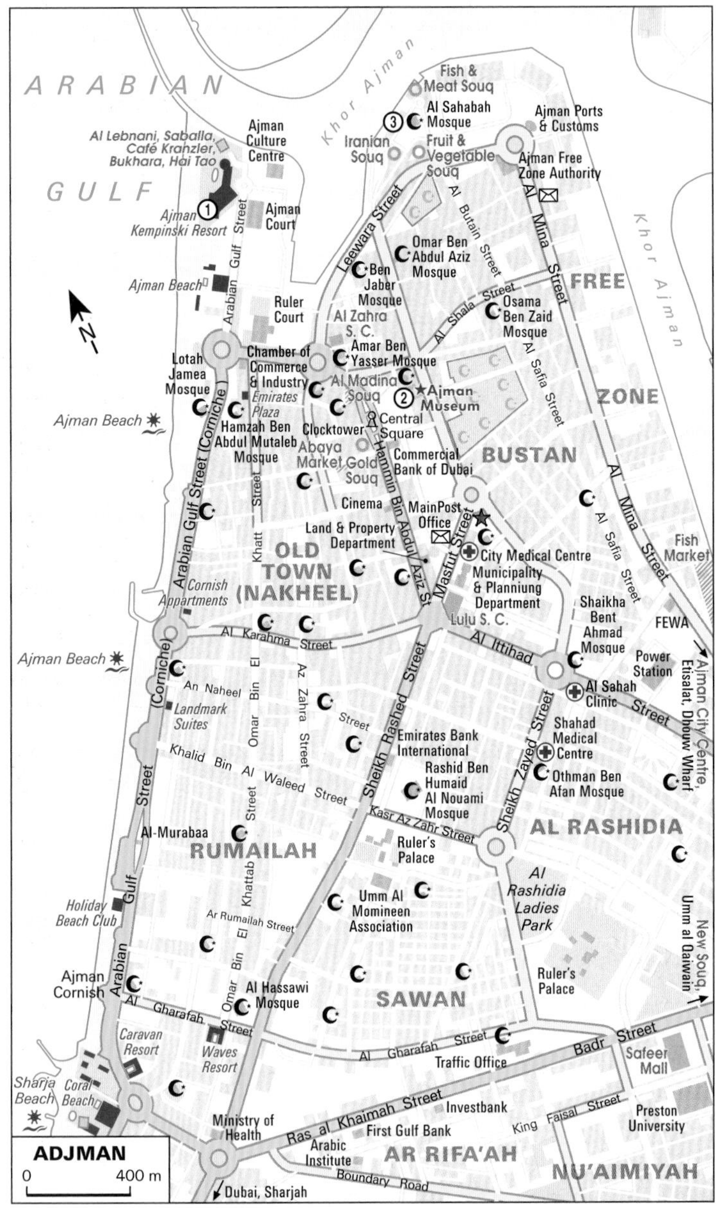
ARABIAN GULF
Khor Ajman
Fish & Meat Souq
Al Sahabah Mosque
Ajman Ports & Customs
Iranian Souq
Fruit & Vegetable Souq
Ajman Free Zone Authority
Al Lebnani, Saballa, Café Kranzler, Bukhara, Hai Tao
Ajman Culture Centre
Ajman Kempinski Resort
Ajman Court
Leewara Street
Al Butain Street
Al Mina Street
Omar Ben Abdul Aziz Mosque
Ben Jaber Mosque
FREE ZONE
Ajman Beach
Arabian Gulf Street
Ruler Court
Al Zahra S. C.
Al Shala Street
Osama Ben Zaid Mosque
Amar Ben Yasser Mosque
Lotah Jamea Mosque
Chamber of Commerce & Industry
Al Madina Souq
Ajman Museum
Emirates Plaza
Al Safia Street
Hamzah Ben Abdul Mutaleb Mosque
Clocktower
Central Square
Abaya Market
Gold Souq
Commercial Bank of Dubai
BUSTAN
Arabian Gulf Street (Corniche)
Khatt Street
Hammin Bin Abdul Aziz St
Cinema
MainPost Office
Land & Property Department
OLD TOWN (NAKHEEL)
Masfut Street
City Medical Centre
Municipality & Planniung Department
Fish Market
Cornish Appartments
Shaikha Bent Ahmad Mosque
FEWA
Lulu S. C.
Al Karahma Street
Al Ittihad Street
Power Station
Ajman City Centre, Etisalat, Dhouw Wharf
(Corniche)
An Naheel Street
Omar Bin El
Az Zahra Street
Sheikh Rashed Street
Al Sahah Clinic
Landmark Suites
Shahad Medical Centre
Emirates Bank International
Khalid Bin Al Waleed Street
Rashid Ben Humaid Al Nouami Mosque
Sheikh Zayed Street
Othman Ben Afan Mosque
Kasr Az Zahr Street
Al-Murabaa
RUMAILAH
Khattab Street
AL RASHIDIA
Ruler's Palace
Al Rashidia Ladies Park
Holiday Beach Club
Umm Al Momineen Association
Ar Rumailah Street
Omar Bin El
New Souq, Umm al Qaiwain
Ajman Cornish
Al Hassawi Mosque
SAWAN
Ruler's Palace
Al Gharafah Street
Caravan Resort
Waves Resort
Traffic Office
Badr Street
Safeer Mall
Sharja Beach
Coral Beach
Ras al Khaimah Street
Investbank
King Faisal Street
Preston University
Ministry of Health
First Gulf Bank
Arabic Institute
AR RIFA'AH
NU'AIMIYAH
Boundary Road
Dubai, Sharjah
ADJMAN
0 400 m

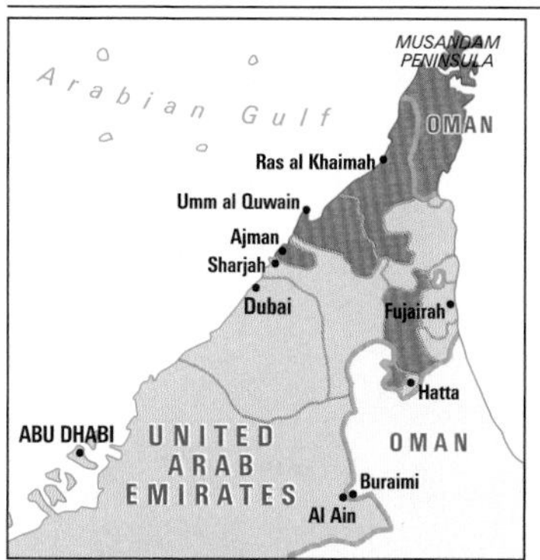

NOORDELIJKE EMIRATEN EN MUSANDAM

ADJMAN
OEM AL-KOEWAIN
RAS AL-CHAIMA
SCHIEREILAND MUSANDAM
(OMAN)

DE DRIE NOORDELIJKE EMIRATEN

Ten noorden van Sjardja liggen de drie emiraten Adjman, Oem al-Koewain en Ras al-Chaima, die door een kustweg met elkaar zijn verbonden en één ding gemeenschappelijk hebben: ze liggen aan de rand van het toeristische centrum. Maar ze hebben hun charme weten te behouden, want hun oude centra liggen gedeeltelijk op smalle landtongen die niet veel plaats lieten voor grote uitbreidingen. U moet weliswaar geen gerestaureerde gebouwen verwachten, maar in tegenstelling tot de fonkelende hoogbouw van Aboe Dhabi of Doebai gaat het er hier nog rustig aan toe. Weliswaar zijn ook in deze emiraten nieuwe stadswijken gekomen die met hun moderne flatgebouwen niet bepaald bijdragen aan een aantrekkelijk stadsbeeld, maar deze wijken liggen als een begelegeringsring voor de oude stad. Heeft u deze ring eenmaal doorbroken en heeft u het centrum bereikt, dan is soms nog een blik achter de oude coulissen mogelijk.

De noordelijke emiraten behoorden dankzij hun grondwatervoorraden, die werden gevoed door de nabijgelegen Hajjarbergen, tot de vroegste nederzettingsgebieden en tegenwoordig nog tot de vruchtbaarste gebieden van het land. Uit elk tijdvak zijn sporen van menselijke activiteiten bewaard gebleven. Voor liefhebbers van archeologie zijn er interessante opgravingen, waar hier en daar nog wordt gewerkt, en met een beetje geluk krijgt u zelfs van de wetenschappers ter plaatse actuele informatie. Wie niet daarop vertrouwt, bezoekt de musea in de respectieve hoofdsteden, waar veel van de op deze manier bijeengebrachte artefacten zijn tentoongesteld.

Voorgaande pagina's: Het fort van Khasab op het schiereiland Musandam, dat tot het sultanaat Oman behoort.

Vanuit Doebai of Sjardja is de regio in één dag te bereizen, als u een keuze maakt. Dat kunnen bijvoorbeeld de dhowwerfen van Adjman zijn, de archeologische opgravingen van Al Dur, een parachutesprong in het emiraat Oem al-Koewain of het landschap in het emiraat Ras al-Chaima. In de respectieve hoofdsteden bieden zowel eenvoudige als luxueuze accommodatie bezoekers een dak boven het hoofd.

Een tip voor avonturiers: men neme een terreinwagen en het boek *UAE Off Road Explorer* met gedetailleerde satellietkaarten en routebeschrijvingen. Want hoewel de zandwegen in de bergen in toenemende mate worden geasfalteerd in de Emiraten, om de aldaar wonende mensen een makkelijker toegang tot de markten van het land te ver-

schaffen, zijn er nog genoeg stoffige zandwegen over naar bezienswaardige oases. In de vermelde wegenatlas wordt ook het Musandam-schiereiland beschreven, dat tot het sultanaat Oman behoort en een voortreffelijke bestemming is voor een toer door de drie noordelijke emiraten.

EMIRAAT ADJMAN

Rijdt u van Sjardja richting het noorden, dan kan het gebeuren dat u het bijna aan elkaar gegroeide, verstedelijkte gebied **Adjman** al door bent gereden, voordat u de naam op de kaart heeft gevonden, zo klein is het emiraat. De vorst ervan, sjeik Humaid V. bin Rashid al Nuaimi, regeert sinds 1981 over precies 259 km^2 met een kustlengte van 16 km (dat stemt overeen met slechts 0,3% van het Emiraatse landoppervlak). Het emiraat telt rond de 360.000 onderdanen.

Desondanks beschikt het nog over een paar eilanden in de Golf en twee kleine enclaves: de **Oase Manama**, ongeveer op 60 km van de kust in de buurt van Al Dhaid, en het kleine plaatsje **Masfut** in de buurt van Hatta aan de grens met het sultanaat Oman. Ze zijn belangrijk voor het emiraat, omdat er vruchtbaar land ligt, wat het Adjman tenminste voor een deel mogelijk maakt zichzelf te voorzien van landbouwproducten, want olie valt hier niet te bespeuren.

Ook profiteert het emiraat van de federatie door financiële steun uit Aboe Dhabi. De botenbouwers van Adjman behoorden echter al in het verleden tot de beste van hun gilde en ze hebben de sprong naar de moderne tijd in zoverre goed doorstaan dat er een moderne **scheepswerf** is, de grootste van de Emiraten, die voor constante inkomsten zorgt. Het benodigde staal daarvoor wordt eveneens ter plaatse geproduceerd. Andere industriebedrijven hebben zich gevestigd in der vrijhandelszone Hamriya.

In menig opzicht mag de – hoewel korte – afstand van de economische

Boven: Straatmarkt in de oase Manama. Rechts: Deze kleurige deur siert een woning in de oase Masfut.

 kaart p. 94-95, plattegrond p. 184, info p. 202-203

centra een nadeel zijn, in één opzicht is het echter een voordeel: de huurprijzen zijn lager en omdat Adjman slechts op een kleine 10 km van Sharjah en 20 km van Doebai ligt, geven steeds meer werknemers de voorkeur aan deze rustige en gunstige woonomgeving. Daar moeten ze echter wel de dagelijkse files 's ochtends en 's avonds voor op de koop toenemen.

ADJMAN

Toeristisch gezien ligt de **stad Adjman** ⓯ nog net genoeg binnen bereik om voor gasten die niet in de drukte van Doebai of de ietwat benauwde leefomgeving van Sjardja tot rust willen komen, een waardig alternatief te zijn. Het fijne witte ***zandstrand** is lang en schoon en de afgelopen jaren is de toeristentechnische infrastructuur steeds meer verbeterd.

Daartoe behoren verschillende middenklasse hotels en één luxe hotel, het **Adjman Kempinski Resort** ①, en spoedig ook een (reeds geplande) jachthaven met nog meer hotels.

*Museum in het fort

Adjman is klein, overzichtelijk en ligt aan de oever van een grote baai, de Khor Adjman, waar zich de haven, de moderne werven en – op de tegenoverliggende oever – de dhowwerven bevinden.

Komend vanuit Sjardja volgt u de **Sheikh Rashid Street**, een van de hoofdwinkelstraten, en dan belandt u midden in de stad.

In het centrum staat de obligate **klokkentoren**, direct daartegenover de oude **vesting** op het Central Square. Het emiraat was altijd al zo klein, waardoor de Britten het waarschijnlijk tijdens hun strafexpeditie tegen de piraten begin 19de eeuw over het hoofd zagen. In ieder geval dateert het fort uit 1775 en diende het de regerende familie vele jaren als woonplaats. Het oudste bouwwerk was echter een louter verdedigingscomplex zonder veel wooncomfort. Daarom breidde men de vesting in de loop van de tijd stapsgewijs uit, onder andere met goed bewaard gebleven vertrekken met windtorens. Daarna wil-

de ook sjeik Humaid mooier wonen, liet voor zichzelf in 1970 een nieuw paleis met airconditioning bouwen en liet de vesting na aan de plaatselijke politie. Dikke muren, kleine ramen, met ijzer beslagen deuren – ideaal voor een gevangenis. Tot eind jaren zeventig waren de oude muren tegen elke vluchtpoging bestand, daarna begonnen ze af te brokkelen, zodat men niet eens gereedschap nodig had om er een gat in te boren. Gevangenen eruit, bouwvakkers erin, en na tien jaar hameren, schuren en timmeren was in 1991 een klein, maar fijn *museum ② af, dat zich niet hoeft te schamen tegenover de hightech-showroom in Doebai.

Het alledaagse leven staat in het middelpunt en hoe zou zich dat van dat in Aboe Dhabi of Sjardja onderscheiden? De mensen leefden van de visvangst, de parelduikerij, aten dadels en luisterden naar de radio! Jawel, radio. Weliswaar pas vanaf 1961 en slechts een paar jaar lang, maar toch bevond zich hier het eerste radiostation van de Verenigde Arabische Emiraten, die de toenmalige vorst, sjeik Abdullah Ali bin Hamdha, liet oprichten. Het programma was echter niet erg gevarieerd en werd vooral door de inhoud van de koran bepaald. In de 'broadcast'-zaal wordt oude apparatuur tentoongesteld.

Boven: Een groot, net zandstrand en het comfortabele, goed geleide Kempinski Resort lokken strandvakantiegangers naar Ajman.

Al op de binnenplaats begint een gedetailleerde uitbeelding van de alledaagse **leefwereld** in het tijdperk vóór de olie. Dit gebeurt met behulp van levensgrote figuren: onder een boom vult een man de voor de gemeenschap neergezette drinkwatertanks, terwijl zijn ezel geduldig wacht – want ook die is niet echt. De expositie gaat verder op de twee etages van de voormalige woonvertrekken – let u er bijvoorbeeld eens op met welke middelen de kapper te werk gaat. Dat men zich bij het genezen van ziekten niet alleen op de uitwerking van kruiden verliet, maar ook hulp zocht bij de koran, zal niet echt verrassen – maar het 'hoe' misschien wel: de arts schreef verzen uit de koran met een

plattegrond p. 184, info p. 202-203

bijzondere inkt uit rozenwater op, spoelde de woorden voorzichtig van het papier af en gaf het heilige water aan de patiënt te drinken.

In andere zalen worden archeologische vondsten en een bijbehorend **rond graf** van Mowaihat (Umm al Nar-periode) geëxposeerd, evenals historische handschriften, wapens, speelgoed en landbouwwerktuigen. Eén zaal laat zien hoe een sjeik destijds leefde en welke schoenen in zijn tijd modern waren. Na zoveel cultuur gunt u zichzelf graag een pauze in het **café** en vindt u in een kleine museumshop wellicht een ansichtkaart met mooie afbeeldingen van het museum, want fotograferen is niet toegestaan.

Rond Khor Adjman

Rond het museum ligt het historische centrum van Adjman, wat er vooral neerkomt op kleine winkels, die voornamelijk gebruiksartikelen voor de bevolking en nauwelijks interessante dingen voor toeristen te koop aanbieden. Ook van de **souk** ③ in de **haven** moet u in dit opzicht niet al te veel verwachten, tenzij u een paar mooie foto's wilt maken. **Groente**, **fruit** en in de vroege morgenuren verse **vis**, vormen het hoofdaanbod. Daarnaast biedt de **Iraanse markt** veel plastic artikelen voor het huishouden.

Het meest bezochte gebouw van Adjman is waarschijnlijk de kleine, onooglijke **barak** in de haven, want hier wordt de kas van het emiraat gespekt door **alcohol** te verkopen. Weliswaar zijn er in alle grote steden in de VAE (behalve in het emiraat Sjardja) zogenaamde 'liquor shops', dus winkels met sterkedrank, maar daar mogen moslims niet kopen. Ze zijn bedoeld voor de buitenlanders die hier wonen. Deze expats hebben echter voor het kopen van de sterkedrank een officieel, door de politie afgegeven document nodig. In het spottend als 'drinkerspas' betitelde document prijkt een pasfoto en staat de maandelijks toegestane som voor het kopen van alcohol vermeld. Elke aankoop wordt in het boekje genoteerd en afgestempeld en wie niet goed kan plannen, krijgt aan het eind van de maand niets meer – en rijdt vervolgens naar Adjman. Daar wordt zonder pas aan iedereen alles verkocht, van wijn tot whisky. Maar pas op – als u er als toerist heen gaat, let u dan op het volgende: het uitvoeren van alcohol uit het emiraat Adjman is illegaal! Het meenemen van alcohol in de auto is, zoals overal in de Emiraten, ook in Adjman illegaal. Als u terecht komt in een politiecontrole en men vindt alcohol, dan heeft u een groot probleem. Wanneer u een ongeluk veroorzaakt en men treft alcohol in uw auto aan, dan wordt u niet gedekt door uw verzekering en wordt u in voorlopige hechtenis genomen, zelfs als de fles dicht in de achterbak ligt! Hierop bestaat geen uitzondering en dit is geen reisgids-overdrijving!

De hallen van de **nieuwe souk** in modern-Arabische stijl, aan de uitvalsweg naar Oem al-Koewain, werden halverwege de jaren negentig geopend en het duurde vanwege de afstand tot het stadscentrum een poosje voordat ze door de bevolking werden goedgekeurd. Vanwege het uitgebreide aanbod aan vrijetijdskleding, parfums, gouden sieraden en een paar restaurants en cafés is het de moeite waard om er een uitstapje naartoe te maken.

Een visite aan de nieuwe souk laat zich combineren met een bezoek aan de **dhowwerven**. Hier worden nog schepen gebouwd naar traditioneel voorbeeld, overwegend voor vissers, maar af en toe ligt er ook een groot vrachtschip tussen. De kosten voor de opdrachtgever blijven enigszins binnen de perken sinds het dure hout de afgelopen jaren zoveel mogelijk werd vervangen door de voordeliger en sneller te verwerken glasvezelmatten. Maar met een beetje geluk ziet u nog het geraamte van een houten nieuwbouw aan het strand staan.

EMIRAAT OEM AL-KOEWAIN

Slechts op 20 km afstand van Adjman ligt het niet erg veel grotere emiraat **Oem al-Koewain**, waarvan de naam in vertaling 'Moeder van de sterkte' betekent. Deze sterkte, ooit betrekking hebbend op onbevreesde zeelieden, verdeelt zich tegenwoordig over amper 780 km^2 en minder dan 75.000 inwoners. Sjeik Saud bin Rashid al Mualla, vorst van Oem al-Koewain, heeft van de zeven emirs wel het slechtste lot getrokken, want dit lid van de federatie bezit, in tegenstelling tot alle andere, geen enclaves. Omdat het emiraat zich ook niet mag verheugen in aardolievindplaatsen, bestaan de hoofdinkomsten uit visserij en landbouw (in de **oase Falaj al Mualla**, 55 km naar het zuidoosten). De sjeik probeert er het beste van te maken en bouwde bijvoorbeeld voor de poorten van de stad een pretpark. Voor archeologen en ornithologen hebben de stad en het emiraat echter een paar schatten in petto.

De **stad Oem al-Koewain** ⓰ (ca. 35.000 inwoners) strekt zich uit op een 12 km lange landtong, die samen met het er tegenover liggende eiland Siniyyah de gigantische baai van **Khor al Baidah** vormt. Op **Siniyyah** borrelde ooit een zoetwaterbron; hier vestigden zich in lang vervlogen tijden de eerste bewoners. Maar op een dag hield de bron op met borrelen en de mensen verhuisden naar de noordoostelijke punt van de landtong. Siniyyah bleef sindsdien onbewoond.

Talloze planten zoals mangroven, zeldzame vogelsoorten, waaronder stand- en trekvogels uit Europa en met uitsterven bedreigde **zeeschildpadden**, namen de landtong en een groot deel van de baai in beslag. Tegenwoordig is er een natuurreservaat dat u alleen met een permit mag betreden (informatie bij het Tourist Centre of bij het Marine Research Centre). Maar ook vanaf de oevers kunt u de dieren goed observeren met een verrekijker.

OEM AL-KOEWAIN

Oude binnenstad

In de western *High Noon* loopt de held alleen door uitgestorven straten – de oude binnenstad van Oem al-Koewain biedt rond het middaguur ongeveer net zo'n beeld. Van de voormalige **stadsmuur**, die de eerste nederzetting afsloot aan de zuidwestkant, bleven slechts drie oude **torens** over. Hier kunt u uw auto laten staan en een wandeling maken.

Blijft u op de rechteroever, dan komt u bij de oude **vesting** ①, die van 1768 tot 1969 werd bewoond door de regerende familie en nu een **museum** huisvest. Ervoor geven palmen schaduw aan meer kanonnen dan bezoekers; binnen zijn, naast de gebruikelijke volkenkundige voorwerpen die in het jongere verleden werden gebruikt, vooral de artefacten van de beide belangrijke opgravingsplaatsen Al Dur en Tell Abraq (zie p. 192 e.v.) van belang.

Tijdens een wandeling door de oude binnenstad is het verval van de oude huizen alomtegenwoordig. Eigenlijk is het een tamelijk treurige en tegelijkertijd bizarre aanblik, wanneer men zich voor ogen houdt dat slechts op een uur autorijden afstand in het emiraat Doebai wordt gebouwd aan het hoogste gebouw van de wereld.

Niet ver van het museum ligt de **vismarkt** ②, waar het echt levendig kan zijn. Op slechts een paar honder meter ten noorden daarvan ontvangt Oem al-Koewains **Tourist Centre** ③ zijn bezoekers. Hier ligt, verankerd aan het **strand**, de niet meer gebruikte '**Gulf Fantasie**', een voormalige excursieboot. Wie zichzelf een paar actieve uren op het water wil gunnen, kan surfen of een **jetski** huren.

Aan het noordelijke einde van de landtong bevindt zich het **Marine Research Centre**, een onderzoeksstation, waarbij een voor bezoekers toegankelijk **aquarium** ④ hoort.

 kaart p. 94-95, plattegrond p. 191, info p. 202-203

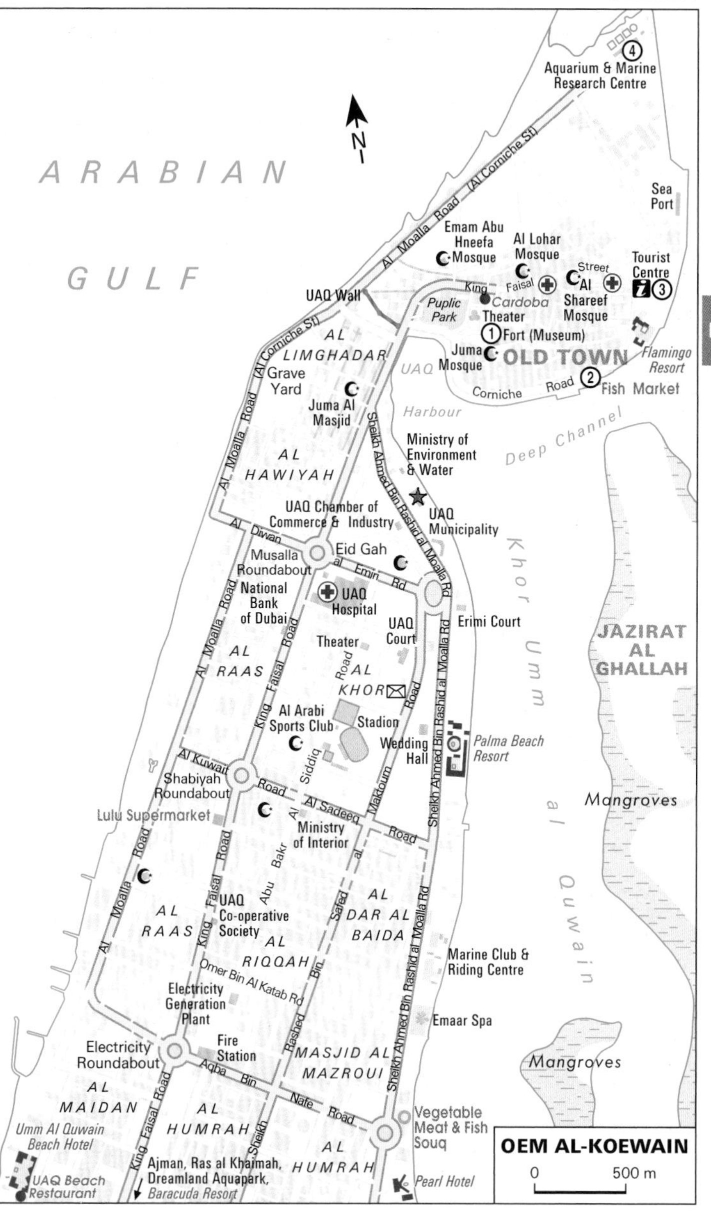

5
Noordelijke emiraten en Musandam

Dreamland Aqua Park

Voor toeristische vrijetijdsactiviteiten staan twee mogelijkheden ter beschikking circa 20 km buiten Oem al-Koewain (richting Ras al-Chaima). Allereerst is daar het pretpark **Dreamland Aqua Park** ⓱, feitelijk meer een reusachtig openluchtbad. Hier worden bezoekers behalve door zwembaden en 25 verschillende **waterglijbanen** ook door een **gocartbaan** en videospelletjes naar binnen gelokt.

Op het er bijna naast liggende **sportvliegveld** heeft u – behalve **ballonvaarten** en **helikopterrondvluchten** – ook de gelegenheid tot een **tandemparachutesprong**.

Opgraving van Al Dur

Eveneens aan de weg, richting noordoosten, ligt de **opgraving van Al Dur** ⓲, waar ettelijke van de historische stukken in het museum in het fort vandaan komen. Met een noordoost-zuidwest-lengte van 4 km is het een van de grootste pre-islamitische nederzettingen van de Emiraten. Men kan niet spreken van een samenhangend 'stadsgebied', veeleer vindt u, verspreid over het terrein, diverse ongeveer 2000 jaar oude restanten van gebouwencomplexen. Ze hadden verschillende afmetingen – sommige bestonden uit slechts één grote ruimte, bij andere is nog een woningstructuur zichtbaar. Daartussen kwamen honderden aparte en familiegraven te voorschijn. Sinds 1970, toen een Iraaks team er voor het eerst met opgravingen begon, werden er waardevolle artefacten gevonden waaruit af te leiden viel dat de nederzetting met haven in de eerste voorchristelijke eeuw een bloeitijd kende en rond deze tijd uitgebreide handelscontacten onderhield. Er kwam kostbaar Romeins glas te voorschijn, evenals drinkgerei, wapens, sieraden, ijzeren voorwerpen, scherven van potten en plaatselijk geslagen en overzeese munten. Tot de belangrijkste

Boven: Jetski-vermaak in Oem al-Koewain. Rechts: In het noorden van het emiraat Ras al-Chaima komt het Hajjargebergte tot vlak bij het strand (bij Ash Sham).

kaart p. 94-95, info p. 202-203

ruïnes behoort de **tempel**. Een inscriptie in de vervallen muren verraadt dat die was gewijd aan de Semitische god *shams* (Arabisch voor zon).

De tweede, minder voor toeristen dan voor archeologen interessante plaats is **Tell Abraq**, aan de grens met het emiraat Sjardja. Het opvallendste bouwwerk moet een indrukwekkende toren zijn geweest, waarvan de fundamenten een doorsnee hadden van 40 meter en die dateren uit het einde van de Umm al Nar-periode (rond 1800 v. Chr.). Slechts een paar meter daarnaast lag een voor dat tijdvak typerend **rond graf** met de sterfelijke resten van 350 bewoners, die hier tussen 2200 v. Chr. tot 300 v. Chr. hebben geleefd.

De resten van de nederzetting liggen aan de rand van een grote kom, die in de winter, na heftige regenbuien, overstroomt. Wetenschappers gaan er daarom van uit dat Tell Abraq een havenstad was en de loop van de kust in de afgelopen 4000 jaar is opgeschoven. Want ook hier vond men buitenlandse waar uit het Indusdal, uit Mesopotamië, Afghanistan en Iran.

EMIRAAT RAS AL-CHAIMA

De langst regerende sjeik, Saqr bin Mohammed al Qasimi, bestuurt sinds 1948 het grootste van de drie noordelijke emiraten, Ras al-Chaima. Maar zijn opvolger staat al vast: zijn zoon sjeik Saud bin Saqr al Qasimi, die sinds 2003 ook de regeringszaken leidt. De 'Kaap van de Tent' (dat betekent ongeveer de naam van het land) kijkt uit over 1700 km^2 en 245.000 inwoners. Waar de naam vandaan komt is niet precies overgeleverd, maar hij wordt in verband gebracht met de tot 1900 meter hoge toppen van het nabij gelegen Hajjargebergte. Dit deel van de VAE beschikt over de mooiste en meest afwisselende landschappen. Er is ten eerste de lang uitgerekte kustregio (die er in het noorden ietwat verlaten uitziet), daarna de al genoemde bergen, op sommige plaatsen doorsneden door prachtige ravijnen die u met een terreinwagen kunt verkennen. Daartussen strekt zich een uitgestrekte vlakte uit, waar dankzij rijkelijk grondwater veel **landbouw** wordt bedreven. Men houdt er onder andere ook rund-

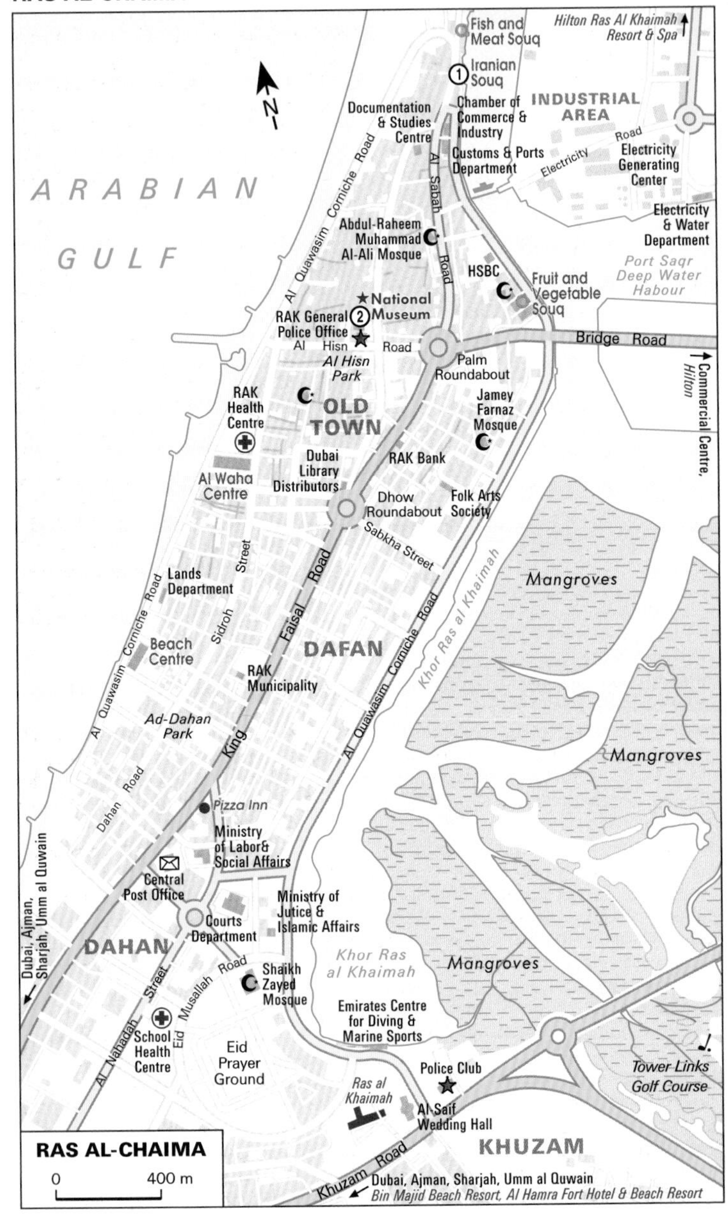

Fish and Meat Souq
Iranian Souq
Hilton Ras Al Khaimah Resort & Spa
N
Documentation & Studies Centre
Chamber of Commerce & Industry
INDUSTRIAL AREA
Customs & Ports Department
Electricity Road
Electricity Generating Center
Electricity & Water Department
ARABIAN GULF
Al Quawasim Corniche Road
Al Sabah Road
Abdul-Raheem Muhammad Al-Ali Mosque
HSBC
Fruit and Vegetable Souq
Port Saqr Deep Water Habour
National Museum
RAK General Police Office
Al Hisn Road
Al Hisn Park
Bridge Road
Palm Roundabout
Commercial Centre, Hilton
RAK Health Centre
OLD TOWN
Jamey Farnaz Mosque
Dubai Library Distributors
RAK Bank
Al Waha Centre
Dhow Roundabout
Folk Arts Society
Sabkha Street
Lands Department
Sidroh Street
King Faisal Road
Mangroves
Khor Ras al Khaimah
Beach Centre
DAFAN
RAK Municipality
Ad-Dahan Park
Mangroves
Dahan Road
Pizza Inn
Ministry of Labor& Social Affairs
Central Post Office
Ministry of Jutice & Islamic Affairs
Courts Department
DAHAN
Khor Ras al Khaimah
Mangroves
Dubai, Ajman, Sharjah, Umm al Quwain
Al Nahadah Street
Eid Musallah Road
Shaikh Zayed Mosque
Emirates Centre for Diving & Marine Sports
School Health Centre
Eid Prayer Ground
Police Club
Tower Links Golf Course
Ras al Khaimah
Al Saif Wedding Hall
KHUZAM
RAS AL-CHAIMA
0
400 m
Khuzam Road
Dubai, Ajman, Sharjah, Umm al Quwain
Bin Majid Beach Resort, Al Hamra Fort Hotel & Beach Resort

vee. De dieren voelen zich goed in hun geklimatiseerde stallen, de relatief hoge neerslag garandeert dat er steeds veevoer groeit, evenals groente, fruit en dadels.

Ras al-Chaima heeft geluk gehad: zijn grenzen werden zo getrokken dat het ook een stuk van de olietaart kreeg, hoewel maar een heel klein stukje dat moeilijk te vinden was. Pas sinds circa 1985 levert de olie een paar dollar op in de schatkist van de emir. Daarom leeft men, zoals men altijd gedaan heeft, van de visserij. De vloot heeft een natuurlijke haven in de grote baai, waaraan ook de stad Ras al-Chaima ligt.

Er leven sinds 'mensenheugenis' mensen in dit gebied, zoals op de website van het emiraat te lezen staat. Deze uitspraak wordt ondersteund door talrijke graven en artefacten uit de aarde van Ras al-Chaima. Die bewijzen dat er al sinds 5500 v. Chr. sprake is van permanente bewoning, al is het dan op verschillende plaatsen.

Tot de bekendste nederzettingen uit de klassieke oudheid behoort zonder enige twijfel de historische havenstad *Julfar*, die een paar kilometer ten oosten van de huidige stad schepen stuurde naar de meest afgelegen delen van de destijds bekende wereld. De stad dateert uit de 2de of 3de eeuw en bereikte een bloeiperiode tussen de 14de en 17de eeuw. Handelaren vertrokken naar Perzië, India, China of Oost-Afrika, en beroemde reizigers zoals Marco Polo, Al Idrisi en Ibn Battuta bezochten Julfar en tekenden hun indrukken van de rijke en mooie stad op voor het nageslacht. In Julfar wisselde niet alleen Chinees porselein van eigenaar, maar in het achterland vervaardigde men ook zelf aardewerk dat zijn eigen markante stijl had en als 'Julfar-waar' wordt aangeduid. Toen Julfar al lang verleden tijd was, gingen de mensen desondanks vlijtig door met het bakken van potten voor eigen gebruik, en de laatste ovens zijn pas een paar jaar geleden gesloten.

De beroemdste Arabische navigator Ahmed bin Majid, die de bijnaam 'leeuw van de zeeën' droeg, werd hier in 1435 geboren. In de loop van de eeuwen hielden de Perzen er tamelijk vaak huis, de Portugezen en Hollanders slechts kort, en later zeer lang de Britten. Ze beschoten en veroverden Julfar, bouwden hun vestingen en werden weer verdreven. Maar van dit alles is weinig bewaard gebleven. Hoe rijk en mooi de stad ooit ook was, daar is tegenwoordig zo goed als niets meer van te zien, want er is nauwelijks een steen op de andere blijven liggen.

Nog voordat Julfar ten onder ging, ontstond een nieuwe stad, het huidige Ras al-Chaima, waar de Al Qasimi-familie het al snel voor het zeggen had. Het meest succesvolle lid daarvan was sjeik Sultan bin Saqr, die heerste van 1804 tot aan zijn dood in 1866, ook over het huidige Sjardja. Na zijn overlijden kreeg de familie echter ruzie over de vraag welke zoon waar moest regeren. In 1908 werd men het daarover eens en de beide emiraten werden onafhankelijk verklaard.

*JAZIRAT AL HAMRA

Over de weg vanaf Oem al-Koewain komt u ongeveer 20 km voor Ras al-Chaima langs een klein pareltje, het ***Jazirat al Hamra** ⓳ ('Rode eiland'). Het gaat daarbij om een oud kustdorp dat decennia geleden werd verlaten. De verwarrende plaatsnaam berust op het feit dat de landtong waarop het dorp werd gebouwd een deeltijdeiland was. Bij elke overstroming moesten de mensen roeien als ze ergens anders naartoe wilden. Om dat te veranderen werd de lagune halverwege de jaren zeventig van de vorige eeuw opgehoogd en op het zo gewonnen nieuwe land werd een moderne kleine stad opgetrokken, die een hogere levensstandaard beloofde. Derhalve verhuisden de mensen uit het oude dorp, waar veel bleef staan zoals het ooit was. En precies dat is tegenwoordig het mooie aan deze plaats. Wie

wil zien hoe een dorp met zijn stoffige wegen, zijn moskee plus scheve minaret en zijn huizen uit koraalsteen er ooit in het echt heeft uitgezien, moet tijd nemen voor een wandeling door de lege steegjes. De restauratie en verbouwing tot **Heritage Village** staat echter al gepland. In de buurt moeten in het kader van dit miljoenenproject **Khor al Qurm** luxe hotels, villa's, een jachthaven, golfterrein en themapark komen.

RAS AL-CHAIMA

Van de oude binnenstad van **Ras al-Chaima** ⑳ is steeds minder over (en het weinige dat er is, is nauwelijks bezienswaardig), omdat oud successievelijk werd omgebouwd tot nieuw. Wie niet hoeft, komt niet naar de stad, die, een enkele uitzondering daargelaten – het museum – nauwelijks iets te bieden heeft. Natuurlijk zijn er hier en daar kleine markten. In de **haven** is het 's ochtends levendig en de **Iranian souk** ① (Iraanse markt; veel plastic waar) met de oude dhows op de achtergrond is een goede plaats om scènes uit het dagelijkse leven te observeren. Maar vooral het landschap van dit emiraat is bezienswaardig.

Boven: Op de vismarkt in Ras al-Chaima. Rechts: De ruïnes van de burcht van Shimal.

⋆Nationaal Museum

Nadat in 1820 de kruitdamp van Engelse kanonnen was opgetrokken, was van de oude **vesting** niet veel meer over. Dus bouwde de toenmalige sjeik Sultan bin Saqr – met toestemming van Engeland – haar opnieuw: ditmaal als familieresidentie van de regerende Al Qasimi-familie. Later diende de vesting als hoofdbureau van de politie en nu is hier het **⋆Nationaal Museum** ② ondergebracht. Dit museum heeft een zeer goede reputatie. Dat rechtvaardigt weliswaar niet een speciale reis vanuit Sjarda of Doebai, maar wie zich voor geschiedenis interesseert en toch op doorreis is, moet zeker een bezoekje wagen. De gebruikelijke voorwerpen uit het dagelijkse leven zijn er tentoongesteld:

 kaart p. 94-95, plattegrond p. 194, info p. 202-203

van kleding, wapens en zilveren sieraden tot en met houten lepels. Als u al in Doebai in het museum was, ziet u hier weinig nieuws en u ontmoet oude bekenden, de levensgrote poppen. Maar alles is zeer fraai vormgegeven. Interessant zijn vooral de vondsten uit archeologische opgravingen. Ze documenteren de uitgebreide handelsbetrekkingen van Julfar (munten, scherven aardewerk uit Mesopotamië en China) en de daarmee gepaard gaande welvaart (sieraden uit uit zilver en goud).

SHIMAL

Het paleis van de koningin van Sheba?

In de buurt van de kleine plaats **Shimal** ㉑ staan de **ruïnes** van een indrukwekkend, op een vesting lijkend complex, dat vermoedelijk de handelsroutes vanuit het binnenland richting Julfar moest bewaken. Het complex wordt in verband gebracht met een dame die door legendes wordt omgeven en die hier vermoedelijk nooit is geweest: Bilqis, koningin van Sheba. Als ook maar de helft van alle ruïnes en huizen in Zuid-Arabië die door haar werden gebouwd en bewoond daadwerkelijk van haar afkomstig zijn, dan kan Bilqis nooit thuis zijn geweest, omdat ze almaar bezig was met verhuizen. Wie op het idee kwam ook deze ruïne aan te wijzen als een van haar paleizen, valt niet meer na te trekken. Maar hij of zij had veel fantasie en weinig kennis van de geschiedenis. Want ten eerste is het twijfelachtig of de koningin überhaupt bestond, en zo ja, dan moet ze ten tweede haar beroemde bezoek aan koning Salomo ongeveer in de 10de eeuw v. Chr. hebben gemaakt. Ten derde dateert de overgebleven ruïne uit een veel latere periode, namelijk de 16de of 17de eeuw na Chr. Bilqis bezocht koning Salomo omdat ze van zijn grote wijsheid had gehoord. Hij wilde haar daarentegen leren kennen vanwege haar veel geroemde schoonheid. Toen ze aankwam was hij overweldigd door haar charme. Hij maakte indruk op haar met zijn geest, maar niet met zijn uiterlijk. Om haar toch voor de nacht te winnen, gebruikte hij zijn wijsheid en liet 's avonds een scherp gekruid gerecht serveren, niet zonder eerst alle waterkruiken uit het paleis verwijderd te hebben – op één na. Die stond in zijn slaapkamer! Keizer Haile Selassi van Ethiopië beschouwde zichzelf overigens als 225ste erfgenaam van de zoon die uit deze nacht voortsproot.

WARMWATERBRONNEN VAN KHATT

Als u via de route langs de kust bent gekomen, niet dezelfde route wil terugrijden en een beetje tijd heeft, kunt u het achterland ten zuiden van de stad Ras al-Chaima verkennen. Een terreinwagen is ideaal voor een uitstapje naar de bergen, maar ook met een personenauto komt u door mooie landstreken. Verlaat u de kust richting vliegveld, dan volgt allereerst het kleine plaatsje **Kharran**, dat aan de noordelijke rand van een uitgestrekt **duinenveld** ligt. Er staan hier genoeg bomen die schaduw geven voor een middagpauze. Laat in de middag tovert de laag staande zon schitterende kleuren in het zand.

Net als in een film volgt een abrupte wisseling: plotseling duiken sappige **groente- en fruitplantages** op, palmen staan in een erehaag langs de weg; daartussen een kudde geiten en af en toe een kameel. U bent in de door grondwater verwende **Jiri-vlakte** aangekomen, waar u eerst door de stad **Digdagga** ㉒ rijdt, waar vooral **runderen en gevogelte** worden gekweekt. Na de stad volgt u de bewegwijzering naar **Khatt** ㉓, dat inmiddels in de hele Golfregio bekendstaat om zijn genezende **warmwaterbronnen**. Tot een paar jaar geleden borrelde het warme water eenvoudigweg uit de velden op, maar inmiddels is er het **Khatt Springs Tourist Resort** gekomen. Wie geen kwaaltje te genezen heeft, wil wellicht in de cafetaria een pauze inlassen.

Vanuit Khatt voert de weg verder naar Manama, waar u naar rechts afbuigend via Al Dhaid direct op Sjardja aanrijdt.

SCHIEREILAND *MUSANDAM (OMAN)

Een excursie die de moeite waard is vanuit Ras al-Chaima leidt naar het tot het sultanaat **Oman** behorende ***schiereiland Musandam**. De 45 km lange route tot aan de grens behoort weliswaar niet tot de fraaiste, want er is veel industrie gevestigd, maar meteen na de grens begint de fabelachtige **kustweg**, die pas eind jaren negentig werd geasfalteerd: links de zee, rechts de steile rotswanden van de **Rus al Jibal**, 'Hoofd van de Bergen', zoals het **Hajjargebergte** hier wordt genoemd. Pas een paar jaar geleden opende sultan Qaboos bin Said al Said, regent van Oman, de grenzen, want het schiereiland was lang militair spergebied vanwege de strategische ligging direct aan de Straat van Hormoez – 90% van de Golfolie moest er langs en Iran ligt slechts op 60 km afstand. Nu is er in de provinciehoofdstad Khasab behalve eenvoudige accommodatie een eerste middenklassehotel. Sinds de benodigde visa om Oman binnen te komen en weer terug te reizen naar de VAE aan de grens te verkrijgen zijn, komen er steeds meer gasten, want het **landschap** is adembenemend mooi. Het 'Noorwegen van het Nabije Oosten' wordt het ook wel genoemd, een niet volledig ongegronde vergelijking waarbij de Arabische **fjorden** een groot pluspunt hebben: terwijl die in het hoge noorden van Europa in wintertijd bijna dichtvriezen, steken de rotswanden van Musandam een strakblauwe hemel in, en dat bij temperaturen die uitnodigen tot zwemmen.

Ongeveer 13 km na de grens maken de rotswanden plaats voor het kleine plaatsje **Bukha** ㉔. Weliswaar 'slechts half zo groot als het kerkhof van Chicago, maar tijdens de lunchpauze twee keer zo doods', zou u er zo voorbij kun-

 kaart p. 94-95 en p. 199, info p. 202-203

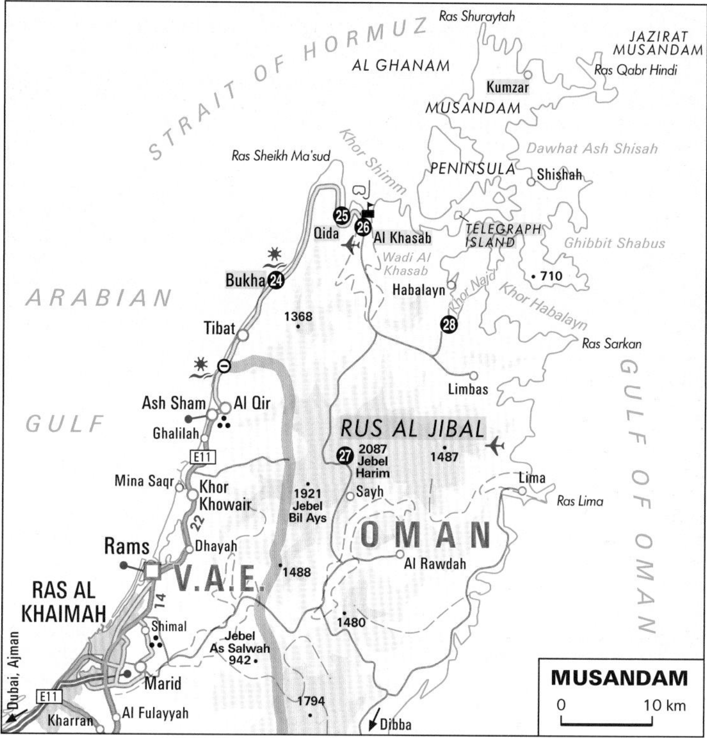

nen rijden als er niet de oude **moskee** zou zijn. Nog halverwege de jaren negentig van de 20ste eeuw scheen het lot daarvan bezegeld; de verrotte palmstammen van het dak stonden net zo op instorten als delen van het metselwerk, maar de moskee werd herbouwd. Het bijzondere is dat ze niet, zoals de meeste moskeeën, uit gedroogde bakstenen is gemetseld, maar uit stenen uit de bergen, die meestal slechts voor de massieve muren van vestingen werden gebruikt, zoals voor de **burcht**, die er schuin tegenover staat.

Vlak na Bukha nodigt een **zandstrand** uit tot een wandeling voordat de kustweg, met zeer fraai uitzicht, zich in haarspeldbochten over de bergrug slingert om daarna aan de andere kant weer af te dalen naar de smalle oever. Vlak voor Khasab ligt in een nauwe 180°-bocht het kleine plaatsje **Qida** ㉕. Van daaruit voert een onverharde zandweg (langzaam en voorzichtig ook met een personenauto te berijden) naar een nauw dal, dat eindigt bij een klein bergdorp. Op een paar naar beneden gestorte rotsblokken zijn **rotstekeningen** met **dierenafbeeldingen** te vinden.

KHASAB

Na de volgende bocht staat u de **haven** van **Khasab** ㉖ te wachten, waar een vissersvloot ligt en die ook door moedige smokkelaars wordt gebruikt. Het is een fraai schouwspel als tientallen open Perzische motorboten, volge-

pakt met geiten, over de Straat van Hormoez naar de haven racen. Men heeft nog niet aangelegd of de dieren worden overgeladen op kleine, wachtende vrachtwagens, die ermee naar de Emiraten rijden. Daarna worden in plasticfolie verpakte pakketten aan boord genomen. Daarin zitten hoofdzakelijk sigaretten en elektronische artikelen die op de Iraanse zwarte markt worden verkocht. Iedereen wacht totdat ook de laatste boot zijn waar aan boord heeft, want men verlaat de haven zoals men is gekomen, gemeenschappelijk. Af en toe probeert de kustwacht van Iran een einde te maken aan de al jarenlang dagelijks te aanschouwen activiteiten. Duikt er een politieboot op, dan stuiven de smokkelaarsboten in alle richtingen uiteen. Slechts één heeft dan pech, wordt vervolgd, gearresteerd en na korte tijd weer vrijgelaten.

Khasab ligt aan een smalle **baai**, die de ingang vormt tot een breed ravijn. De 20.000 inwoners tellende plaats is overzichtelijk en laat zich tijdens een wandeling verkennen. In het midden van de inham ligt het oude stadsdeel met de oude **markt** en een paar eenvoudige, maar goede restaurants. Op de westelijke kant strekt zich een groot **palmbos** uit; ervoor waakt een klein, oud Portugees **fort** aan de oever. Het heeft turbulente tijden meegemaakt toen de Perzen en Portugezen om de toegang tot de Golf streden. Richting het zuiden ligt het nieuwere stadsdeel. Khasab heeft toeristisch potentieel: het in 2003 nieuw geopende **Golden Tulip Resort** heeft ook een **duikbasis** en biedt boottochten aan.

Boven en rechts: Een dhowvaart door het fjordlandschap van Musandam levert indrukwekkende beelden op.

⋆Dhowvaart

Een ⋆**excursie** vanuit Khasab met een **dhow** naar de planktonrijke 'waterberg-wereld' van de Khor Shimm, langs een half verzonken uitloper van het Hajjargebergte is niet alleen interessant voor snorkelaars en duikers. Vaak ziet u hier dolfijnen omhoog springen. Daarbij wordt onder andere het **Telegraafei-**

land aangedaan. Daar bouwden de Engelsen rond 1860 een pleisterplaats om een verbinding vanuit India via Irak tot aan Engeland tot stand te brengen die slechts een paar jaar werd gebruikt. Voor de soldaten, die op het eiland midden in een grote fjord, de **Khor Shimm**, maandenlang zonder vakantie dienst moesten doen, was dit zeker geen pretje. Er bestaat in de Engelse taal een uitdrukking *to go round the bend* (letterlijk 'om de bocht gaan'), die met 'gek worden' wordt vertaald – en sommigen beweren dat die zijn oorsprong vindt in de Khor Shimm omdat de uitgang van de fjord naar open zee een bocht (*bend*) maakt waar de soldaten voor en na afloop van hun diensttijd langs moesten. Andere menen echter dat de uitdrukking te maken heeft met de eerste Engelse inrichtingen voor krankzinnigen die uit het zicht lagen en bereikt werden via sterk slingerende toegangswegen.

Het traditionele havenstadje **Kumzar**, de noordelijkste plaats van Oman, is eveneens slechts via water bereikbaar.

RUS AL JIBAL

Vlak na Khasab eindigt de asfaltweg en wacht er een fantastische tour naar de wilde bergwereld. Voor een rit door de bergen van **Rus al Jibal** is een **terreinwagen** nodig. Wie er geen heeft, kan bij een van de plaatselijke reisbureaus een georganiseerde dagtocht met gids boeken. Niet alleen de kale berghellingen maken indruk, maar ook de bescheidenheid van de mensen en hun spaarzame spulletjes.

Nadat de weg na Khasab de gelijknamige smalle wadi heeft overgestoken, begint de steile rit omhoog naar de **Jebel Harim** (27), met 2087 meter de hoogste top. Daarom heeft de Omaanse luchtmacht hier een radarstation neergezet. Aan de westelijke flank strekt zich het **Sayh-plateau** uit met vruchtbare akkers waarop van alles groeit, van kleine uien tot aan hoge dadelpalmen. Op de hellingen rond de vlakte liggen goed verstopt en gecamoufleerd oude **woningen**. Hun muren bestaan uit grof uitgehakte rotsblokken uit de omgeving. Ze werden bewoond door leden van de **Shihu-stam**, die tot op heden de omgeving domineert en waarvan de taal linguïsten en genealogen nog altijd voor een raadsel plaatst. Het is een mix van Perzisch en Arabisch en het roept de vraag op naar de oorsprong van deze stam. Ook in andere dingen zijn er verschillen. Zo dragen de mannen weliswaar de Arabische *dishdasha*, maar hun traditionele wapen is niet de kromme dolk, maar een kleine bijl, *jirz*.

Vanaf het plateau is het niet ver meer tot u op de hoogte van het **radarstation** een fantastisch ***uitzicht** heeft over de bergketen van het Hajjarmassief. In steeds donkerder wordende schakeringen liggen de bergen achter elkaar, met ertussen vruchtbare dalen die voor een deel slechts te voet bereikbaar zijn. Na zware regenbuien moeten helikopters soms meerdere dagen lang de mensen die er wonen van het hoogst noodzakelijke voorzien.

Vanaf het uitkijkpunt loopt een zandweg naar de andere kant, naar de oostkust van de Emiraten. Helaas krijgt u bij de grenspost in de bergen geen visum. Dat betekent dus omkeren.

Voordat u aan de voet van de bergen terugrijdt naar Khasab, verdient een uitstapje naar de **Khor Najd** ㉘ aanbeveling. Het is een van de mooiste baaien van Musandam die u over land kunt bereiken, en als u er vroeg in de ochtend heen gaat maakt u een grandioze **zonsopgang** mee.

Op weg ernaartoe ziet u zeldzame, lage gebouwen zonder vensters, waarvan de muren slechts één meter de lucht in steken. Men noemt ze **Bait al Qafl**: 'Huis van het Slot'. Het zijn voorraadkamers, waarvan de vloer ruim een meter de grond in werd gegraven, opdat de in grote aarden kruiken opgeslagen opbrengst van de oogst zelfs tijdens de warme zomermaanden niet te warm wordt. De kleine houten deuren vergrendelde men met zware hangsloten, vandaar de naam. Vele zijn in goede staat, want ze worden nog altijd gebruikt.

i

ADJMAN (☎ 06)

Alle restaurants binnen de 'betere' categorie evenals bars vindt u in het **Ajman Kempinski Hotel**, tel. 714 5555. Daartoe behoren **Al Lebnani** (Arabisch) met een interieur vol markante details en, niet typerend voor het land, buikdansen, **Saballa** (Italiaans) met een terras aan zee, het **Café Kranzler** (internationaal – dag en nacht geopend en vooral kleine gerechten) en de beide Aziaten **Bukhara** (Indiaas) en **Hai Tao** (Chinees).
Verder vindt u in de straten van de stad Adjman diverse eenvoudiger eethuisjes waar u goed en voordelig eet.

De bars in het Kempinski heten **World Cup** (op de tv zijn sportevenementen te zien) en **Entertainment Lounge** (om te relaxen).

Het grootste aanbod heeft het Kempinski Hotel met **duikcentrum**, **golf** Putting Green, **windsurfen**, **zeilen** en zowel een **fitness**- als **wellnesscenter** (Ayurveda-behandeling). Daarnaast zijn er een paar strandclubs met restaurants, waarbij de **Holiday Beach Club** (tel. 742 4555) en de **Lilley Club** (tel. 742 2574), beide aan de Corniche, eigenlijk alleen een strand te bieden hebben, terwijl de **Marina Club** (tel. 742 3344) ook over squashbanen en een fitnesscenter beschikt.

In Adjman vindt u een **goudmarkt** in de Omar bin al Khatab Street en een paar **winkelcentra**: City Center, Ajman Center en de souk, alle aan de weg naar Oem al Koewain. Maar om te winkelen kunt u vanwege de grotere keuze beter naar Sjardja of Doebai rijden.

TAXI / GEDEELDE TAXI: Voor gedeelde taxi's is er slechts één halte aan de rand van de stad, elke taxi brengt u daarheen – u kunt echter ook meteen doorrijden naar Sjardja.

Central Postoffice in de Masfut St. Alternatief: de hotelreceptie.

kaart p. 199

BANK / WISSELKANTOOR: bevinden zich allemaal in de Hamed bin Abdul Aziz Street.

APOTHEEK: In de winkelcentra vindt u apotheken.
ZIEKENHUIS: **Kuwait Hospital**, Hamad bin Abdul Aziz Street, tel. 744 8585, **Zahra Hospital**, tel. 743 0656.

OEM AL-KOEWAIN (☎ 06)

De inwoners van Oem al-Koewain eten graag buiten de deur, het liefst in Sjardja of Doebai – want 'haute cuisine' is helaas een schaars goed. Wie hongerig is, vindt echter in de King Faisal Road eenvoudige restaurants.

Het aanbod beperkt zich tot de bars in de hotels Pearl, Umm al Quwain Beach Resort en Flamingo. Niet erg gezelllig, men is meer op inheemse dan op Europese gasten ingesteld.

Wie wil zeilen, jetskiën, surfen en waterskiën of paragliding wil proberen, dient zich te begeven naar het **Tourist Resort** (ook Flamingo Resort), tel. 765 0000, in het noorden van de stad.

Dingen voor dagelijks gebruik, zoals bijvoorbeeld tandpasta, vindt u in de King Faisal Road. Souvenirs kunt u daarentegen beter kopen in Sjardja of Doebai.

TAXI / GEDEELDE TAXI: Gedeelde taxi's wachten vlak bij de oude binnenstad en bij de zuidelijke stadsuitgang – als er genoeg passagiers zijn kost een rit naar Sjardja ca. 10 DH; als dat niet het geval is, dan het drievoudige.

Het **postkantoor** is in de Sheikh Rashid bin Saeed al Maktoum Road.

BANK / WISSELKANTOOR: in de King Faisal Road.

ZIEKENHUIS: **Umm al Quwain Hospital**, King Faisal Road, tel. 765 6888.

RAS AL-CHAIMA (☎ 07)

Ca. 20 km bezuiden de stad ligt aan een zandstrand het **Al Hamra Fort Hotel and Resort**, tel. 244 6666, met diverse restaurants: **Don Camillo** (Italiaans), **Le Chalet** (internat.), **Al Jazira** (Libanees), **Pearl** (seafood) en de **Al Shamal Coffee Shop** (internationaal). Het **Hilton Hotel** in de Bin Dahir Road, tel. 228 8888, heeft **Hoof'n Fin** (steakhouse) en het **Al Khor Restaurant** (internationaal) te bieden. Verder zijn er veel eethuisjes en fastfoodrestaurants met westerse inslag.

Het **Scirocco** in het Al Hamra Fort is om te ontspannen, het **Malibu** een disco. De **Havana Bar** in het Hilton Hotel is zeer geschikt om te relaxen. De **Red Lion Pub** in het Bin Majid Hotel, een Engelse kroeg, is gezellig, maar een beetje lawaaierig.

In het **Al Hamra Fort Hotel** en het nieuwe **Hilton Resort & Spa** kunt u surfen, zeilen, leren duiken, minigolf spelen, kajak varen, waterskiën, jetski's huren of in zee baden.

U moet niet te veel verwachten. In de **Kuwait Hospital Road** zijn een paar juweliers en Indiase handelaars in stoffen. De **Manar Mall** is een modern winkelcentrum in het nieuwe stadsdeel.

TAXI / GEDEELDE TAXI: Het 'station' voor gedeelde taxi's vindt u in de King Faisal Road aan de zuidelijke uitgang van de plaats vlak bij het Bin Majid Beach Hotel. Een rit naar Sjardja of Doebai kost ca. 20 DH. Geen beltaxi's, er rijden genoeg taxi's rond.

Hoofdpostkantoor in de King Faisal Road, postkantoor in het stadsdeel Al Nakheel in de Sheikh Saqr bin Mohammed Road.

BANK / WISSELKANTOOR: In de Oman Road.

ZIEKENHUIS: **Saqr Hospital**, hoek Oman / Al Hudeeba Road, tel. 222 3666. **Saif bin Ghobash Hospital**, bij de rotonde met de lamp, tel. 222 3555.

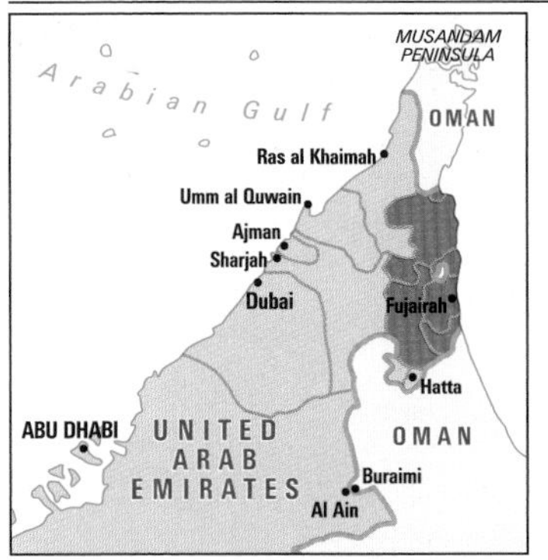

EMIRAAT AL-FOEDJAIRA EN DE OOSTKUST

MASAFI
DIBBA
BIDIYAH
KHOR FAKKAN
AL-FOEDJAIRA
KALBA
BITHNAH

EMIRAAT AL-FOEDJAIRA EN DE OOSTKUST

De oostkust van de Verenigde Arabische Emiraten is vooral een natuurjuweel en ook de autochtonen beleven dat zo. Een ongeveer 90 kilometer lange kuststrook biedt witte ⋆**stranden**, die voor de kale bergcoulissen van het Hajjargebergte nog feller schijnen te glinsteren dan langs de westkust. Mochten de berghellingen een troosteloze indruk maken, dan is dat schijn, want ertussen lopen brede dalen en smalle ravijnen. In sommige daarvan is het hele jaar door water te vinden en in een paar streken wellen warmwaterbronnen uit de grond.

In het noorden, bij het plaatsje Dibba, wordt de kust begrensd door het tot Oman behorende Musandam-schiereiland. Hier zijn de gebieden langs de kust smal en rotsachtig. Maar hoe verder u naar het zuiden komt, des te breder worden de vlaktes langs de kust, totdat ze – maar dan bent u al in het sultanaat Oman – 40 kilometer breed zijn. De Arabische naam van deze kust is Batinah, afgeleid van het woord *batn*, de buik. Want omdat de bergen regen 'aantrekken' en het afvloeiende regenwater het peil van het grondwater voortdurend hoog houdt, groeit er van alles wat de buik van de mensen de afgelopen 3000 jaar geneugten heeft bezorgd: groente, fruit en dadels. Slechts de uitlopers behoren tot de Emiraten, maar toch is de oostkust zoiets als een graanschuur, waarbij zich de afgelopen jaren intensieve runder- en pluimveeteelt heeft gevoegd.

Voorgaande pagina's: Elke vrijdag nieuwe krachtmetingen – stierengevechten in de arena van al-Foedjaira. Links: De oase Bithnah tegen het decor van de Hajjarbergen.

Wie een excursie plant naar de oostkust, moet goed overwegen of hij of zij niet toch voor één of twee dagen een terreinwagen huurt, want de schoonheid van de natuur behoort tot de hoofdattracties van deze regio (handig ter oriëntatie is de *UAE Off-Road Explorer*). Wie tijd heeft en graag trektochten maakt, laat zich met een taxi afzetten aan de rand van de bergen (ophaaltijd afspreken) en verkent ze te voet. De charme van deze omgeving gaat onder water verder. Voor de kust liggen interessante duikgebieden.

Duiken aan de oostkust

De meeste gasten komen naar de oostkust voor een strand- of duikvakantie, want de condities zijn ideaal. De zee is meestal rustig, de temperatuur van het water is ook in de winter draaglijk en de duikgronden liggen vlak bij de

kaart p. 208, info p. 218-219

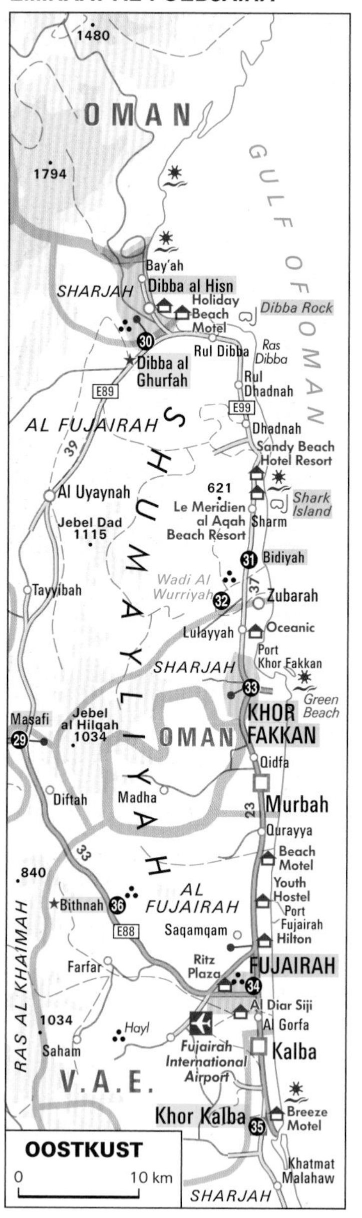

kust. Daartoe behoren bijvoorbeeld de **Dibba Rock** (Marine Reserve), met veel vissoorten, zoals rifbaars, vuurvissen, schorpioenvissen, murenen en inktvissen. **Shark Island** (Haaieneiland) heeft zijn naam niet voor niets en duikers zijn eropuit een haai voor hun masker te krijgen (niet-duikende zwemmers worden ter plaatse geïnformeerd of zwemmen al dan niet gevaarlijk is). De rotsen van het Haaieneiland zitten vol spleten, waardoor zich in de holen en nissen 15 meter onder de zeespiegel veel zeekreeften en vleermuisvissen ophouden.

Populair is ook het **Hole in the Wall** bij Khor Fakkan, een onderwatergrot waarin veel zeeschildpadden schuilen. Op 25 meter diepte vindt u koraaltuinen, op 16 tot 18 meter diepte fascineren anemoontuinen, bevolkt door roggen, langoesten, barracuda's, stekelmakrelen en octopus.

Een zeer bizarre aanblik biedt een duikgebied ten noorden van Khor Fakkan: omdat scheepswrakken ontbreken, heeft men er in 1985 **auto's** laten zinken.

Er zijn talloze duikscholen die basiscursussen voor beginners aanbieden en vervolgduikcursussen voor gevorderden. Wie tijdens het plotselinge opduiken van een reusachtige (ongevaarlijke) rog in het schijnsel van onderwaterschijnwerpers begint te huiveren, die blijft met surfplank, zeilboot of jetski beter boven water of op het witte strand.

Geschiedenis van het emiraat al-Foedjaira

Op een paar korte stukken van de kust na – in het noorden bij Dibba, in het midden bij Khor Fakkan en in het zuiden bij Kalba – mag de heerser van al-Foedjaira, sjeik Hamed bin Mohammed al Sharqi, dit gebied zijn eigendom noemen. Het emiraat is bijna 1200 km^2 groot en de 130.000 inwoners kijken uit op de Golf van Oman, die zich voor hun kust uitstrekt. Die maakt deel uit van de

info p. 218-219

Indische Oceaan. Het water ervan is kouder dan dat van de Perzische Golf en daarmee te koud voor kostbare pareloesters.

Zoals er vroeger geen parels waren, zo is er tegenwoordig geen olie, waardoor de economie sterk afhankelijk is van geld uit Aboe Dhabi, en van landbouw en visserij. De laatste bedrijfstak heeft zich de afgelopen jaren ontwikkeld tot een bloeiende business, want de Golf van Oman is rijk aan vissoorten. Maar de grote vangsten hebben geleid tot een ernstig probleem: nog maar erg weinig boten varen uit naar zee, meestal wordt er gevist in het gebied voor de kust, waar zich volgens wetenschappers hoofdzakelijk moedervissen met jonge diertjes ophouden. Daarom worden bij een paar soorten de bestanden bedreigd en in buurland Oman werden al vangstquota ingesteld.

Steeds opnieuw stuit men, tot grote vreugde van archeologen, ook in al-Foedjaira op sporen van vroege bewoning. Er zijn vooral veel vindplaatsen uit de in het 2de millennium v. Chr. beginnende ijzertijd, zowel in de bergdalen als langs de kust. Pas in januari 2005 meldde de plaatselijke pers dat Franse archeologen bij **Bithnah** (36, zie p. 218), ca. 13 km ten westen van al-Foedjaira-stad, de resten van een tempel hadden blootgelegd die behoorde tot een religieus cultusoord uit de ijzertijd (circa 1250-350 v. Chr.). Al jarenlang wordt in de omgeving van de plaats onderzoek gedaan en de opwindendste ontdekking was tot nu toe een graf dat werd gemaakt in die periode, maar meerdere duizenden jaren lang werd gebruikt. Dat bewijzen de grafgiften uit verschillende tijdvakken die tegenwoordig te zien zijn in het museum van al-Foedjaira. Op grond van de eigenzinnige T-vorm en de ongebruikelijke bouwwijze kreeg het de naam 'Bithnah-graf'.

In 1997 ontdekte men in Meraishid, in het zuidwesten van de stad al-Foedjaira, een graf in de zeldzame vorm van een grote 'U'.

Boven: Ontmoeting met een groep blauwgestreepte snappers (lutjanus kasmira) tijdens het duiken voor Foedjaira.

Perzen – Arabieren – Portugezen – Hollanders – Engelsen

Buitenlandse veroveraars zorgden voor tumult in de geschiedenis. Al in voorchristelijke tijd lieten de Perzen zich zo nu en dan zien, veroverden een stuk van de kust, bouwden vestingen en werden weer verdreven.

In 633 n. Chr. werden bij de Slag van Dibba inheemse stammen die Mohammeds opvolger Abu Bakr geen tol wilden betalen en zich weer van de islam wilden afkeren, overwonnen door Arabieren uit Mekka en Medina.

In de 16de eeuw gebruikten Portugese soldaten de soms goed bewaard gebleven Perzische vestingen en breidden ze uit of bouwden een nieuw fort. Maar ze schijnen slechte architecten gehad te hebben; in ieder geval is er, op een paar wachttorens na, nauwelijks iets van hun bouwactiviteiten overgebleven, behalve een uitvoerig boek en een landkaart uit 1635. Daarvoor had de Spaanse koning Filips IV opdracht gegeven, die tegelijkertijd koning van Portugal was en meer over 'zijn' koloniën wilde weten. Alleen dankzij dit boek en deze kaart heeft men tegenwoordig een idee over de afmetingen van bijvoorbeeld de burcht in Dibba, die in elk geval tot de grootste langs deze kust behoorde. Het boek draagt de fraaie titel *Livro das Plantas de todas as Fortelezas, Cidades e povoacões do Estado da India Oriental* en wordt in Portugal bewaard in de bibliotheek van Évora.

De Hollanders stuurden in de 17de en 18de eeuw af en toe een verkenningsschip langs, maar het waren de Britten die zich in de 19de eeuw ook in dit deel van de wereld met het nodige machtsvertoon lieten gelden.

Een belangrijke datum in de geschiedenis van het emiraat is 1952. In dat jaar werd het namelijk officieel onafhankelijk. Sinds 1903 had de stam van de Sharqiyyin, waartoe nog altijd de overgrote meerderheid van de bevolking in het emiraat al-Foedjaira behoort, daarvoor gestreden. Sinds 1971 is al-Foed-

Boven: Weekmarkt in Masafi. Rechts: Het strand van Dibba – klein en met bijna mediterrane flair.

jaira een vast lid van de federatie. De tweede belangrijke datum in de geschiedenis van het emiraat is het jaar 1976, toen de eerste geasfalteerde weg door de bergen naar het westen werd voltooid die nog altijd wordt gebruikt.

MASAFI

Ook als u eigenlijk liever wilt zwemmen, moet u niet meteen doorrijden naar de kust, want langs de weg liggen af en toe kleinoden die op zijn minst een korte stop verdienen.

De plaats **Masafi** ㉙ is niet meer dan een onopvallende negorij, maar toch bij iedereen bekend – door de **minerale bronnen**, waarvan het water in flessen wordt gebotteld die overal te koop zijn. Elke vrijdag is er een **weekmarkt**, waar u een allegaartje aan ambachtelijke producten kunt kopen, waaronder aardewerk, tapijten of opblaasbare Sinterklazen – niets spectaculairs, maar als u kunt kiezen op welke dag u een excursie naar al-Foedjaira maakt, dan zou deze markt pleiten voor de vrijdag. Op de weekmarkt in het kustplaatsje Bidiyah (zie p. 212 e.v.) heerst eveneens een vrolijke drukte; die vindt echter al op donderdag plaats.

*DIBBA

Bij Masafi splitst de weg zich. Rechtsaf gaat u naar het zuiden, direct naar al-Foedjaira, linksaf richting ***Dibba** ㉚. Zó klein en toch nog zó verdeeld: twee emiraten en één sultanaat delen deze kleine stad. Het noordelijke deel behoort tot **Oman**, het stadscentrum tot **Sjardja** en het zuiden tot **al-Foedjaira**.

Aan de rand van Dibba ligt een reusachtige **begraafplaats**, waarop de slachtoffers van de grote slag van 633 n. Chr. liggen begraven. De opvolger van de profeet, Abu Bakr, liet de van de islam afgekeerde inwoners van Dibba weer onderwerpen, waarbij aan beide kanten duizenden slachtoffers vielen. Dat het hoofdzakelijk mannen zijn, kunt u zien aan het feit dat er meestal slechts twee grafstenen per graf liggen. Bij vrouwen werd (en wordt) er vaak nog een kleinere steen tussenin gelegd,

voor het geval ze ongemerkt zwanger waren.

De levenden hebben het zich tot taak gesteld de metalen deuren van hun huizen zo kleurig mogelijk en met traditionele motieven te versieren, wat een wandeling door de smalle straatjes zeer de moeite waard maakt. Ochtendmensen wordt een bezoekje aan Dibba's natuurlijke **haven** aanbevolen, die tot 633 ook de belangrijkste haven was. Hij is niet zo groot, maar heeft een bijna mediterrane touch. Hier kunt u ook een van de vissers vragen of hij bereid is met zijn motorboot een tocht te maken langs de fraaie **kust** met schitterende kloven richting Oman in het noorden, waar prachtige **baaien met stranden** zijn.

Voor terreinwagenbestuurders zij de route vermeld van Dibba naar Ras al-Chaima, die loopt door de grandioze ravijnen van de **Wadi Bih** en **Wadi Khab Shamsi**. U moet over goede off road-ervaring beschikken. De route is hier en daar niet zonder gevaar!

Boven: De moskee van Bidiyah geldt als de oudste van de Emiraten. Rechts: De oostkust biedt een paar aangename strandhotels (Foedjaira Beach Motel).

BIDIYAH

Via de kustweg naar het zuiden bereikt u na een fraai lang **zandstrand** met de hotels **Sandy Beach** (met restaurant, bar, zwembad en duikschool) en **Le Meridien al Aqah** het plaatsje **Bidiyah** ㉛ (Badiyah). Bij de ingang ervan, rechts van de weg, staat een klein historisch gebouw – de vermoedelijk oudste ★★**moskee** van de Emiraten, ontstaan in de periode 1446-1668. De architectuur van de moskee is ongebruikelijk, want de vier kleine **koepels**, die worden gesteund door een zuil in het midden van de gebedsruimte, hebben ieder een 'punt'. Dat heeft geen enkele andere moskee in de Emiraten. De meeste oude gebedshuizen hadden geen minaret, maar voor vensters en bovendorpels gebruikte men op zijn minst hout als bouwmateriaal. De moskee in Bidiyah werd daarentegen slechts opgetrokken uit stenen en gedroogde lemen bakstenen, en in de dikke muren

 kaart p. 208, info p. 218-219

werden kleine albasten raampjes uitgespaard. Pas een paar jaar geleden begon een uitgebreide restauratie: de moskee werd licht geverfd, er werden geplaveide wegen aangelegd, een paar planten neergezet en een kleine winkel met verfrissende drankjes en schone toiletten geopend. Helaas had de toeristische dienst geen overleg gepleegd met de plaatselijke autoriteiten. Nadat enkele Emirati's zich beklaagd hadden over het feit dat ze gedurende de gebedstijden steeds vaker gestoord werden door bezoekers, werd in het voorjaar van 2008 besloten dat de moskee niet langer bezichtigd kon worden. Niettemin moet u het historische bouwwerk niet zomaar links laten liggen, want voor een **panorama** van bovenaf, niet alleen op het kleine gebedshuis, maar ook op de plantages van het achterland en de Indische Oceaan, loont een 'klim' (slechts een paar meter) naar de beide gerestaureerde **wachttorens** die op een rots werden gebouwd – waarschijnlijk door de Portugezen. In het verleden stond er vermoedelijk ook een vesting, maar die heeft de tand der tijd helaas niet doorstaan. Interessant is de levendige **donderdagmarkt** van Bidiyah.

U heeft een 4-wheeldrive nodig voor een excursie (bij Zubarah) naar de **Wadi al Wurriyah** ㉜. Deze wadi behoort tot de fraaiste van het emiraat al-Foedjaira, want hij beschikt het hele jaar door over water en is om die reden gezegend met een rijke flora en nog een **waterval** ook. Een excursie is de moeite waard. Maar wie op weg gaat in de veronderstelling de Arabische Niagarawatervallen te ontdekken, omdat de autochtonen zeggen dat u er absoluut naar toe moet, moet bedenken: zoet water was op deze breedtegraad in het verleden een van de meest kostbare zaken. Als er ergens zoveel stroomde dat het zelfs natuurlijke waterbekkens vulde, dan was het (en is dat nog altijd) een sensationele excursiebestemming.

KHOR FAKKAN

Wie geen terreinwagen heeft, rijdt verder naar **Khor Fakkan** ㉝, een nogal rustige bad- en havenplaats aan de kust van Shumayliyah. Omdat dit stuk tot

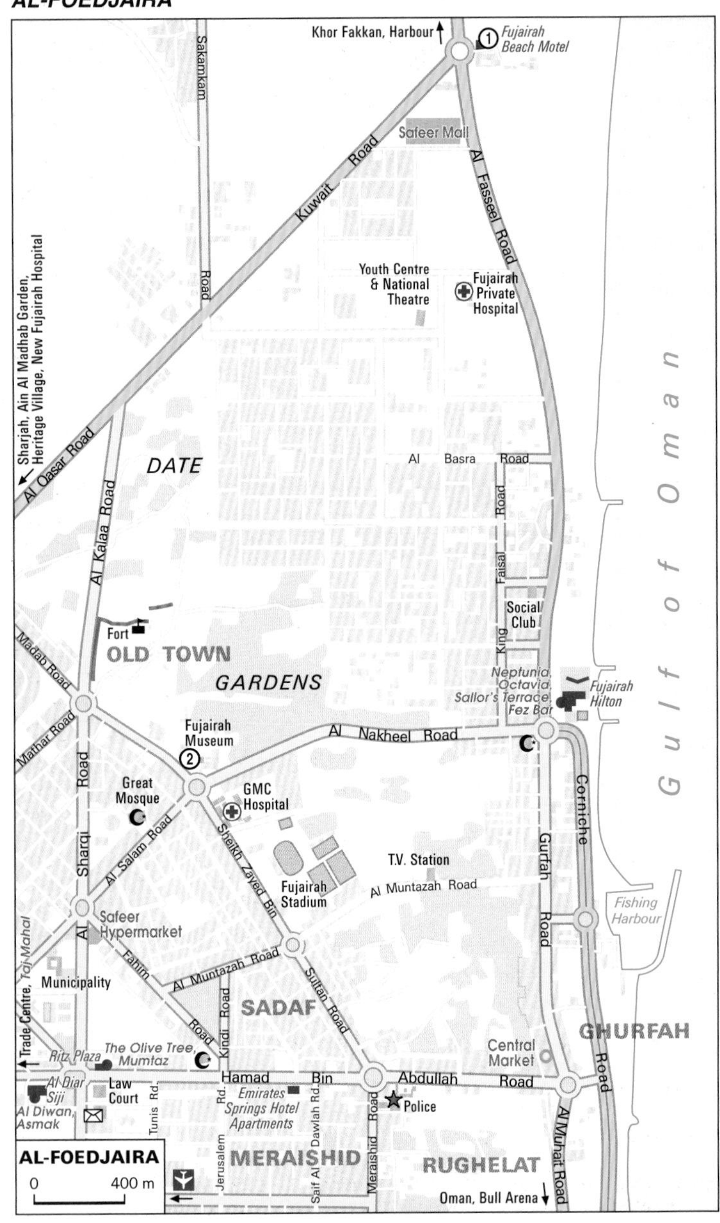
Khor Fakkan, Harbour
1 Fujairah Beach Motel
Sakamkam Road
Safeer Mall
Kuwait Road
Al Fasseel Road
Sharjah, Ain Al Madhab Garden, Heritage Village, New Fujairah Hospital
Youth Centre & National Theatre
Fujairah Private Hospital
Gulf of Oman
Al Qasar Road
DATE
Al Basra Road
King Faisal Road
Al Kalaa Road
Social Club
Fort
OLD TOWN
GARDENS
Madab Road
Neptunia, Octavia, Sailor's Terrace, Fez Bar
Fujairah Hilton
Mathar Road
Fujairah Museum
2
Al Nakheel Road
Great Mosque
GMC Hospital
Corniche
Al Sharqi Road
Al Salam Road
Sheikh Zayed Bin Sultan Road
T.V. Station
Gurfah Road
Fujairah Stadium
Al Muntazah Road
Fishing Harbour
Safeer Hypermarket
Fahim Road
Al Muntazah Road
Trade Centre, Taj Mahal
Municipality
Kindi Road
SADAF
GHURFAH
Ritz Plaza
The Olive Tree, Mumtaz
Central Market
Hamad Bin Abdullah Road
Al Diar
Siji
Al Diwan, Asmak
Law Court
Tunis Rd.
Rd.
Emirates Springs Hotel Apartments
Dawlah Rd.
Police
Al Muhait Road
Jerusalem
Saif Al
Meraishid Road
MERAISHID
RUGHELAT
Oman, Bull Arena
AL-FOEDJAIRA
0 400 m

het **emiraat Sjardja** behoort, mag u in de restaurants geen alcohol verwachten. Er valt niet veel te zien, maar de **strandpromenade** is fraai beplant en in de weekends heel levendig. Een paar cafés bieden uitzicht op zee en de vele **olietankers** voor de kust, want Khor Fakkan is een belangrijke **oliehaven**. Bij de meeste gaat het om VLCC's (Very Large Crude Carriers – zeer grote ruwe olietankers) en de ULCC's, dat zijn de Ultra Large (ultra-grote) die tot 350 meter lang zijn. Als de schemering valt vormen hun positielichten een keten dwars over de horizon.

AL-FOEDJAIRA

De hoofdstad van het emiraat **al-Foedjaira** ㉞ leeft van de goederenoverslag die via een lucht- en zeehaven wordt afgewikkeld. Hoe belangrijk vooral de zeehaven is, werd duidelijk tijdens de Golfoorlogen toen de doorgang door de Straat van Hormoez naar de olie-overslaghavens in de Perzische Golf zwaar werd bemoeilijkt. Het gerucht dat de smalle waterweg door het zinken van slechts één groot schip op de juiste plaats langdurig geblokkeerd zou kunnen worden, veroorzaakte in de jaren tachtig lichte paniek. Want nog altijd is dit een van de belangrijkste transportroutes voor aardolie, ook voor de economie van de westerse wereld. Om de dreiging te verkleinen, zijn er sindsdien diverse **olie-overslagstations** langs de oostkust gekomen.

Het eerste wat u van al-Foedjaira ziet zijn de flats langs de **Hamad bin Abdullah Road**, die vanaf de kust in een rechte hoek direct naar de stad leidt. Na de kleine provinciedorpjes die u eerder bent gepasseerd, doen deze wolkenkrabbers een beetje onwerkelijk en als een dissonant aan.

Wie geen zin heeft in de hoofdstraat van al-Foedjaira – met veel verkeer en weinig winkelmogelijkheden – maar liever een blik wil werpen op het oude al-Foedjaira, moet bij het **Beach Motel** ① rechtsaf de Kuwait Road inslaan. Na ongeveer 1,5 km buigt links de Al Qala'a Road af, en dan bent u er al. Op een kleine heuvel troont de ongeveer 360 jaar oude **vesting**. Ze werd behoorlijk beschadigd door Engelse kanonkogels en lag er lang verlaten bij. Daarna ondernam men een volledig mislukte restauratiepoging, waarbij op de oude muren uit leem betonnen tegels werden geplaatst, maar dat zag er zo vreselijk uit dat men bijna wenste dat de Engelse kanonnen nog een paar voltreffers meer hadden gemaakt om de vesting volledig weg te vagen. Inmiddels heeft men daarvan geleerd en werd de burcht opnieuw opgebouwd met oorspronkelijke bouwelementen. De aanvankelijk geplande verhuizing van het Nationale Museum naar de vesting werd echter – nog – niet gerealiseerd.

Rond de heuvel van de burcht lag vroeger de **stadskern**, tot voor kort een treurig ruïneveld. Geleidelijk aan werden de huizen echter weer opge-

Rechts: Een veel gemaakte foto – moskee met koffiekanmonument in Foedjaira.

bouwd en in de toekomst kunnen bezoekers zich verheugen op een openluchtmuseum met park en cafeteria's.

Het **Nationale Museum** ② is gehuisvest in een onopvallend gebouw in de buurt, maar voor een bezoek dient u over een bijzondere belangstelling voor geschiedenis te beschikken, en wie niet zo warm loopt voor archeologie kan beter van de zon gaan genieten. (In een reisgids wordt een blik op het plafond aanbevolen, omdat het stucwerk zulke mooie kleuren heeft...) Wie niettemin toch wil weten waar de verschillende opgravingen liggen in het emiraat al-Foedjaira en wat overleden personen in de ijzertijd in hun graf als **grafgiften** mee op reis namen naar het hiernamaals (bijvoorbeeld wapens of fijn bewerkt aardewerk), die wordt zeer goed geïnformeerd. Voor muntenverzamelaars kunnen de pre-islamitische **zilveren munten** een boeiende attractie zijn. Ook de **etnografische afdeling** met voorwerpen uit het dagelijks leven mag niet worden verzwegen, maar die worden in de musea van Ras al-Chaima of Doebai fraaier gepresenteerd.

Boven: De vesting van Foedjaira werd pas na een tweede poging vakkundig gerestaureerd. Rechts: Aan de strandpromenade van Kalba amuseren 'expats' zich in hun vrije tijd.

Als u de Kuwait Road volgt naar de uitgang van de stad, komt u bij de **Ain al Madhab-tuinen**. Die liggen bijzonder fraai in een klein dal aan de voet van de bergen net buiten de stadsgrens en bijzonder eraan zijn de natuurlijke **minerale bronnen** met warm, zwavelhoudend water. Voor een ontspannend bad staan twee **bassins** (een voor dames, een voor heren) ter beschikking; om te overnachten kunnen chalets worden gehuurd. Op feestdagen (religieuze en nationale) vinden in de tuinen openbare folklore-evenementen plaats.

Naast de Ain al Madhab-tuinen ligt het **Heritage Village** van al-Foedjaira. Het is de afgelopen jaren ietwat verwaarloosd en heeft voor wie al in het museum in Doebai of Sjardja was helaas amper iets nieuws te bieden, op *al yazrah* na, een bron waaruit het water in enorme leren zakken omhoog werd ge-

 plattegrond p. 214, info p. 218-219

hesen, die zo zwaar waren dat men er ossen bij gebruikte.

Stierengevecht

Hun ogen fixeren de tegenstander. Op vrijdag, laat in de middag, staan ze in de **Bull Arena** tegenover elkaar, de toeschouwers zijn stil geworden. De koppen naar beneden, slechts een paar centimeter van elkaar verwijderd, ruiken ze elkaars zweet. Angst? *Asshewel* (de 'bulldozer') heeft al een paar wedstrijden gewonnen en geldt als favoriet. Maar hij moet zich niet laten bedriegen door de naam van zijn rivaal, want *al Asshaer* (de 'poëet') is één bonk spieren. De minuten verglijden, er gebeurt niets. Dan een aanval, de poëet doet twee krachtige passen naar voren, knalt met zijn volle gewicht op de schedel van bulldozer. Die lijkt verrast, doet twee passen terug – en heeft daarmee verloren. De wedstrijd is voorbij. Geen bloed, geen zwaard, geen mens die een dier doodt. Er strijden altijd alleen stieren tegen elkaar die even groot, even oud en van hetzelfde ras zijn.

Deze sport heeft een lange traditie, niet alleen in de Emiraten, maar langs de hele Batinah-kust, dus ook in Oman. Naar verluidt hadden de eerste veetelers in prehistorische tijd er al lol in om de kracht van hun dieren te meten door wedstrijden waarbij geen bloed vloeide en ook Portugese soldaten beleefden er misschien in de 16de eeuw plezier aan, maar dat is meer een vermoeden. Zeker is daarentegen dat zulke wedstrijden voor de komst van dieselpompen en traktoren plaatsvonden langs de gehele oostkust. Destijds had iedereen tenminste één os voor de ploeg of voor het werk aan een bron. Met de modernisering begon de neergang, de mensen verkochten hun trekdieren, want het houden ervan voor slechts de consumptie was te kostbaar. In de jaren zeventig van de 20ste eeuw verdween de sport bijna volledig, maar kort daarop beleefde ze een renaissance. Bestond de training vroeger uit zware arbeid, nu worden de kalveren speciaal voorbereid op de wedstrijd. Daartoe behoort ook bijzonder krachtvoer, bestaande uit melk, gras, dadels en gedroogde sardientjes.

Maar het is eigenlijk meer voor de lol dan om de sport. Desondanks nemen de bezitters het spel serieus. Er lonken weliswaar geen prijsgelden, maar de roem van een winnende stier straalt ook af op de 'trainer' en verhoogt de marktwaarde van het dier aanzienlijk.

KALBA

Kalba ㉟ behoort tot het emiraat **Sjardja**. De kleine cafés aan de rustige **Corniche** nodigen uit tot een pauze. Ornithologen zijn geïnteresseerd in de (trek-)vogels die leven in de uitgestrekte **mangrovebossen** van de **Khor Kalba**. Bezienswaardige historische gebouwen zijn de **ruïne** van een Portugees verdedigingscomplex, het **museum** in de plaatselijke **vesting** met een aardige, kleine tentoonstelling (historisch) en het opnieuw opgetrokken woonhuis van sjeik Saeed al Qasimi, dat eveneens als **museum** wordt gebruikt – alle liggen aan de Corniche.

De kleine stad Kalba was bijna ontsnapt aan het alcoholverbod. Toen de Engelsen naast de eerste luchthaven aan de Perzische Golf er ook een aan de Indische Oceaan wilden openen, bood de emir van Kalba hun een geschikt stuk grond aan, maar eiste erkend te worden als onafhankelijk emiraat, waarvoor hij sinds het begin van de 20ste eeuw streed. De Engelsen voldeden in 1936 aan zijn wens, maar slechts 16 jaar later, in 1952, werd het emiraat opnieuw bij Sjardja gevoegd.

*BITHNAH

Op het traject van al-Foedjaira naar Masafi ligt in **Bithnah** ㊱ (Bathna) nog een kleine parel voor wie graag mooie forten bekijkt: daar doet de gerestaureerde ***burcht** nog iets vermoeden van zijn vroegere strategische belang bij de toegang tot de kust. De vesting troont aan de voet van fotogenieke bergcoulissen. Vlakbij ligt de eerder vermelde vindplaats van het **Bithnah-graf**.

Hoewel niet alle steden van de oostkust bij het emiraat al-Foedjaira behoren, hebben ze het gemeenschappelijke kengetal 09.

Over de toeristische attracties van de steden Khor Fakkan en Kalba informeert het bureau voor toerisme in Sjardja (zie p. 180). Het **emiraat al-Foedjaira** heeft geen eigen verkeersbureau in het buitenland; ter plekke kunt u zich wenden tot het **Fujairah Tourism Bureau**, tel. 223 1554, www.fujairah-tourism.ae.

KHOR FAKKAN (☎ 09)

Khor Fakkan is nogal klein; langs de Corniche en in de Sheikh Khalid Road, de hoofdstraat door de plaats, zijn diverse eenvoudige, maar goede restaurants.
De beide enige restaurants van wat meer luxe vindt u in het **Oceanic Hotel** (tel. 238 5111), dat niet over het hoofd is te zien aan het noordelijke eind van de baai. Een mooier uitzicht biedt zonder twijfel het **Al Gargour Rooftop restaurant** – zoals de naam aangeeft vindt u die op het dak van het hotel. 's Middags is er een groot buffet, 's avonds moet u zelf kiezen uit een goed gevulde menukaart waarop zich veel vruchten uit Neptunus' tuin bevinden. In het weekend (donderdag en vrijdag) wordt het vol; vooral op vrijdag wordt een speciaal programma aangeboden: dan is er live-entertainment, meestal struise meisjes met korte rokjes en magere stemmetjes die gegarandeerd elk lied vals kunnen zingen. Het andere 'chique' restaurant in het Oceanic Hotel is het **Al Murjan restaurant**, waarvan de keuken internationaal is georiënteerd.

Ook wat betreft sportaanbod heeft het **Oceanic Hotel** een monopoliepositie, want het biedt tennisbanen, zwembad, fitnessruimte, **windsurfen**, **waterski** of **zeilen**. Bovendien organiseert het diverse **excursies**, die per **dhow** naar de kust in het noorden voeren. Als u met z'n drieën bent (dat is het minimum aantal deelnemers) kunt u een anderhalf uur durende **rondvlucht** laten organiseren. Of liever op de grond blijven en met een **terreinwagen** de wadi's in de omge-

ving uitproberen? Romantici kunnen een zonsondergang-**vissersbootexcursie** overwegen – maar denkt u eraan: de zon gaat in het westen achter de bergen onder! Met een beetje geluk kunt u gigantische zeezoogdieren zien tijdens een **walvistour**. Het hotel heeft bovendien een eigen **duikschool**.
Een andere **duikschool**, de **Sea Divers**, tel. 238 7400, bevindt zich in de buurt van de Nieuwe Souk.

De shoppingmogelijkheden zijn beperkt in Khor Fakkan. De meeste winkels bevinden zich in de **Sheikh Khalid Road**; daar zijn ook **banken**, **apotheken** en het **postkantoor** te vinden.

AL-FOEDJAIRA (☎ 09)

ARABISCH: Het **Alrous al Bahr**, tel. 222 7866, Fasil Road, houdt aan de oostkust de eer van de Libanese keuken hoog. Het restaurant is eenvoudig ingericht, maar het zeer hoffelijke personeel en de goede keuken zijn een bezoek waard. De naam van het restaurant betekent 'zeemeermin', maar die moet u zelf vangen.
INDIAAS: Probeert u toch een keer de keuken van Pakistan, dat tenslotte tot 1946 bij India hoorde; een goed adres daarvoor is **Maikana** in het Ritz Plaza Hotel, tel. 222 2202, want de kelners zijn attent en het eten kostelijk, vooral het verse brood. Ondanks de welluidende naam moet u in **Taj Mahal**, tel. 224 2709, Hamad bin Abdullah Road, geen Noord-Indiase Moghul-paleiskeuken verwachten; in plaats daarvan eet u hier eenvoudig en goed en wordt vlot bediend.
ITALIAANS: In het Fujairah Trade Center, Hamad bin Abdullah Road, is de **Pizza Inn**, tel. 222 2557. Dat klinkt een beetje naar fastfood, maar de naam bedriegt. Behalve met goede pizza's raakt u hier ook voldaan met lekkere pastagerechten. **The Olive Tree** in het Ritz Plaza Hotel, tel. 222 2202, is een klein, gezelllig restaurant met Europese inrichting en een mediterrane keuken die over de grenzen van Italië heen reikt.
SEAFOOD: Het **Neptunia** in het Hilton Hotel, tel. 222 2411, is het beste adres voor uitmuntende visgerechten, of het nu voor een lunchpauze is of in alle rust voor een diner. Eenvoudiger qua interieur, maar met niet minder smakelijke gerechten is het **Asmak Restaurant** in het Al-Diar-Siji-Hotel, tel. 222 3200.

Het **Hilton Hotel** (tel. 222 2411) heeft drie aardige bars: de **Octavia**, waar ook kleine gerechten worden geserveerd, wat ook geldt voor het **Sailor's Terrace** op het fraaie strandterras – werkelijk klasse! Of u drinkt een lekker afzakkertje in de **Fez Bar** als er livemuziek is.

Het **Hilton Hotel** (tel. 222 2411) heeft het meest omvangrijke sport- en recreatieaanbod, waartoe ook **visexcursies** en een klein **golfterrein** (met de nadruk op klein) behoren.
DUIKEN: **Scuba International**, in de International Marine Club, tel. 222 0060, of in het Hilton Hotel.

BUSSEN: Zijn er niet.
TAXI: Het aanbod aan taxi's is weliswaar beperkt, maar in al-Foedjaira rijden er bijna altijd een paar rond; beltaxi's zijn er niet.
GEDEELDE TAXI'S: Het 'station' ligt in de Hamad bin Abdullah Road dicht bij de opvallende rotonde met de rozenwaterverstuiver. Er zijn hoofdzakelijk directe verbindingen naar Doebai en Sjardja (elk ca. 25 DH), op andere steden wordt minder vaak gereden.

De Central Post Office ligt in het centrum van de stad in de Al Sharqi Road richting vliegveld.

BANKEN / WISSELKANTOREN: Banken met geldautomaten staan in de Hamad bin Abdullah Road; geldwisselaars hebben zowel daar als in de Zayed bin Sultan Road hun filialen.

APOTHEEK: In de Hamad bin Abdullah Road zijn verschillende apotheken.
ZIEKENHUIS: **New Fujairah Hospital**, tel. 224 2999, aan de westkant van de bebouwde kom in de Al Njaimat Road. **Fujairah Medical Center**, tel. 223 2555, aan de noordkant van de bebouwde kom, aan de kustweg (Al Paseel Road).

DE DADELPALM – LEVENSBOOM

Omdat de dadelpalm (*Phoenix dactylifera*) in de oasen van de woestijn vaak het hoogste gewas is, zei men om zijn geluksgevoelens uit te drukken *'ana fauq an-nakhl'* – ik ben boven de (dadel-)palm. Dat is het Arabische equivalent van het Nederlandse 'Ik ben in de zevende hemel' en toont de betekenis van de tot 30 m hoge palm en zijn vruchten in het dagelijkse leven uit vervlogen tijden. Want de dadel was tot halverwege de 20ste eeuw een van de belangrijkste voedingsmiddelen op het Arabisch Schiereiland en aan de Golfkust. Omdat ze zo rijkelijk voorhanden was en voor iedereen betaalbaar, noemde men haar bijvoorbeeld in Oman *umm al faqir*, moeder van de armen. De bergbewoners van de Hajjar en de bedoeïenen in het Lege Kwartier hadden veel respect voor haar. Want niet alleen de Shihu, een stam op het bergachtige Musandam-schiereiland, kwamen in de herfst naar de kustvlaktes en verdienden er met de dadeloogst wat bij, voor de nomadische bedoeïenen was de houdbare dadel een levensverzekering op hun lange tochten naar het zoeken van weidegrond. Zo bericht de Engelse reiziger Wilfred Thesiger, die in de jaren veertig van de 20ste eeuw in gezelschap van bedoeïenen verschillende keren het Lege Kwartier doortrok, in zijn boek *De woestijnen van Arabië*, hoe een van zijn begeleiders een dadelpit uit het vuur pakte, die Thesiger er achteloos in had gegooid.

Al net zo waardevol was de palm als bouwmateriaal. De stam diende als steunpilaar bij het bouwen van een huis, de vezels van de sterke palmbladen als de bovendorpel van ramen of deuren. Zelfs voor tempels gebruikte men hun hout, zoals bijvoorbeeld voor die van de maangod Nanna in de Soemerische stad Ur in Mesopotamië (tegenwoordig Irak). Uit de lange bladeren vlocht men vloermatten, transportmanden, vliegenmeppers of waaiers. In Egypte werd een meer dan 5000 jaar oude mummie gevonden die in een gewaad van dadelbladeren was gehuld.

Voorgaande pagina's: Twee valkeniers tonen hun dressuurmethodes bij Hotel Bab al Shams. Racekamelen tijdens conditietraining. Links: dadeloogst.

Al 7000 jaar cultuurgewas

Over de precieze oorsprong van de dadelpalm als nuttig gewas tast men nog in het duister. Egyptenaren en Syriërs zouden zich al 8000 jaar geleden in de schaduw van deze boom hebben gevestigd, zoals tempelreliëfs laten zien. De archeoloog Geoffrey Bibby verkondigt daarentegen de stelling dat ze voor het eerst in het Indusdal werd geplant, onder andere omdat daar de tot nu toe oudste, versteende dadelpitten uit het 6de millennium v. Chr. werden gevonden. Van daaruit begon ze vervolgens aan haar zegetocht door de Oriënt. Ze werd mogelijkerwijs ook verder verspreid doordat Griekse soldaten van Alexander de Grote op hun lange mars bij hun rustplaatsen pitten op de grond spuugden.

In de Emiraten kende men de dadel al 7000 jaar geleden, zoals twee in 1998 op het eiland Dalma bij Aboe Dhabi gevonden dadelpitten bewijzen. Maar er lag geen bijbehorende aanplanting in de buurt, waardoor de dadels vermoedelijk afkomstig waren van kooplieden. Tegenwoordig zijn op het Arabisch Schiereiland 422.000 ha beplant met palmen. Alleen al in de Emiraten staan circa 35 miljoen bomen. Er zijn meer dan 100 dadelsoorten, van sappig tot melig, waarbij een groot deel tegenwoordig wordt verwerkt tot veevoer. De kwaliteit hangt onder andere af van het aantal zonuren, de bewatering van de grond en het zoutgehalte van water en aarde. De wortels van de palm kunnen tot 25 meter diep reiken en hoe meer water hun ter beschikking staat, des te zoeter smaken de vruchten. In de winter hebben de bomen genoeg aan ongeveer 7 liter per dag; in de zomer kennen ze echter veel dorst en hebben ze het viervoudige nodig. Niet voor niets zegt een spreekwoord dat een palm met het hoofd in de zon en met de voeten in het water moet staan.

De diva

De voor vorst gevoelige dadelpalm, die een gemiddelde jaartemperatuur van tenminste 21°C nodig heeft, is een diva onder de cultuurgewassen. Ze heeft veel aandacht en zorg nodig. De bladeren moeten worden gesteund, opdat de palm in de hoogte groeit en niet als struikgewas verkommert. Daartoe gebruiken de tuinmannen een bijzonder mes dat u op veel bedoeïenenmarkten tegenkomt. Het ziet er een beetje uit als een maansikkel met handgreep en tanden; daarmee worden de bladeren dicht aan de stam afgezaagd. Om beide handen vrij te hebben voor de oogst, gebruikt men een brede gordel, op dezelfde manier als gewichtheffers die dragen; alleen eindigt de gordel in een lus. Aan deze lus wordt een rond de dadelstam geworpen touw bevestigd. Is de tuinman boven in de top, dan zet hij zich met zijn voeten tegen de stam af, hangt met zijn hele gewicht in de gordel en zaagt de tot 10 kilo zware vruchttrossen af – geen ongevaarlijke taak. Al menig tuinman is tijdens dit werk vanaf 8 of 9 meter hoogte naar beneden gevallen.

Het verzorgen van jonge palmen verlangt bijzondere kennis en zorgvuldigheid. Weliswaar beschikt men over genoeg pitten, maar uit ervaring weet men dat de vruchten uit een dadelpit niet de kwaliteit bereiken van de moederboom. Natuurlijke spruiten zijn beter geschikt, maar men moet wachten tot ze voldoende wortels hebben ontwikkeld en zelfs dan is een overplanting een hachelijke zaak. Vele gaan dood. Daarbij komt ongedierte, zoals de rode snuitkever (een vraatzuchtige kever), termieten of de dadelmot. Al in de jeugdige leeftijd van 5 tot 8 jaar kunnen de bomen vruchten dragen, maar pas na nog eens 30 jaar zijn ze volwassen en leveren ze een maximale oogst. Een sterke palm maakt de eigenaar ervan blij met 50-150 kilo per oogst tot de leeftijd van 70-80 jaar, daarna gaat ze langzaam met pensioen.

Dadelpalmen zijn windbestuivers, er zijn mannelijke en vrouwelijke palmen. Als zich in het voorjaar mannelijke zaden hebben gevormd, kan men slechts hopen dat de wind de goede kant op staat, want alleen vrouwelijke bomen dragen vruchten. Daarop wil men zich natuurlijk niet verlaten en daarom helpt men als vanouds flink mee. Of men brengt de mannelijke bloemen direct naar de vrouwelijke boom, of men bestuift met sterke blaastoestellen elke palm gericht.

Rechts: Een verkoper van dadels.

Dadels als medicijn

Het vitaminegehalte van een dadel is zo hoog dat slechts zeven van deze vruchten het dagrantsoen van een volwassene dekken. De duimgrote vruchten zouden bijna 50 verschillende mineralen en sporenelementen bevatten, waaronder kalium, calcium, ijzer en bovendien eiwit. Het hoge suikergehalte zorgt ervoor dat ze vers en gedroogd lang houdbaar zijn. Dat was niet alleen voor de bedoeïenen, maar ook voor Arabische zeelieden van belang. Terwijl bij de bemanning van Europese zeilschepen de afgelopen eeuwen de tanden uit de mond vielen door scheurbuik (een ziekte door gebrek aan vitamines), konden hun Arabische collega's zich op hun lange reizen naar India, China of Oost-Afrika verheugen over een blakende gezondheid. Wat betreft houdbaarheid: in het voorjaar van 2005 lukte het Israëlische wetenschappers een spruit te kweken uit een dadelpit – de pit was 2000 jaar oud!

Dadels en pitten werden ook gebruikt als geneesmiddel. Zo maakte men uit dadelmoes, fijngewreven pitten, gedroogde mirre en bijenwas een pasta en wreef daarmee gezwollen ledematen in. Timothy Severin bericht in zijn boek *The Sindbad Voyage* hoe de Omani's ernstige kneuzingen van een scheepsbemanningslid succesvol behandelden met een brij uit fijngestampte dadels en zout. Maar ook voor de kleine kwaaltjes tussendoor kon de vrucht worden ingezet. Tegen voortdurend niesen moest een beetje dadelsap in de neusvleugels worden gedruppeld. Als een man lusteloos was, dan moest een mengsel uit dadelsiroop, kaneel en kamelen- of geitenmelk zijn libido op gang helpen. En zelfs tegen dunne haargroei was er een recept: men neme de botten van een hond, een hand vol dadelpitten en de hoef van een ezel, laat alles koken met behoorlijk wat vet tot een sterk ruikende pasta en smeert deze op de betreffende plaatsen.

Dat mag curieus klinken, maar de medische wetenschap heeft daadwerkelijk een genezende werking van dadelextracten vastgesteld. Opvallend is de geringe vatbaarheid van bedoeïenen voor kankeraandoeningen – wellicht vanwege de hoge dadelconsumptie?

Dadels in de religie

Allah heeft de aarde en alles daarop geschapen. Maar de palm was volgens de overlevering meer een vergissing. Toen Hij namelijk de mens af had, was er nog een hompje leem over en daaruit vormde Allah vervolgens snel een dadelpalm. Dadels waren het lievelingseten van de profeet Mohammed, wiens huis in Medina in een palmbos stond, en hij omschreef ze als een geschenk van God. In de koran, die de boom 26 maal vermeldt, wordt ze ook levensboom genoemd die in de tuin van Eden groeide. Op een andere plaats wordt bericht dat de heilige Maria van de boom zou hebben gegeten toen ze zwanger was van Jezus. Nog vandaag de dag hechten veel Emirati's er waarde aan in de vastenmaand ramadan, volgens oud gebruik, als eerste een paar dadels te eten als de zon is ondergegaan.

DHOWS – DE ARABISCHE HOUTEN SCHEPEN

Nauwelijks heeft de kapitein het bevel tot het hijsen van de zeilen gegeven, of daar schalt het luidkeels over het dek. 'Muu-su-rek-ja-mo-ha-med, muu-surek-ja-mo-ha-med'; sterke handen grijpen het ruwe scheepstouw uit hennep en trekken het karakteristieke driehoekige zeil van de dhow omhoog. Meer dan 1300 jaar lang was dit melodische geroep te horen, vrij vertaald met 'geeelijk', totdat het in 1970 door het geknetter van dieselmotoren werd vervangen.

Op het eerste gezicht wekken de houten schepen niet bepaald de indruk dat men er meer dan een tegenwoordig bij de bezoekers van Doebai geliefde dinnercruise op de rustige Creek mee zou kunnen maken. Marco Polo al merkte spottend over de Arabische vloot op: 'Hun schepen zijn zeer slecht en vele ervan vergaan, omdat ze niet met ijzeren nagels zijn gebouwd, maar met draden uit kokosnootschalen aan elkaar worden genaaid. [...] En ik geef u mijn woord dat de meeste zinken, want op de Indische Oceaan gaat het er vaak zeer stormachtig aan toe'. Meneer Polo zou vermoedelijk voorzichtiger met zijn oordeel zijn geweest, als hij meer had geweten over de geschiedenis van de Arabische zeehandel, die in zijn tijd al bijna 500 jaar gedijde.

Tot aan China

Al in de 8ste eeuw zeilden Arabische zeelieden met hun genaaide boten langs de kust van Zuid-Arabië naar Oost-Afrika en Zanzibar en handelden in ivoor, specerijen of het toenmalige 'zwarte goud' – slaven. Een lucratieve business, want menselijke 'waar' kon immers met 100 procent winst in de Emiraten of Oman worden verkocht.

Links: Nog altijd zeewaardig – een traditionele dhow tijdens een regatta.

Een groot deel van de eenvoudige scheepsbemanning (*bahari*) bestond eveneens uit slaven. Rond 750 was de eerste Omani, Abu Ubayda, zelfs tot aan het verre China gezeild en had een van de meest winstgevende markten in de geschiedenis van de zeevaart ontsloten. Met slechts één enkele vaart kon een handelaar zoveel verdienen dat een zorgeloze oude dag gegarandeerd was. Wel duurde een reis naar China minstens anderhalf tot twee jaar, dus aanzienlijk langer dan de 5-maanden-trip naar Oost-Afrika, en veel kooplieden keerden nooit terug. Nog aan het begin van de 20ste eeuw ging, ondanks verbeterde navigatieapparatuur, elk tiende schip ten onder. Er werd gehandeld met goud, edelstenen, zijde, specerijen en duur porselein. Nog altijd vindt u in de oudere moskeeën van Arabië en Oost-Afrika Chinees porselein als teken van hoogachting in de muren rond de gebedsnis gemetseld.

Navigatiemeesters

De vaart naar China was een meesterproef van navigatiekunst. Aan het begin van de overzeese handel durfden de zeevaarders bij gebrek aan oriëntatiepunten nog niet de open zee op en zeilden ze langs de kusten naar hun bestemming. Markante rotsformaties kregen pregnante namen als 'De neus van de profeet' of 'Ezelshoofd' en waren elke kapitein bekend. Maar de routes langs de kust waren lang en brachten veel gevaren met zich mee, zoals ondiepe plaatsen, stormen en piraten.

Twee dingen maakten uiteindelijk een directe overtocht over de oceanen mogelijk. Een klein houten plankje (*kamal*), bevestigd aan het einde van een snoer, was een eenvoudig te bedienen navigatie-instrument en maakte een tot op circa 50 kilometer precieze positiebepaling mogelijk. Men bepaalde de plaats van de poolster en andere sterren en kon in ieder geval de geografische breedte berekenen waarop een schip zich bevond (men noemt dat ook wel op breedtegraad zeilen) en op elke willekeurige bestemmingshaven aansturen. De namen van verschillende vaste sterren, zoals Aldebaran, Algenib en Algol, dateren uit die tijd, toen Arabische geleerden de kunst van de astronavigatie ontwikkelden en oceanen overstaken, terwijl Europese kapiteins nog problemen hadden om het andere eind van het Kanaal te vinden. Een van de beroemdste Arabische navigators was de Omani Ahmed bin Majid. In de 15de eeuw schreef hij diverse boeken over navigatie, waarin alle methodes van de Arabische koersbepaling staan samengevat. Daaruit blijkt dat de Arabieren er niet op goed geluk op uit waren gezeild, maar hun routes precies hadden berekend. In Europese literatuur wordt de Portugees Vasco da Gama als ontdekker van de zeeroute naar India genoemd. Onvermeld blijft dat het een Arabische navigator was, in Oost-Afrika in dienst genomen (volgens de legende een zekere Ahmed bin Majid), die hem de weg wees!

De tweede belangrijke factor was kennis over de regelmaat van de moessonwinden, die twee keer per jaar van richting veranderden. Als in de late herfst de noordwestmoesson (*kazkazi*) begon, was het tijd om naar India op te breken. Aangekomen aan de zuidkant van het subcontinent, werd in de haven van Calcutta proviand en vers water aangevuld en handel gedreven, tot de zuidwestmoesson (*kuzi*) begon, die de schepen naar China bracht. Timothy Severin, die in 1980 met een originele kopie van een genaaide boot dezelfde route aflegde, beschrijft in zijn boek *The Sindbad Voyage* onder andere heel indrukwekkend aan welke grote weersschommelingen de bemanning werd blootgesteld. Wekenlange windstilte liet zijn schip nauwelijks van zijn plaats komen, om vervolgens plotseling door de meest heftige windstoten getroffen te worden, zodat zelfs een 30 centimeter dikke houten balk als een luciferhoutje brak. Maar Severin bewees dat de Arabische dhows absoluut zeewaardig waren – net als de bemanning ervan, ondanks de armoedige levensomstandigheden. Voor voorraden was niet veel plaats, er waren alleen voldoende dadels en rijst aan boord, maar ook deze voorraden konden bij een te lang aanhoudende windstilte opraken. Vers water moest door regen worden aangevuld en als er 's avonds aan het eind van de sleepvislijn geen vis spartelde, was er óf rijst met dadels, óf dadels met rijst. Voor hangmatten of kooien was geen plaats. Net als in de eeuwen daarvoor zocht de bemanning een vrij plaatsje op het dek.

Rechts: Houten boten worden tegenwoordig veel gebruikt voor uitstapjes in stijl.

Scheepsbouw

De bouw van elk schip begon met het leggen van de kiel. Daarvoor moest allereerst een passende boomstam worden gevonden, want de kiel moest vanwege de stabiliteit bij voorkeur uit één stuk en niet uit twee aan elkaar gezette balken bestaan. De kiel was het belangrijkste deel van een nieuw te bouwen boot, want aan de hand van zijn lengte en sterkte bepaalde de bouwmeester (*qallaf*) de latere vorm en grootte van het gehele schip. En dat alles zonder bouwplan! Hij gaf zijn team uit timmerlieden, touwslagers en zeilmakers uit zijn geheugen de nodige aanwijzingen, om binnen een jaar uit 140 ton teakhout, dat uit India of Perzië afkomstig was, een grote Chinavaarder te bouwen. De werktuigen waren eenvoudig, soms avontuurlijk. Met een kromme bijl, schaaf en handzaag werden kiel, spanten en planken in de juiste vorm gebracht. Om de laatste met voldoende 'garen' te kunnen dichtnaaien, draaide men uit circa 640.000 meter (!) kokosdraad de benodigde touwen en boorde 20.000 gaten. Om de scherpe randjes

van de gaten af te vijlen gebruikte men de ruwe staarten van pijlstaartroggen.

Een goede bouwmeester had altijd meerdere scheepsmodellen in zijn hoofd, waarvan de grootte overigens werd aangegeven met behulp van dadelkorven. Bij een 22 m lang schip waren dat bijvoorbeeld 660 dadelkorven, en dit aantal zegt de kenner dat het om een groot vrachtschip, een *boom* gaat. Het woord dhow is niet Arabisch. Het is afkomstig uit een van de vele Oost-Afrikaanse dialecten, en de Arabieren onderscheidden bijvoorbeeld de Koeweitse *boom* (zoals ze ook in de VAE wordt genoemd) van de Indiase *kotia* en de Omaanse *baggala*. Bij de grote schepen die de toerist tegenwoordig in de haven ziet liggen, gaat het om het laatste type. Bij de vissers is tegenwoordig nog een ietwat kleiner type geliefd, dat men *sambuq* noemt. Die herkent u aan de hoge boeg, die meestal zwart-wit geschilderd is.

Met de komst van de Portugezen rond 1507 veranderden architectuur en bouwwijze. De Arabische bouwmeesters integreerden verschillende stijlelementen, zoals bijvoorbeeld een lage achtersteven of de patronen van het snijwerk. De meest verstrekkende verandering was evenwel het invoeren van ijzeren nagels. Nu, aan het begin van het nieuwe millennium, lijkt het einde van de dhows nabij. Er legt weliswaar nog altijd een vloot van deze eerbiedwaardige schepen aan aan de kades van Doebai en Sjardja, maar er worden geen nieuwe meer gebouwd – die zijn te duur!

En hoe zit het met sterke zeemansverhalen? Bijvoorbeeld de geschiedenis dat de ijzeren nagel zich niet lang zou handhaven, omdat zich, naar men zei, ergens op de bodem van de zee een reusachtige magneet zou bevinden die alle nagels uit de planken zou trekken zodra er een schip overheen zeilde – wat vanzelfsprekend met 'eigen ogen' was gezien. Of de geschiedenis met de haai? Een haai mocht niet worden opgegeten als hij een mens had verslonden, en daarom werd zijn maaginhoud nauwkeurig onderzocht. Daarbij zouden een keer alle gouden sieraden van een Indiase prinses zijn gevonden...

VALKEN

Als de dure vogel te lang in de lucht cirkelt en daarna ook nog richting het dak van het hotel zweeft en daar gaat zitten, maakt zich een lichte onrust meester van beide jonge mannen. Ze imiteren de lokroep die hun vogel tijdens de lange weken en maanden van training heeft leren volgen en een dode duif wordt als lokmiddel aan een lang touw door de lucht gezwaaid. Als de valk uiteindelijk naar beneden glijdt en zich op de duif stort, is alles weer in orde en keert er een glimlach terug op de gezichten van beide valkeniers. Wat de toeschouwers van de interessante valkenshows vlak bij het hotel Bab Al Shams, op ruim 50 kilometer afstand van Doebai, te zien krijgen, is tegenwoordig een wereldwijd geliefde sport, waarvan de traditie teruggaat op een manier van jagen die belangrijk was om te overleven.

De oorsprong ervan ligt ergens in het stof van de open steppengebieden van Centraal-Azië, waar een jager nauwelijks dekkingsmogelijkheden had om dicht genoeg bij het begeerde wild te komen. De afstanden waarop de dieren vluchtten waren te groot en zelfs op paarden kon het wild nauwelijks worden ingehaald. Net als de bedoeïenen van Arabië hadden daarom ook deze jagers honden bij zich om een uitgeput achtervolgd dier te kunnen grijpen, maar voor de drijfjacht op vliegend wild was een hond zeer ongeschikt. Ongeveer 4000 jaar geleden kwam vervolgens iemand op het originele idee een roofvogel te temmen en die in te zetten voor de jacht. In de ruïnes van Chorsabad, een Babylonische stad in Iran, werd een 3600 jaar oud reliëf gevonden met afbeeldingen van valken. Een Assyrische rolstempel uit de periode rond 1300 v. Chr. geldt als een ander bewijs voor het vroege gebruik van roofvogels. Marco Polo bericht dat bij de Mongolen en aan het hof van Dzjingis Khan ook op bijzondere wijze werd gejaagd. In India dateert de valkenjacht van de maharadja's uit de 4de eeuw v. Chr.

Links: De burqa (masker over de ogen) dient om de valk rustig te maken.

Valkerij in Europa

Wanneer en hoe de valkerij naar Europa kwam, daarover doen verschillende verhalen de ronde. Zo beweren verschillende bronnen bijvoorbeeld dat deze met de Hunnen in verband moet worden gebracht, want de gevreesde koning Attila voerde op zijn vaandels de gekroonde kop van een valk. Hoe het ook zij, in de vijfde en zesde eeuw was het onder de Europese edellieden een populaire sport. Een van de grootste valkeniers uit de middeleeuwen was keizer Frederik de Tweede von Hohenstaufen, die met islamitische vorsten correspondeerde. Hij hield zich intensief bezig met de vogels en zijn boek *De arte cum avibus* (De kunst met vogels te jagen) bezit nog altijd grote waarde, al dateert het uit het jaar 1220! Ook Engelse koningen en Russische tsaren hadden valkeniers in dienst en zelfs de verder met weinig geluk bedeelde Schotse koningin Maria Stuart zou in het verheugende bezit van een dwergvalk zijn geweest.

Er bestonden nauwkeurige lijsten van wie op welk dier recht had: 'een adelaar voor een keizer, een giervalk voor een koning, een slechtvalk voor een graaf, een dwergvalk voor een edelman, een havik voor een vrijboer en een sperwer voor een priester.' Opmerkelijk genoeg werd deze lijst opgesteld door een abdis, want ook de clerus wijdde zich aan deze passie. Helaas ontbreekt in bovenstaande lijst welke vogel voor nonnen was, want ook die hadden zo nu en dan een roofvogel. Er is bijvoorbeeld een notitie overgeleverd van een abdis die zich erover beklaagde dat de eerwaarde zusters een vogel mee de kapel in namen.

Van noodzakelijke jacht tot hobby

Voor de bedoeïenen van Arabië was de valkenjacht pure noodzaak. Valken zijn trekvogels, en als ze in de herfst op weg naar het zuiden de woestijn moesten oversteken was dat de beste gelegenheid om er een te vangen. Men gaf de voorkeur aan jonge dieren, die weliswaar al een jachtinstinct hadden ontwikkeld, maar die nog te onervaren waren om een lokvogel van een echte buit te kunnen onderscheiden, wat niet onbelangrijk was bij de training. Allereerst werd de valk een kap (*burqa*) over de ogen geschoven, om hem rustig te maken, daarna moest hij langzaam wennen aan zijn nieuwe baas. Ten slotte begon het africhten voor de latere jacht op hazen, vossen en vogels zoals de kraagtrap (*hubara*), een trekvogel die oorspronkelijk uit Perzië komt en die tegenwoordig nog maar zelden voorkomt. Men liet de vogel honger lijden om hem te inspireren tot de jacht. Met behulp van een aan een lang touw gebonden dode vogel zwaaide men hem zijn buit voor en zodra hij die had 'verslagen' was er een beloning – opdat de valk later de buit niet zelf zou opvreten. In het begin was de valk nog met een touw aan zijn eigenaar verbonden, pas daarna, als hij het een en ander had geleerd, liet men hem vrij vliegen.

Deze training moest vroeger binnen vier weken worden afgerond, want het jachtseizoen stond voor de deur. Tegenwoordig neemt men er aanzienlijk langer de tijd voor. Er kunnen makkelijk acht tot negen weken voorbijgaan. En er is nog een ander, zeer essentieel verschil tussen jacht en luxehobby: was het trekseizoen voorbij, dat duurde van oktober tot februari, dan was daarmee ook het jachtseizoen afgelopen en gaf men de vogel zijn vrijheid terug, want men wist dat hij de warme zomermaanden niet zou overleven. Tegenwoordig maken aangepaste omstandigheden om vogels te houden en airconditioning het mogelijk dat de vogel overleeft. Deze moeite is te begrijpen, want men laat niet zomaar een vogel ter waarde van een luxewagen wegvliegen. Voor een valk wordt soms de gigantische somma van maar liefst 100.000 € betaald. Menig eigenaar kan zich niet eens tijdens een korte zakenreis van zijn pupil scheiden – het is in de Emiraten niet ongebruikelijk een heer met een valk op zijn arm uit zijn hotelkamer te zien komen. Jachtvalken mogen gratis vliegen met Emirates Airlines – bijvoorbeeld naar het luxe-valkenierskamp van de Maktoums in Pakistan om op kraagtrappen te jagen.

Rechts: Jachtvalken moeten leren hun buit af te staan aan de valkeniers.

De stad Sjardja heeft een goede naam verworven als inkoopplaats van valken. De stad haalt haar 'waar' uit Pakistan en Iran, en daarbij gaat het ook om valken om mee te telen (hybride). Verschillende factoren bepalen de prijs: soort, leeftijd, gezondheid, uiterlijk en geslacht. Er is een voorkeur voor vrouwelijke valken, omdat die ongeveer een derde groter worden dan mannetjes en doorgaan voor sterker. De slechtvalk (*Falco peregrinus*) is zeer zeldzaam geworden, wat zijn prijs opdrijft. Heel populair is de sakervalk (*Falco cherrug*, Arabisch *saqr*). De lannervalk (*Falco biarmicus*) is op het Arabisch Schiereiland wijd verbreid en heet daar *shahin wakri*. Kenners kunnen hem onderscheiden van de slechtvalk door de slanke gestalte en de smallere staart evenals de lagere vleugelslagfrequentie.

Wat betreft de staart: de veren ervan zijn voor een goed vliegvermogen bij alle valken van bijzonder groot belang en daarom controleren kopers de lengte ervan.

Valkenklinieken en fokkerijen

Een koper zoekt ook naar verborgen 'gebreken', want het kan voorkomen dat een valk een vleugel of een veer van zijn staartveren breekt. Dan belandt hij

in het vogelziekenhuis. Zowel in Aboe Dhabi als in Doebai zijn valkenklinieken. De uitrusting daarvan kan menig arm land zijn menselijke inwoners niet eens bij benadering bieden: verwarmbare operatietafels zijn nog het minste, röntgen- en ECG-apparatuur behoren tot de basisuitrusting. De Dubai Falcon Clinic beschikt zelfs over drie ambulances!

Terwijl het vervangen van gebroken staartveren of de behandeling van ontstoken klauwen – van het te lang op de stok zitten – nog relatief ongecompliceerd zijn, wordt het bij het onder volledige narcose behandelen van scheurtjes in het hoornvlies in het oog al gecompliceerder. Na een succesvolle operatie wordt de 'patiënt' vervolgens ter observatie naar de intensive care gebracht. Kleinere ingrepen als het verwijderen van gevaarlijke wormen worden soms ambulant uitgevoerd. De klinieken van de VAE hebben de afgelopen jaren zo'n goede reputatie verworven dat zelfs valkeniers uit buurlanden hier naartoe komen.

Valken kunnen twintig jaar oud worden in gevangenschap, als ze niet door infecties of wormen voortijdig uit het leven worden gerukt. Daarom laten de meeste eigenaars van valken regelmatig een check-up doen en rusten ze hun vogels uit met een microchip die de ziektegeschiedenis opslaat. Zo kan de arts nagaan wanneer en waartegen het schepsel werd ingeënt – en bij een diefstal is het dier ondubbelzinnig te identificeren.

Het toppunt van moed en uithoudingsvermogen

Valken gaan door voor het summum van moed, trots en uithoudingsvermogen, zodat ze van Europa tot aan Azië in de mythologie terecht zijn gekomen. Het bekendste voorbeeld is de Egyptische zonnegod Horus met zijn valkenkop. Bij de Kelten geldt de valk als bemiddelaar tussen deze wereld en het hiernamaals. Als teken van hun achting en bewondering hebben de Verenigde Arabische Emiraten deze vogel een bijzondere eer doen toekomen – hij prijkt op het rijkswapen.

KAMELEN
Ata Allah, een geschenk van God

Plotseling stilte. Langzaam paradeert ze over het podium, de poten slank en welgevormd, een lust voor het oog. De heupen wiegen zacht heen en weer, er gaat een gefluister door de menigte. De wulpse lippen van het pruilmondje vormen een hautain lachje, de lange wimpers zijn ongeschminkt en echt, omlijsten donkerbruine ogen die in de meest letterlijke betekenis van het woord vanuit de hoogte naar de jury kijken. En dan die fantastische ... bult. Tja, ook dat bestaat in de Emiraten, een schoonheidswedstrijd: de uitverkiezing van 'Miss kameel'. Eigenlijk is het correcter te spreken van 'Miss dromedaris' (*Camelus dromedarius*), want haar soortgenoot *Camelus ferus*, de Aziatische kameel met twee bulten, mag niet meedoen.

Al meer dan 4000 jaar lang is de kameel een wezenlijk bestanddeel in het leven van de mensen in Arabië. Al speelt het dier tegenwoordig niet meer zo'n belangrijke rol als rij- en lastdier, wol-, melk-, en vleesleverancier zoals vroeger, het wordt nog altijd hoog vereerd in gezang, dans en poëzie. Dat de Arabische woorden voor kameel (*dsjamal*) en 'mooi' (*dsjamiel*) afstammen van dezelfde wortel, zegt veel over de waardering voor de bultige dieren! Wat echter niet kon verhinderen dat ze vanaf ca. 1970 door de auto werden opgevolgd als transportmiddel. Niettemin zijn er tegenwoordig nog meer dan 100.000 kamelen en als ooit alle olie en tegelijkertijd het aandelenbezit van de Emirati's in het buitenland niets meer waard is, dan zal men misschien moeten terugvallen op de buitengewone capaciteiten van de kameel om te overleven in de woestijn – wat de dieren vermoedelijk makkelijker zou vallen dan de huidige Doebainaren, die zich de terugkeer naar een bestaan als kameelherder zonder airconditioning vermoedelijk nauwelijks nog kunnen voorstellen.

Rechts: Oude en nieuwe vervoersmiddelen – kamelen naast een drukke weg.

Geschikt voor de woestijn

Door een paar verbazingwekkende trucjes van de natuur is dit dier als bijna geen ander aangepast aan barre omstandigheden. De wimpers zijn niet omwille van de schoonheid zo lang, maar moeten de ogen tegen zand beschermen – daarom zijn ook de neusgaten afsluitbaar met speciale spieren. De geschiedschrijver Plinius berichtte al dat de kameel een orgaan bezat om water op te slaan. Dat is op die manier niet helemaal correct uitgedrukt, want het dier kan op verschillende plaatsen in zijn lichaam waterreserves aanleggen – in de bult echter alleen indirect. In de bult slaan kamelen tussen de 18 en 27 pond vet op dat wordt verbrand om energie te winnen. Daarbij komt waterstof vrij dat zich met de ingeademde zuurstof tot water verbindt. Dat levert per pond vet ongeveer een halve liter op.

In de endeldarm onttrekken bijzondere cellen bijna de laatste druppel vocht aan de uitwerpselen, net zoals de nieren een groot deel van het urinevocht resorberen. Laatstgenoemde levert overigens, gemengd met eigeel, een naar men zegt voortreffelijke shampoo op. Kamelen proberen zo weinig mogelijk te zweten. 's Nachts daalt hun lichaamstemperatuur sterk en 's ochtends stijgt deze slechts langzaam. Als het heel erg warm wordt, dan kan hun bloed zich opwarmen tot 43°C – voor andere zoogdieren een dodelijke hitte! Want net als de mens onttrekken zoogdieren het benodigde vocht aan het bloed, dat daardoor dikker wordt, wat kan leiden tot hartfalen. De kameel daarentegen voorziet zichzelf van water uit een voorraad die in het weefsel, in de maag en naar men beweert zelfs in de hoeven wordt opgeslagen. Verliest een mens ca. 12% van zijn watervoorraad, dan sterft hij; een kameel kan tot 25% inleveren en dit

verlies binnen 10 minuten weer compenseren – dat is de tijd die hij nodig heeft om 120 liter water te drinken.

'Houdt het hoofd koel', zegt men bij ons. De kameel doet dat door een geniale airconditioning: tijdens het uitademen wordt de waterdamp uit de ademtocht door de neus opgevangen, om daarmee de bloedvaten te koelen van de hersenen en het netvlies van de ogen. Valt de ademhaling echter weg, bijvoorbeeld tijdens een operatie (zie p. 239), dan sterft het dier. De vraag hoe lang een kameel zonder water kan, hangt af van het jaargetijde, of het beladen is met maximaal 400 kg (alleen op korte afstanden!) en hoeveel vers voer hem ter beschikking staat, want ook daaruit onttrekt hij vocht. Onbepakt en 'volgetankt' kan hij tijdens de hete zomer ca. 25 dagen zonder water.

Kameelraces

Een kameel is in Arabië traditioneel een statussymbool. Heden ten dage bezitten welgestelde families vooral racekamelen (*al hejin*). In oktober van elk jaar wordt de opening van het wedstrijdseizoen gevierd, vooral in Aboe Dhabi, Doebai en Ras al-Chaima. Tot ver in april vinden dan elke week in de vroege ochtend of late avond meerdere races plaats. Daarna is het zomerpauze. Maar al in augustus begint men met de training, waartoe ook regelmatig 'joggen' over 40 kilometer behoort. Soms ziet u bijvoorbeeld een auto langs de straat voortkruipen met aan de bumper een paar dieren vastgebonden. Training!

Al vanaf de leeftijd van drie jaar doen kamelen mee aan hun eerste wedstrijd, maar niet meteen over de volle afstand van 10 km; 5000 meter is genoeg om mee te beginnen. In de volgende tien jaar hebben ze dan de gelegenheid in de annalen van de rensport te worden bijgezet. Opdat dat lukt en de dieren bij snelheden van 35 km/u niet zwak worden, worden ze met voortreffelijk voedsel verzorgd. Voor de samenstelling daarvan werden speciale voedingsdeskundigen, onder andere uit Nederland, aangesteld, die een dieet uit melk, haver, gerst, dadels, extra vitamines, spo-

renelementen en honing samenstelden. Helaas is ook deze sport niet vrij van doping gebleven, hoewel de overtreders behalve draconische straffen het verlies van hun eer te wachten staat. Naast anabolica zou overigens koffie worden gebruikt. Bij sommige races is het de regel dat de drie winnaars een urinemonster moeten inleveren voordat de prijzen worden uitgereikt.

Weliswaar zijn in de winter de temperaturen beter geschikt om te rennen, maar jammer genoeg valt in deze periode ook de bronsttijd, zodat de geslachten strikt gescheiden aan de start verschijnen. Ongeveer 90% van de rendieren is vrouwelijk, omdat merries lichter en sneller zijn dan hengsten. Om te verhinderen dat de dure fokdieren van de sjeiks elke race winnen en omdat men de trotse bedoeïenen ook de gelegenheid wil geven zich niet alleen met elkaar te meten, zijn er drie verschillende categorieën. Eerst de wedstrijden van de *hejin al shuyoukh,* (alleen door de sjeiks gefokte kamelen), ten tweede de *shuyoukh* tegen de *al qaba'il* (sjeik- tegen bedoeïenenkamelen) en ten slotte de *'abna al qaba'il* (alleen bedoeïenenkamelen).

Boven: Op de kamelenmarkt van Al Ayn.

Kinderjockeys en jockeyrobots

Het inzetten van kinderjockeys tijdens kameelraces was lang omstreden in de VAE. Veel van deze lichtgewichten waren slechts vier of vijf jaar oud en omdat ze zich bovenop niet alleen konden vasthouden, werden de ukkies vastgebonden op de rug van de kameel. Velen waren bang en steeds opnieuw kwam het tot – soms dodelijke – ongelukken, bijvoorbeeld als een dier viel of als de banden van de 'ruiter' los lieten en hij in volle galop werd afgeworpen. Het waren vooral Pakistaanse, Soedanese, Mauritaanse en Afghaanse kinderen die men blootstelde aan deze gevaren. Steeds opnieuw probeerde men een einde te maken aan deze praktijk, voor het laatst in 2005, toen men in de VAE vastlegde dat een jockey (*rakbi*) minstens 18 jaar oud en 45 kilo zwaar moest zijn. Na protesten van mensenrechtenactivisten en de VN brachten kameeleigenaren uit invloedrijke kringen begrip op voor de zaak en hielden zich meestal aan de richtlijnen. Alleen al in 2005 werden meer dan 400 kinderjockeys teruggebracht naar hun vaderland – meestal naar weeshuizen, omdat ze door hun ouders waren verkocht.

Misschien volgt men in de toekomst het voorbeeld van de vorst van Qatar. Hij bestelde een Zwitsers product dat ook mensenrechtenactivisten zou kunnen geruststellen: op afstand bestuurde robotjockeys. Ze kosten 4500 euro per stuk en moeten worden vastgeschroefd op het zadel. Het angstige geschreeuw van kinderen, een beproefd middel om de dieren aan te sporen, komt dan van een geluidsband.

Kameelklinieken

Een racekameel kan meerdere miljoenen euro's waard zijn. In Doebai is er daarom een speciaal kamelenziekenhuis, waar tot tien dieren gelijktijdig kunnen worden behandeld. Men is op alles voorbereid, van gewrichtsklachten als artritis of gecompliceerde botbreuken tot aan de gevaarlijke kameelpokken. De operatietafels zijn zo stabiel geconstrueerd, dat een 500-kilo-dier geen problemen veroorzaakt en de röntgenapparaten zijn eveneens zo groot dat er een hele kameel in past. En na de operatie wacht de revalidatie met lopende banden en een 50 meter lang zwembad.

Het krijgen van jongen laat men eveneens al lang niet meer aan het toeval over en omdat een merrie in de natuur slechts één keer in de twee tot drie jaar jonkies krijgt (draagtijd 12 maanden), wordt er kunstmatig ingegrepen. Daarvoor zijn speciale laboratoria zoals het 'Embryo Transfer Centrum' in Al Ayn, dat in 1989 voor het eerst zo'n transfer uitvoerde. Daarbij wordt een succesvolle merrie (aan het eind van haar actieve loopbaan!) bevrucht, de embryo echter bij een andere merrie ingeplant om uit te dragen. Dit laat zich binnen korte tijd meerdere keren herhalen. Zo lukte het bijvoorbeeld om binnen slechts 14 maanden 12 veulens van één 'moeder' door 12 verschillende merries te laten uitdragen. Normaal gesproken was er voor zoveel kroost een halve eeuw nodig geweest. Dat zoiets veel geld kost, is duidelijk. De 100 medewerkers van het centrum hebben 6 miljoen dollar ter beschikking – per maand.

Trotse blik – klein geschapen

De arrogante blik van de kameel verklaren de bedoeïenen als volgt: een van de voorouders van de kameel had de eer toe te behoren aan de profeet Mohammed en volgens de legende zou die Mohammed het leven hebben gered in een netelige situatie. Daarop toonde deze zich zo dankbaar dat hij deze kameel de honderdste naam van Allah verraadde, terwijl er de mensen tot op de dag van vandaag slechts 99 bekend zijn.

Een zekere arrogantie moet 'Mr. Kameel' echter altijd al hebben gehad. Want op de vraag waarom zijn penis in verhouding tot de rest van zijn lichaam zo klein is en ook nog naar achter is gericht, krijgt men het volgende antwoord: toen Noach met zijn ark onderweg was, raakte deze door de liefdesactiviteiten van de grote dieren heftig aan het schommelen. Om zijn schip te redden, nam hij de dieren hun geslachtsdelen af in genummerde volgorde en borg ze op in een kast. Met vaste bodem weer onder de voeten, verlieten de dieren het schip, en elk kreeg zijn lid terug. Aan het einde bleven er twee dieren over. De ezel drong voor, kreeg de kamelenpenis en rende weg. Toen de kameel voor Noach stond en het kleine ezelsorgaan zag, wilde hij zich daar volstrekt niet mee tevreden stellen. Hij eiste zijn eigendom en verliet met opgeheven hoofd de ark. Noach wist in zijn wanhoop niets anders te doen dan hem achterna te rennen en de penis met een snelle beweging van achter vast te plakken.

DE ARABISCHE KEUKEN

'Bism' illah' , in naam van Allah – met deze formule begint elke maaltijd in de Emiraten (en alle islamitische landen). Mocht u het geluk hebben voor een maaltijd te worden uitgenodigd, wat beslist kan voorkomen, dan is hier een goede raad: begint u langzaam, want men eet graag en veel! Wat voor een Europese kokkin een compliment is, te weten lege borden aan het einde van de maaltijd, is voor haar Arabische collega een belediging. Daarom wordt er opgediend totdat de tafel (indien u aan tafel mocht zitten) doorbuigt, of totdat de grond met borden, schotels en schalen is bedekt.

De dagen dat de Emirati's zich alleen met de producten uit eigen land voedden, zijn allang voorbij. Sinds het land zich openstelde voor het internationale toerisme, proberen vooral de hotelrestaurants elkaar te overtreffen met specialiteiten uit heel de wereld.

Al in de jaren zestig van de 20ste eeuw deed de Libanese keuken zijn intrede in de privé-huishoudens van de Emiraten, toen door de burgeroorlog in de Levant veel inwoners uit Libanon hun toevlucht zochten in de Emiraten. Zo zijn er tegenwoordig een groot aantal voorgerechten (*mezze*), waarvan u, mocht u ze allemaal uitproberen, meer dan voldaan zou zijn. Daartoe behoort onder andere *hommos,* een puree uit kikkererwten en olijfolie die men ook graag nuttigt met kleine stukjes vlees, *tahin* (sesampasta) of *mutabbal,* dat lijkt op *hommos*, maar dan uit aubergines bereid, *tabouleh,* een salade uit fijngehakte peterselie en uien, of *fatoush,* een groene salade met geroosterd brood.

Vooral de Indiase keuken heeft grote invloed op de culinaire wereld in de Emiraten. In de kleine restaurants langs de weg vindt u veel *biryani*-gerechten; dat is een berg rijst met vis, vlees of kip eronder. Of *shawarma,* een sandwich van plat brood met gesneden vlees van het spit, dat lijkt op de Turkse kebab. De Indiase kruiden – diverse curry- en massala-mengsels – zijn allang onontbeerlijk geworden.

Rechts: Smakelijk en rijk buffet in restaurant Mosaico van hotel Jumeirah Emirates Towers.

Gevulde kameel

Een eenvoudige maaltijd bestond vroeger misschien uit niet meer dan een plat rond brood of rijst, uit India of Pakistan geïmporteerd, en daarbij verse geiten- of kamelenmelk (waaruit ook een soort kaas werd gemaakt). Af en toe slachtte men een geit of een schaap. Alleen op feestdagen of bij bijzondere gelegenheden werd ook wel een kameel geslacht.

Aan de kust verrijkte verse vis de tafels. Ingewreven met zout en gedroogd, kon hij lang houdbaar worden gemaakt en aan de woestijnbewoners worden verkocht – op markten vindt u nog altijd gedroogde vis. Vóór het koken wordt de vis in water gelegd en daarna met veel uien en tomaten klaar gemaakt tot een eenpansgerecht. Daarbij serveert men dadels. Wij zijn er niet aan gewend, maar de dadel wordt bij alle mogelijke hoofdgerechten als bijgerecht gegeten. Rijst met dadels heet *ruz bil tamar.* Ook bij vis past de dadel uitstekend. Onder zeelieden was een gerecht geliefd dat men at na koude regenbuien: men plette een aantal kilo's dadels, kneedde er spijsolie en veel knoflook doorheen en verhitte de knoedels in een pan; dit dadelgerecht warmde de lichamen weer snel op.

Geen maaltijd zonder plat brood, het liefst vers gebakken. Uit meel, water en zout wordt snel deeg gekneed, daarna tot kleine balletjes gedraaid, tot een platte schijf gerold en op het open vuur gelegd; twee, drie keer omdraaien, klaar.

Ook met weinig ingrediënten wisten vrouwen altijd, met behulp van kruiden

als tijm, gember, munt, kruidnagel en peper, een zekere afwisseling in de keuken te brengen. Vlees werd met gedroogde limoenen verfijnd, rijst soms met dure saffraan, meestal echter met het goedkopere kurkuma.

Terwijl op normale dagen niet al te tijdrovende gerechten als *koussa mahshi* (gevulde courgettes) of *harees* (een puree uit tarwe en lamsvlees dat langzaam wordt gaar gemaakt) worden gegeten, duurt het bereiden van feestmaaltijden op religieuze feestdagen (en tegenwoordig ook op de nationale feestdag) verschillende dagen.

Daartoe behoort zeker ook 'gevulde kameel'. De ingrediënten zijn als volgt: een jonge kameel, twee tot drie jonge geiten, meerdere kippen evenals amandelen, pistaches, kaneel, kardamom – en een heleboel rijst. De kippen en geiten worden gekookt en gekruid, de geiten met de kippen gevuld, de kameel met de geiten. In de tussentijd is in een grote kuil in de aarde een groot vuur tot een kalm gloeien geluwd; op die smeulende massa worden stenen gelegd die de hitte opslaan. De gevulde kameel wordt in de kuil gelegd, waarna de kuil met hout en zand luchtdicht afgedekt wordt – tja, en nu dient men twee dagen te wachten. Vóór het openen van de kuil niet vergeten de rijst op te zetten en daarna...*'bi hinna ua shifa'*, eet smakelijk!

Helaas zijn er in de Emiraten nauwelijks restaurants waar u als vakantieganger op dergelijke wijze authentiek kunt eten. Alleen tijdens de nationale feestdag worden in de Heritage Areas ook traditionele gerechten voor toeristen klaargemaakt.

Overigens, als u de kokkin wilt complimenteren, dan moet u *'tusla mideik'* tegen haar zeggen – vrij vertaald: God zegene je handen.

Traditionele tafelmanieren

Voor het eten uw handen wassen is heel belangrijk, want volgens traditioneel gebruik eet men zonder bestek, dus met de handen – maar alleen met de rechter, de linkerhand geldt als onrein. Met de linker kunt u echter rustig uw glas water of sap vastpakken.

Past u op dat u niet uw vingers brandt, want meestal is de rijst waarop het vlees wordt geserveerd, doordrenkt met hete olie.

Zit u met bedoeïenen om een groot rond dienblad, dan moet u alleen van het deel eten dat direct voor u staat. Het gaat door voor uiterst onbeleefd om dwars over de schotel te graaien en zich meester te maken van een mooi stuk vlees. Bovendien is dat ook helemaal niet nodig, want de gastheer zal de gast sowieso altijd de beste stukken toeschuiven. En zelfs al zou u een halve kameel achterover gewerkt hebben, dan wordt u aan het einde van de maaltijd nog medelijdend aangekeken, met de opmerking dat u toch nauwelijks iets heeft gegeten!

Ook de schedel van het geslachte dier wordt altijd geserveerd, meestal op een extra rijst-plateau, want dat geldt als bewijs dat men het speciaal voor de gast heeft geslacht. Voor ogen in de soep hoeft u in de Emiraten niet bang te zijn, want ze worden niet gegeten. Als delicatesse daarentegen gelden hersenen.

Na het eten moet u opnieuw uw handen wassen. In de woestijn wordt daartoe een schotel met warm water aangereikt, in de steden beschikt bijna elk huis ook over een badkamer voor gasten.

Boven: Gaarkeuken in de haven van Foedjaira. Rechts: Koffie en dadels – ter verwelkoming en ter afscheid.

Nagerechten

Na het hoofdgerecht, dat met de woorden *'al hamdulillah'* (God zij gedankt) wordt beëindigd, wordt een nagerecht geserveerd, meestal fruit en iets zoets, bijvoorbeeld *esh asayara* (het brood van de harem), een soort kwarktaart met slagroom, *baklava*, een bladerdeeggebak met pistaches en honing, of *halwa tamar*, een zoet dadelgebak.

Een van de meest geliefde nagerechten is *Umm Ali* ('Moeder van Ali'), waarbij het volgende verhaal hoort. Ali was een soort Arabische Tijl Uilenspiegel, altijd kattenkwaad uithalen en in voor een geintje, waarmee hij zijn medemens soms tot wanhoop bracht. Maar hij was niet kwaadaardig, zelfs als hij soms uit de band sprong. Ook de sultan bleef niet verschoond van zijn streken en op een dag, toen Ali weer eens een keer te ver was gegaan, liet hij hem arresteren en in de kerker werpen. Ali's arme moeder, die weduwe was, zocht de sultan verschillende malen op en smeekte om genade. Maar die liet zich deze keer niet vermurwen. Al te vaak had hij geleden onder de spot van de mensen, als Ali bijvoorbeeld stiekem de staart van zijn lievelingspaard had afgesneden, zonder dat de sultan dat in eerste instantie doorhad. 'Luister Umm Ali, jouw zoon verdient een strenge straf!' 'O wijze en rechtvaardige sultan,' antwoordde zij, 'hij is mijn enige zoon, de jeugd is onrijp en u weet dat hij een goed hart heeft. Heb medelijden.' Zo smeekte ze en de sultan begreep dat wel, maar om zijn eer te redden stelde hij de volgende voorwaarde. 'Luister,

eerbiedwaardige moeder van Ali, bereid mij een gerecht dat ik nog nooit heb geproefd en dat mij lekker smaakt, dan zal jouw zoon worden vrijgelaten uit de kerker.' 'Ik luister en gehoorzaam,' bedankte Umm Ali en trok zich terug. Maar hoe moest zij, een eenvoudige vrouw, voor de sultan een gerecht klaarmaken dat hij nooit eerder had gegeten, temeer omdat zijn keuken beschikte over de kostbaarste specerijen? Bedroefd ging ze naar huis, verzamelde de weinige ingrediënten uit haar voorraadkamer en bereidde uit melk, bloem, suiker, rozijnen en amandelen een puddingachtig zoet dessert. Daarmee ging ze naar de sultan die zeer sceptisch naar de pan keek, waaruit het echter verleidelijk rook. Het gerecht was nog warm, hij proefde ervan en kende het niet. Het smaakte hem echter voortreffelijk en Umm Ali kon met haar zoon naar huis gaan.

Koffie en wierook ter afscheid

Na het eten wordt de obligate *qahwa* (koffie) geserveerd. Vroeger roosterde men de uit Ethiopië geïmporteerde koffiebonen in een kleine pan boven het vuur, vermaalde ze dan in een vijzel en mengde er Indiase kardamom door – dat laatste kruidt en is goed voor de maag. Aansluitend in de typische tuitkan *(dalla)* met heet water overgoten, moest het mengsel een poosje trekken en opdat het niet afkoelde, stond de kan dicht bij het vuur. Tegenwoordig krijgt u kant-en-klare *qahwa*-kardamommelanges in de supermarkt, en de thermoskan heeft het vuur vervangen. Maar de koffie wordt nog altijd geserveerd in kleine kopjes en wie genoeg heeft, schudt ze licht heen en weer. Overigens: hier wordt geslurpt en niet zuinig ook!

Een spreekwoord zegt: *Ba'd al'oud ma fi qu'ud*, wat betekent: als de wierookbrander rond is gegaan, is het tijd om te vertrekken. Dat gebeurt meestal zeer abrupt. Van de ene op de andere seconde staan de gasten op en onder veel *'Allah yisalmak'* (God zegene je) en *'Fi amaan illah'* (Ga in de bescherming van God) neemt men vervolgens afscheid van elkaar.

VOORBEREIDINGEN

Reistijd

De beste tijd om te reizen zijn de wintermaanden, van eind oktober tot eind april. De temperaturen overdag bedragen dan gemiddeld 25 °C, en het water is met 18-20 °C verkwikkend. In deze periode valt weliswaar ook de meeste regen, maar het zijn overwegend korte buien die uit de hemel komen vallen. Zelden regent het langer dan twee dagen achter elkaar. Vaak regent het zelfs maar twee dagen tijdens het gehele jaar.

Van mei tot september moet u rekening houden met een temperatuur die overdag gemiddeld maximaal 40°C bedraagt (juli/augustus: maximumtemperatuur 50°C). Terwijl het in de woestijn om droge hitte gaat, heerst aan de kust een extreem hoge luchtvochtigheid (tot meer dan 90%), wat bijzonder vermoeiend kan zijn.

Reisdocumenten

Om de Emiraten binnen te komen heeft u een paspoort nodig dat nog minstens zes maanden geldig is en niet is voorzien van een Israëlisch douanestempel. Kinderen hebben een eigen paspoort nodig.

Een toeristenvisum is gratis te verkrijgen op het vliegveld en bij de grensovergangen. Het geeft recht op een verblijf van 60 dagen en vanuit Doebai kunt u er ook excursies mee maken naar Oman en Qatar zonder dat een nieuw visum nodig is. U kunt het ter plekke voor 500 DH laten verlengen met 30 dagen. Wie dat nalaat, betaalt een boete van 100 DH per overschreden dag. Het verdient aanbeveling om u vóór uw reis te laten informeren door de ambassade van de VAE (adres zie verderop) of het ministerie van Buitenlandse Zaken.

Uitreisbepalingen

Alleen wie de VAE over land verlaat is verplicht om uitreisleges van 20 DH (naar Musandam 25 DH) per persoon te betalen in de nationale valuta. Dit geldt niet voor Doebai (grensovergang naar Oman bij Hatta).

Geld

De munteenheid van de VAE is nog tot begin 2010 de dirham (DH of AED), onderverdeeld in 100 fils. Daarna is het de bedoeling dat er een gemeenschappelijke munteenheid van de Golfstaten (weliswaar zonder Oman) ingevoerd wordt; de mogelijke naam daarvan is 'chalidsji'.

1 DH = 0,21 € of 1 € = 4,75 DH; koers 3/2009. De dagelijkse koers vindt u onder www.oanda.com.

Creditcards worden bijna altijd, behalve in kleine winkeltjes langs de weg, geaccepteerd. Bijna overal waar u kunt winkelen vindt u geldautomaten voor creditcards en de EC-(Cirrus)kaart. Het is op sommige plaatsen mogelijk met een bankpasje (Maestro) geld te pinnen. Travellercheques worden alleen door banken geïnd en nog tamelijk omslachtig ook. U doet er goed aan wat euro's cash mee te nemen; de wisselkantoren (bv. in de malls) bieden betere wisselkoersen dan de hotels, banken of de geldinstellingen op de luchthavens.

Gezondheid

Medische voorzieningen zijn zeer goed in de Emiraten. Er zijn zowel staatsziekenhuizen als (duurdere) privé-klinieken voor alle specialismen. In Doebai bouwt men aan Medical City, een eersteklas medisch centrum. Er zijn ook Engels- en Duitstalige artsen, waarvan u de adressen kunt opvragen bij de hotelreceptie, bij een vertegenwoordiger van de touroperator of bij de ambassade. Alleen eerstehulp is gratis, al het andere moet ter plaatse worden betaald. Een particuliere reisverzekering met medische dekking is zinvol.

De Emiraten in cijfers

Oppervlakte: 77.700 km²
Agrarisch gebruikte oppervlakte: 3%
Bevolkingsdichtheid: 52 inwoners/km²

(ter vergelijking: Nederland circa 452 inwoners/ km^2); een groot deel van de bevolking leeft in de steden, in ruim 60% van het land leeft 1 inwoner/km^2 of minder.
Bevolking: 4,6 miljoen
Aantal buitenlanders: meer dan 75% (vooral Iraniërs, Indiërs, Bengalen, Pakistani en Filippijnen)
Religie: islam (overwegend soennieten; sji'itische minderheid: 15%)
Werkeloosheid: officieel volledige werkgelegenheid
Steden: Aboe Dhabi (hoofdstad van de VAE) 600.000 inwoners, Doebai 1,25 miljoen, Sjardja 570.000.

Ambassades

Ambassades van de Verenigde Arabische Emiraten
Nederland:
Ambassade van de VAE, Eisenhowerlaan 130, Den Haag, tel. 070-338 4370, fax: 070-338 4373, info@uae-embassy.nl, www.uae-embassy.nl
België:
Ambassade van de VAE, F.D. Rooseveltlaan 73 1050, Brussel, tel. 02-640 6000, fax: 02-646 2473, uae-embassy@skynet.be

Diplomatieke vertegenwoordiging in de Verenigde Arabische Emiraten
In Aboe Dhabi:
Nederlandse ambassade, Aboe Dhabi, Hamdan Street, Masaood Tower, 6de etage, suite 602, tel. 02-632 1920, abu@minbuza.nl, www.netherlands.ae
Belgische ambassade, Aboe Dhabi, Hamdan Street, Al Masaood Tower (6de etage), tel. 02-631 9449, fax 02-631 9353, AbuDhabi@diplobel.fed. be, www.diplomatie.be/abudhabinl
In Doebai:
Nederlands consulaat, Khalid bin al Waleed Street, ABN Amro Bank bldg., 5de etage, tel. 04-352 8700, dba@minbuza.nl, www.netherlands.ae

Verkeersbureaus

Er bestaat geen overkoepelend verkeersbureau van de Verenigde Arabische Emiraten met vertegenwoordigingen in het buitenland. Elk emiraat is verantwoordelijk voor zijn eigen publiciteit.

Heel goed is dat van Doebai (www.dubaitourism.co.ae). In Nederland of België zijn die vooralsnog niet, wel bijvoorbeeld in **Duitsland**: Bockenheimer Landstraße 23, 60325 Frankfurt/Main, tel. 0049 69 7100 020, fax: 7100 0234, dtcm_ge@dubaitourism.ae

Info over Aboe Dhabi op internet: www.abudhabitourism.ae

Alle Emiraten hebben toeristenbureaus ter plaatse (zie gele info-pagina's aan het eind van elk hoofdstuk).

REIZEN NAAR DE EMIRATEN

Het gros van de toeristen landt op een van de drie vliegvelden van Doebai, Aboe Dhabi of Sjardja. Steeds populairder worden cruises met een stop in Doebai.

REIZEN IN DE EMIRATEN

Vliegtuig

Er zijn geen noemenswaardige luchtverbindingen binnen de Verenigde Emiraten. De afstanden zijn kort en u bent sneller en voordeliger onderweg met gedeelde taxi's.

Bus

Alleen Aboe Dhabi en Doebai beschikken over een busnet binnen de stad, in alle andere Emiraten neemt u de taxi. Een voordeliger alternatief zijn de gedeelde taxi's of lijnbussen die regelmatig tussen Aboe Dhabi, Doebai en Al Ayn rijden. Naar buurland Oman rijden streekbussen vanaf Doebai en Aboe Dhabi; informatie bij Dubai Transport, tel. 04/208 0808.

Gedeelde taxi's

In elke stad (zie infopagina's aan het eind van de hoofdstukken) zijn 'gedeelde taxi-haltes', grote standplaatsen waar de stationcars en minibusjes staan die op gasten wachten. Is een wagen vol, dan vertrekt hij. Wie haast heeft, kan ook betalen voor de twee of drie plaatsen die nog leeg zijn, zodat de chauffeur meteen vertrekt. Onderweg wordt, als er plaats is, iedereen meegenomen die langs de weg staat.

Voor sommige steden (Aboe Dhabi – Doebai) zijn er directe verbindingen, voor andere moet u overstappen. De prijzen staan vast.

Taxi

Omdat (bijna) alle taxi's zijn voorzien van taximeters en buitenlandse chauffeurs, is het niet nodig om over de prijs te onderhandelen. In plaats daarvan moet u zich ervan vergewissen dat de chauffeur u begrijpt en weet waar hij heen moet. Het probleem daarbij: geen chauffeur geeft toe dat hij geen idee heeft. Neemt u dat gelaten en plant u van meet af aan een iets langere reistijd. In Doebai zijn er taxi's met vrouwelijke chauffeurs alleen voor vrouwen.

Huurauto

In alle grote steden zijn nationale en internationale verhuurbedrijven. Een geldig internationaal rijbewijs wordt vereist. Echter: tijdens de spitsuren (rond 12 uur en laat in de middag; donderdag begint de weekendfile rond 17 uur) met een huurwagen de city van Doebai inrijden, is geen lolletje; bovendien zijn parkeerplaatsen er schaars.

Wie een specifiek voertuig wenst, kan beter vanuit Nederland of België reserveren. De voertuigen zijn in goede staat, van terreinwagen (circa 1000 DH/dag, minimumleeftijd van de bestuurder 25 jaar) tot kleine auto's (vanaf 70 DH/dag, minimumleeftijd van de bestuurder 21 jaar) is alles voorhanden. Een airconditioning behoort in alle voertuigen tot de basisuitrusting. Als u de auto afhaalt, inspecteert u de wagen dan zorgvuldig, opdat u bij het inleveren niet de al aanwezige schade in rekening wordt gebracht. Ook een blik onder de motorkap kan geen kwaad!

In de huurprijs is een cascoverzekering met eigen risico inbegrepen. Vraagt u naar de hoogte ervan. Dit eigen risico kan door een aanvullende verzekering (CDW, *collision damage waiver*) worden afgekocht. U moet absoluut een persoonlijke ongevallenverzekering (PAI, *personal accident insurance*, kost circa 10 DH/dag) afsluiten. Als u al een Nederlandse of Belgische heeft, vraagt u dan van tevoren of deze ook in de VAE geldig is. Kapotte banden moeten in elk geval worden vervangen – let u op een goed profiel, vooral bij terreinwagens.

Alle autoverhuurbedrijven vragen een borgsom, gebruikelijk is het tonen van een creditcard. Vraagt u naar gunstige weekendtarieven of kortingen bij lange huurperiodes.

Verkeersregels

In de Emiraten wordt rechts gereden, in steden en op provinciale wegen zijn snelheidsbeperkingen (in stadsgebied tussen de 40 en 80 km/u). De verkeersborden zijn tweetalig: Arabisch en Engels. De wegen zijn uitmuntend, de meeste snelwegen 's nachts verlicht en overal zijn benzinestations. Er worden soms radarcontroles gehouden!

Ondanks hekken lopen er nog altijd kamelen de weg op die zware ongelukken veroorzaken. Als u een kameel ziet langs de weg, meteen snelheid minderen, de dieren zijn onberekenbaar! Bij heftige regenval eveneens langzaam rijden, de wegen kunnen zeer glad zijn. In elk voertuig klinkt vanaf 120 km/u een akoestisch waarschuwingssignaal. U heeft dus geen excuus!

Promillegrens: 0,0. Overtredingen worden streng bestraft (zie 'alcohol').

Bij **ongelukken** moet u altijd meteen de politie waarschuwen, ook bij banale parkeerblikschade. Zonder politieaangifte mogen garages geen reparaties uitvoeren (een maatregel tegen het doorrijden na een ongeluk), zullen verzekeringen weigeren uit te betalen en kunt u grote narigheid krijgen als u met een beschadigde auto terechtkomt in een politiecontrole.

Bij **verkeersongelukken met persoonlijk letsel** van een Emirati volgt in de regel arrestatie van de tegenpartij tot aan de volledige genezing van de gewonde. Verwondingen die worden veroorzaakt door eerste-hulp-ingrepen na ongelukken, legt men volledig ten laste van de hulpverlener, met alle daaruit voortvloeiende gevolgen. De schuldvraag bij verkeersongelukken wordt door de verkeerspolitie ter plekke achterhaald. Maar meestal geeft men de schuld aan de persoon voor wie het makkelijker is de schade te betalen, dus iemand met een geldige verzekering of iemand die er vermogender uitziet dan de ander (bijvoorbeeld westerse buitenlanders). De beslissing van de politie kan naderhand worden aangevochten door naar een rechter te stappen ter opheldering van de zaak. Maar dit is een uiterst langdurige en burocratische weg, zodat ook ten onrechte beschuldigde personen zich meestal neerleggen bij de uitkomst, vooral als de verzekering toch de schade betaalt.

PRAKTISCHE TIPS VAN A TOT Z

Alcohol

De Verenigde Arabische Emiraten zijn, vergeleken met Saoedi-Arabië, liberaler in de omgang met het islamitische alcoholverbod. Dat betekent: er is alcohol, die echter niet te koop is in de supermarkt, maar slechts in de Duty Free Shop op het vliegveld of in speciale alcoholwinkels. Het schenken van alcohol is toegestaan in restaurants en internationale hotels met een vergunning. Een uitzondering is het emiraat **Sjardja**: hier wordt, vanwege de nauwe betrekkingen met Saoedi-Arabië, helemaal geen alcohol verkocht of geserveerd.

De relatief 'liberale' omgang met alcohol heeft duidelijke grenzen: u mag niet drinken in het openbaar, een alcoholkegel is taboe – er staat u een geldboete plus hechtenis te wachten! Moslims krijgen bovendien 80 stokslagen bij alcoholdelicten – ongeacht de nationaliteit – behalve in het emiraat Doebai. Bij wegverkeer geldt een alcholpromillage van 0,0‰. Wie toch rijdt, is dan niet verzekerd en heeft bij een ongeluk een ernstig probleem. Tijdens de vastenmaand Ramadan wordt er minder geschonken; in veel hotels mag alcohol dan alleen op de kamer worden geconsumeerd.

Alleenreizende vrouwen

Alleenreizende vrouwen zijn in de Emiraten relatief veilig voor het vaak hinderlijke, opdringerige gedrag in andere oriëntaalse landen, maar op openbare stranden kan het tot toenaderingspogingen van mannen komen (minder door autochtonen, meer door Aziatische gastarbeiders). Dan moet u zelfbewust optreden. Soms worden Europese vrouwen verward met Russische 'prostituees' ('How much?'). De meeste parken en strandclubs kunnen probleemloos worden bezocht, de meeste hebben zelfs een *Ladies Day*, een vrouwendag, waarop geen mannen worden toegelaten.

Apotheken

Alle internationaal gangbare geneesmiddelen zijn verkrijgbaar. Wie een medicament in zijn bagage heeft moet beslist van tevoren informeren of de invoer hiervan is toegestaan! (www.moh.gov.ae/en/Page 463.aspx). Apotheken met personeel dat goed Engels spreekt, zijn er in elk stadsdeel, vaak ook in de winkelcentra. Ze zijn geopend van 8-12 en 16-20 uur. In de dagbladen worden nachtapotheken vermeld, inlichtingen krijgt u ook onder tel. 223 2323.

Douane

De volgende artikelen mogen belastingvrij worden ingevoerd in de VAE:

persoonlijke voorwerpen, parfum in redelijke hoeveelheid, 2000 sigaretten, 400 sigaren, 2 kg tabak, 2 liter sterkedrank en 2 liter wijn. Dat laatste geldt natuurlijk alleen voor volwassen niet-moslims. Niet ingevoerd mogen worden: wapens, drugs en pornografische bladen, waaronder al een al te frivole omslagfoto van een tijdschrift kan vallen. Niet uitgevoerd mogen worden: koraal, schelpen en archeologische voorwerpen. Wie wil weten wat hij of zij mag invoeren in Nederland, kijkt onder www.douane.nl. Het invoeren van vervalste merkproducten is verboden!

Drinken

Leidingwater is drinkbaar. Er is overal mineraalwater in grote en kleine flessen te koop. In kleinere restaurants staat vaak een plastic karaf met (schoon) water. Veel kleine winkels bieden limonades, verse vruchtensappen en drinkyoghurt aan.

Drugs

Bij drugsbezit en -handel staan u lange gevangenisstraffen te wachten of de doodstraf.

Elektriciteit

De stroomspanning bedraagt tussen de 220-250 volt, er worden driepolige Britse stopcontacten gebruikt. Voor Europese stekkers heeft u een adapter nodig, die de meeste hotelrecepties geven (of verkopen). Ook de supermarkten verkopen goedkope adapters.

Eten

U kunt alles probleemloos eten. Er zijn strenge hygiënevoorschriften en het water is schoon. Ook salades of ijsblokjes in wegrestaurants kunt u zonder enig bezwaar consumeren.

Feestdagen

De **vrijdag** is de 'zondag' in de Emiraten. Voor arbeiders en personeel geldt een zesdaagse werkweek. Ambtenaren hebben ook op zaterdag vrij.

Nationale feestdagen:
6 augustus: troonsbestijging van sjeik Zayed
2/3 december: nationale feestdag ter gelegenheid van de stichting van de VAE
1 januari: nieuwjaar

Religieuze feestdagen:
Al Hijri: (islamitisch nieuwjaar) 18-12-2009, 7-12-2010
Maulid al Nabi: (geboortedag profeet Mohammed) 26-2-2010, 15-2-2011
Lailat al Miraj: (hemelvaart profeet Mohammed) 18-9-2009, 7-9-2010
Vastenmaand Ramadan: 22-8 tot 21-9-2009, 11-8 tot 9-9-2010
Eid al Fitr: (einde vastentijd na Ramadan) 22 tot 24-9-2009, 10 tot 12-9-2010
Eid al Adha: (Groot offerfeest na de pelgrimsmaand) 27 tot 29-11-2009, 16 tot 18-2010

Fooi

Het is gebruikelijk taxichauffeurs (als ze geen ongewilde rondrit door de stad hebben gemaakt), kruiers (circa 2 DH per stuk bagage) en in grotere restaurants (circa 10% van het bedrag op de rekening) een fooi te geven. De meeste 'betere' gelegenheden heffen een *service charge*. Omdat die echter zelden ten goede komt aan de kelner, moet u hem voor goede service circa 10% extra geven.

Fotograferen

Eigenlijk schrijven het respect en de beleefdheid in elk land voor om personen vooraf te vragen of u ze mag fotograferen. In Arabische landen en bijgevolg ook in de Emiraten moet u deze regel bijzonder in acht nemen, vooral bij vrouwen. De meesten spreken Engels, eventuele taalbarrières kunnen met eenvoudige gebaren worden overwonnen – maar een 'nee' moet worden gerespecteerd. Arabische mannen laten zich in de regel graag fotograferen en poseren soms ook wel. Er is een fotografeerverbod op luchthavens en militaire complexen, bij aardolie- en aardgasinstallaties en in/bij openbare gebouwen en paleizen van vorsten. Ook de politie mag niet op vakantiekiekjes verschijnen!

Filmmateriaal vindt u in de hoofdsteden in de speciaalzaak, die af en toe ook een reparatieservice heeft. Het prijsniveau stemt overeen met dat in Europa. Er zijn eveneens geheugenkaarten voor digitale camera's in de handel. Vanwege het felle zonlicht volstaan ASA 100-films. UV-filter, polar-filter en telelens mogen niet ontbreken bij uw camera-uitrusting. Tijdens excursies naar de woestijn biedt een plastic zakje goede diensten ter bescherming tegen het zand.

Gedrag / Ramadan

Veel Emirati's zijn wel gewend aan de aanblik van de in hun ogen te schaars geklede toeristen, maar dat geldt vooral in Doebai, minder in Aboe Dhabi of Sjardja. Vooral in afgelegen gebieden moet u zich kleden volgens de daar geldende gebruiken. Dat betekent schouders en knieën bedekt. Arabische mannen dragen alleen korte broeken onder hun *dishdasha* – die worden daarom als onderbroeken beschouwd. Badkleding hoort op het strand en niet in winkelcentra.

Mannen begroeten elkaar met een handdruk (daarbij moet u niet buigen – dat deden vroeger de slaven bij hun meesters), oudere mannen spreekt men aan met de eretitel 'ya hadsch', omdat men ervan uit kan gaan dat ze de pelgrimstocht naar Mekka hebben gemaakt. Oudere vrouwen spreekt men aan met 'ya hadschia'. U moet uw zonnebril afzetten als u iemand begroet, want wie zijn ogen bedekt, heeft iets te verbergen. Bij vrouwen is dat een beetje anders; eigenlijk begroet men die niet met een handdruk en men kijkt ze ook niet in de ogen. Veel vrouwen, vooral de jongere generatie, steken echter inmiddels uit zichzelf hun hand uit.

Als u bent uitgenodigd, al is het maar voor de thee, neemt u dan de tijd, want de autochtonen nemen ook tijd voor u als u bijvoorbeeld hulp nodig heeft. Arabieren begrijpen niet waarom wij altijd zoveel haast hebben. Als u met z'n allen bij elkaar zit, moet u bij de onderwerpen religie en politiek iets terughoudender zijn. Wacht u eerst af wat de opinies tegenover u zijn, voordat u 'van leer trekt'. Als atheïst kunt u het uw gesprekspartner makkelijker maken als u zich als christen voordoet, want het geloof is voor de Emirati's essentieel.

De macht berust niet bij het volk en kritiek op het vorstenhuis is taboe. Ook al begrijpt u als Europeaan het politieke systeem van de VAE misschien niet goed – de Emirati's doen dat wel.

In de vastenmaand **Ramadan** mogen moslims en toeristen overdag niet eten, drinken of roken in het openbaar. Denkt u eraan, want het vasten is niet gemakkelijk, dus moet u als anders- of nietgelovige niet provoceren met een sigaret in uw hand of door te kauwen of water te drinken. In de meeste gevallen zal men toeristen beleefd vragen dat te laten. Officieel is het echter ook voor niet-moslims tijdens de Ramadan buiten de hotels verboden, zelfs kauwen op kauwgom in de auto mag niet. Niet-islamitische toeristen krijgen in de – dan tegen inkijk beschermde – hotelrestaurants ook overdag te eten en te drinken, maar alcohol is er pas na zonsondergang en vaak alleen via de roomservice.

Het openlijk uitwisselen van liefkozingen tussen man en vrouw is ook buiten de Ramadan taboe; mannen daarentegen kunnen elkaar openlijk omarmen, wat echter niets met seksuele genegenheid van doen mag hebben.

Gehandicapten

Bijna alle moderne (bad-)hotels in de Emiraten beschikken over kamers en service voor gehandicapten. Uitvoerige informatie over aan gehandicapten aangepaste instellingen in Doebai krijgt u bij het verkeersbureau van Doebai (DTCM; zie info-blok over Doebai). Op aanvraag bij de DTC (Dubai Transport Company, tel. 208 0808) rijden taxi's voor ten behoeve van rolstoelgebruikers. Toegang tot verschillende musea (bijvoorbeeld Dubai Museum) en winkelcentra is geen probleem.

Internet

In de steden vindt u steeds meer internetcafés. Sommige daarvan zijn eenvoudig ingericht en alleen opgezet om te e-mailen of te surfen, andere daarentegen hebben een rookgedeelte en serveren zelfs drankjes en snacks. Bijna alle grotere hotels beschikken over een 'business centre', waar de hotelgasten gratis, buitenstaanders tegen betaling kunnen inloggen op het world wide web.

Internettoegang is alleen via de nationale telefoonmaatschappij Etisalat mogelijk. De toegang van particulieren op het internet gaat via een proxy die de content censureert. Officieel moet de censuur de toegang tot pornografie verhinderen, er worden echter ook pagina's geblokkeerd die de islamitische cultuur beledigen, bijvoorbeeld buitenlandse pagina's die kansspelen (ook Lotto) aanbieden, sommige christelijke pagina's, kookrecepten voor varkensvlees en pagina's voor relatiebemiddeling, waarbij huwelijksbemiddeling in de VAE legaal is.

Daarmee in strijd is de onbelemmerde ontvangst van buitenlandse zenders via satelliet. Ook is het mogelijk om ongecensureerde, maar dure buitenlandse internet-via-satelliet-providers te gebruiken. Ook VPN-bedrijfsnetwerken worden niet onderworpen aan restricties door de staat, zodat de medewerkers van een dergelijk bedrijf een ongecensureerde informatiebron ter beschikking staat. Onderwijsinstellingen zijn eveneens uitgezonderd van het verplichte gebruik van de proxy.

Media / tijdschriften

Media onderwerpen zich aan vrijwillige zelfcensuur, zodat overtredingen tegen de censuurwetten door de uitgever van kranten of radiozenders nauwelijks voorkomen. De lokale televisie is in handen van de staat. Geïmporteerde tijdschriften moeten voor de verkoop aan de censurerende instantie (ministerie van Informatie) worden voorgelegd, die vervolgens op foto's bijvoorbeeld afgebeelde geslachtskenmerken met een zwarte viltstift censureert of op cd-hoesjes een christelijk kruis zwart maakt.

In een paar internationale hotels vindt u boekwinkels met internationale kranten en tijdschriften, die echter erg duur zijn. Het *Gulf News* is een Engels dagblad met actueel nieuws uit de hele wereld (en de uitslagen van voetbalwedstrijden).

Nachtleven

Het beste nachtleven vindt u in Doebai met zijn restaurants, bars en nachtclubs. In Aboe Dhabi is het al iets beperkter, in Sjardja vanwege het alcoholverbod zo goed als niet aanwezig. In alle andere steden beperkt het zich tot de hotelbars. Dames op zoek naar gezelschap bevolken onder andere de disco The Cyclone in Doebai. Het horizontale beroep is officieel echter verboden en een taboeonderwerp; incidenteel worden er razzia's in nachtclubs gehouden.

Noodgevallen / alarmnummers

Brandweer: tel. 997
Politie en ambulance: tel. 999
Toeristenpolitie: tel. 800 4438

Openingstijden

In de Emiraten en hun buurlanden richten particuliere ondernemingen, openbare instellingen, banken en scholen zich steeds meer naar het Europese weekeinde. De vrijdag (moskeedag) telt nog altijd als weekend, maar de donderdag is sinds kort een normale werkdag terwijl de zaterdag nu een vrije dag is.

De hieronder vermelde tijden moet u als indicaties zien. Het kan voorkomen dat een winkel pas om 9 of 9.30 uur open gaat. Andere zaken, zoals bijvoorbeeld kleine levensmiddelenwinkels in

de souks of in de winkelcentra, zijn tot 22 of 23 uur geopend.
Banken: zo-do 8-12 uur, vr gesloten.
Winkels: za-do 8/9-13 uur, 16-20/22 uur, vr 9-11, 16/17-20/22 uur.
Geldwisselaars: zoals winkels
Souks: dgl. 8-13, 16-21 uur.
Musea: meestal za-do 9-13 uur en 16 tot 19 uur, vr vaak alleen 's middags. De meeste musea vragen entreegeld (circa 5 DH / persoon).
Restaurants: de kleine restaurants langs de weg openen rond 9 uur en zijn onafgebroken geopend, alleen op vrijdag zijn ze tijdens het middaggebed gesloten tussen 11.30 en 12.30 uur. Hotelrestaurants en eethuisjes zijn dagelijks geopend van 11 tot 15 uur en 18 tot 24 uur.
Tijdens de **vastenmaand Ramadan** veranderen de tijden. Er wordt minder gewerkt, veel bedrijven (bijvoorbeeld plaatselijke reisbureaus) beginnen om 8 uur en sluiten tegen 14 uur. De winkelcentra zijn tot in de nacht geopend.

Parkeren

Als u uw huurauto in een grote stad wilt parkeren, neem dan genoeg kleingeld (1 DH-munten) mee, want er staan overal parkeermeters en er worden ijverig bekeuringen uitgedeeld.

Post

Er zijn veel postkantoren en brievenbussen in de Emiraten. Een brief naar Nederland kost 3 DH, een ansichtkaart 2 DH; na een week is de post in Europa. U kunt ansichtkaarten ook bij de hotelreceptie afgeven.

Prijzen

U kunt in de Emiraten voordelig, maar ook op grote voet leven: een 0,25 l-fles water kost bijvoorbeeld bij een straattentje 1 DH, in een restaurant 5 DH en in het hotel Burj Al Arab 25 DH, een maaltijd 10-80 DH. Een sandwich is voor 5 DH te krijgen, een biertje kost tussen de 7 (happy hour) en 25 DH. De prijs voor een liter superbenzine bedraagt 1,70 DH. De beginprijs voor taxi's bedraagt 3 DH, een rit van het centrum naar de Mall of the Emirates/ Ski Dubai kost circa 60 DH.

Restaurants

Alle restaurants hebben airconditioning: trui of jasje niet vergeten! In de duurdere restaurants is er een dresscode, wat betekent dat jeans en badslippers verboden zijn. Reserveren is zinvol, vooral op donderdag en vrijdag! Sommige gelegenheden berekenen een *service charge*: een bedieningsgeld.

Telefoneren

Het internationale toegangsnummer van de VAE is: 00971. Op elke hoek en in elk winkelcentrum zijn kaarttelefooncellen, die ten dele ook creditcards accepteren. Telefoonkaarten (tussen de 30 en 120 DH) zijn te koop in restaurants en winkels. Lokale gesprekken zijn gratis. Een minuut naar Nederland kost overdag (7-21uur) ongeveer 2,1 DH/min., 's nachts 1,3 DH/min. Telefoneren vanuit het hotel is beduidend duurder. Informeert u bij de receptie van uw hotel of u ook voor een niet tot stand gekomen verbinding (als er thuis niet wordt opgenomen) moet betalen.

Mobiele telefoons met een Nederlands abonnement functioneren in de Emiraten, de kosten kunnen echter hoog zijn. In de Emiraten zijn prepaidkaarten, waarmee u veel voordeliger op het lokale net telefoneert. De *Speak Easy Prepaid GSM Card* is verkrijgbaar bij de Emiraatse telefoonmaatschappij Etisalat; deze kost 300 DH en kan opnieuw worden geladen.

Tijd

De VAE lopen tijdens de zomertijd twee, tijdens de wintertijd drie uur voor op Midden-Europa.

Toiletten

Toiletten in hotels en restaurants voldoen doorgaans aan westerse normen. Ook op die bij benzinestations kunt u meestal zitten. Wel ontbreekt vaak papier; u moet veiligheidshalve een rol meenemen.

Veiligheid / Rechtssysteem

De Emiraten zijn zeer veilig om te reizen. Diefstal en zakkenrollers komen nauwelijks voor en u kunt uw auto onbekommerd in een zijstraat parkeren. Niettemin is het beter voorwerpen van waarde in een safe te stoppen – bij de hotelreceptie of op uw kamer.

Volgens artikel 7 van de grondwet is de sjaria (die bijvoorbeeld de – in Doebai niet toegepaste – stokslagen voor moslims bij alcoholvergrijpen, lichamelijk letsel en buitenechtelijke relaties regelt) de hoofdrechtsbron, vooral bij familierecht; het economisch recht is daarentegen westers georiënteerd. Het rechtssysteem bevoorrecht Emiraatse burgers tegenover buitenlanders; de laatsten dragen de bewijslast.

Bij de dood van een autochtoon, veroorzaakt of mede veroorzaakt door een andere persoon, moet tot 200.000 DH smartengeld als vergoeding worden betaald.

Winkelen

De Emiraten – vooral Doebai – zijn een winkelparadijs. Vooral op donderdagavond en vrijdags worden de malls druk bezocht. In grote winkelcentra en op de souks is er altijd wel ergens een geldwisselaar in de buurt of een geldautomaat.

De handelaren zijn, ondanks de stijgende bezoekersaantallen, nog niet in de verleiding gekomen vervalste artikelen (sieraden, goud) aan te bieden of woekerprijzen te vragen. U moet daarom niet, zoals bijvoorbeeld het geval is in Noord-Afrikaanse landen, tijdens het afdingen de genoemde prijs van een artikel beantwoorden met een tegenbod dat 80% lager ligt. Maar marchanderen is in de souks van de VAE beslist gebruikelijk; in winkels met 'vaste' prijzen kunt u gerust vragen naar een 'discount'.

TAALGIDS

goedendag . . . *assalaamoe aleykoem*
(antwoord) . . *oea aleykoem assalaam*
goedemorgen . . . . . *sabaach alcher*
(antwoord) . . . . *sabach innoer*
goedenavond. . . . . . *massaa alcher*
(antwoord) . . . . . . *massa'a annoer*
hallo . . . . *merhabba*
Hoe gaat het? . . . . *kef il haal*
Dank u, goed. . . . . *alhammdoelillah*
tot ziens . . . . *maassalama*
als God het wil . . . . *inshallah*
God zij dank . . . . . *alhamdoelillah*
bedankt. . . . . *sjoekran*
niets te danken . . . . *al affoe*
pardon . . . . *ismachli*
alstublieft . *min faddlack* (tot een man)
min faddlick (tot een vrouw)
ja . . . . *aioea / naam*
nee. . . . . *la*
rechts . . . . *al jamien*
links. . . . . *al jassaar*
met . . . . *ma*
zonder . . . . *bidoen*
groot . . . . *kabiir*
klein . . . . *ssariir*
morgen . . . . *boeckra*
nu . . . . *aljoom*
gisteren . . . . *amms*
geld . . . . *foeloes*
Wat zegt u?. . . . . . . *laoe ssamacht*
Hoe heet dat? . . . . *shoe ism haadha*
Waar is ...? . . . . *oeen ..?*
waar / waarheen . . . *oeen / illa oeen*
welke / wat / wie . . *ayya / shoe / man*
hoe / hoeveel . . . . . . *kef / bi kamm*
wanneer . . . . *matta*
waarom . . . . *leesh*
ontbijt . . . . *foetoer*
lunch . . . . *radaa*
avondeten . . . . *a'sha*
water . . . . *mai*
suiker . . . . *soekkar*
zout . . . . *milach*
peper . . . . *filfil*
brood. . . . . *choebs*
vis . . . . *ssamak*
vlees . . . . *lachm*
kip. . . . . *dashaash*
bijgerecht . . . . *moedshamilaat*

soep . . . . *shoerba*
vegetarische gerechten . . *tabak al akl nabaati*
groente . . . . *choedrawaat*
ei . . . . *bayda*
salade . . . . *ssalata*
dessert . . . . *halaoejaat*
dadel . . . . *tamr*
fruit . . . . *faoeaake*
appel . . . . *toefaach*
sinaasappel . . . . *boertoekaal*
citroen . . . . *limoen*
limonade . . . . . . *sharab al lajmoen*
melk . . . . *chalieb*
koffie . . . . *Neskaffee*
Arabische koffie . . . . *kachoea*
thee .... *shai*
... met melk. . . . . *shai chalieb*
... zonder suiker . . . *biduun ssoeckar*
sinaasappelsap . . . *assir boertoekaal*
markt . . . . *soek*
benzinestation . . . . . *mahatat petrol*
garage . . . . *garage*
auto . . . . *sayyara*
Is dat de weg naar ...? . . . . *haatha al tarik illa...?*
zondag . . . . *joom il achad*
maandag . . . . *joom il ithnen*
dinsdag . . . . *joom il thalatha*
woensdag . . . . *joom il arbaa*
donderdag. . . . . *joom il chamiis*
vrijdag . . . . *joom il dshoema*
zaterdag. . . . . *joom il sabt*

Cijfers
0 . . . . *sifr*
1 . . . . *wahed*
2 . . . . *ithnen*
3 . . . . *thalatha*
4 . . . . *arba'a*
5. . . . . *khamsa*
6 . . . . *sitta*
7 . . . . *saba'a*
8. . . . . *thamania*
9. . . . . *tisa'a*
10 . . . . *ashara*
20, 30 . . . . *ashriin, thalathiin*
40, 50. . . . . *arbaiin, khamsiin*
60, 70 . . . . *sittiin, sabaiin*
80, 90. . . . . *thamaniin, tisaiin*
100, 1000. . . . . *mija, alf*

AUTEUR

Henning Neuschäffer woonde drie jaar in de VAE en werkte voor een plaatselijk reisbureau als reisleider en als off road-gids in de duinen van het Lege Kwartier. Hij studeerde Arabisch in Duitsland, Doebai en Damascus en is nu werkzaam als auteur en reisleider, onder andere in de Emiraten, Oman, de Egyptische Oost-Sahara en Soedan.

FOTOGRAFEN

Archiv für Kunst und Geschichte, Berlin 22, 23
Camerapix 16, 18, 30, 37, 43, 75, 81, 153, 160/161, 197, 224, 227, 231, 237
Franzisky, Peter (Bedu Expeditionen) 15, 40, 83, 162, 179, 182/183, 200, 222/223, 232, 235, 238
DTCM Frankfurt 14, 96, 113, 114, 117, 123, 128, 130, 148, 152, 164, 174, 175, 192, 201, 228, 243
Hackenberg, Rainer 20, 21, 32, 33, 42, 47, 48, 49, 88/89, 92, 104, 105, 106, 107, 119, 124, 129, 131, 135, 145, 154, 193, 196, 204/205, 206, 210, 215, 216, 217
Janicke, Volkmar E. 26, 34, 72, 74, 84, 112, 120, 165, 169, 171, 186, 187, 211, 242, Cover
Jumeirah Image Library 8/9, 10/11, 44, 90/91, 137, 138, 139, 140/141, 142, 143, 147, 150, 220/221, 241
Kempinski Emirates Palace Abu Dhabi 54, 66/67, 188
Mietz, Christian 209
Neuschäffer, Henning 19, 25, 27, 28, 68, 115, 118, 125, 170
Stankiewicz, Thomas 13, 38, 51, 52/53, 59, 63, 69, 71, 79, 101, 108, 111, 122, 134, 144, 151, 167, 177, 212, 213.

T

U

V

W

Z

Verenigde Arabische Emiraten

Accommodatie

ACCOMMODATIE

In de Emiraten staan hoofdzakelijk hotels uit de duurdere categorieën; vooral de hotels aan het strand behoren zonder uitzondering tot de vier- of vijfsterrencategorie.
In de binnensteden van Aboe Dhabi, Doebai en in Sjardja vindt u ook voordeliger hotels, die ronduit acceptabel kunnen zijn. Maar u moet de kamers eerst bekijken, op de ligging letten (kamers aan de straat kunnen lawaaierig zijn) en vragen of het hotel een eigen discotheek runt – die kan tot 3 uur 's ochtends lawaai veroorzaken. In Doebai worden in een paar hotels ook kamers per uur verhuurd, die zijn dus geschikter voor alleenreizende heren (of dames) dan voor families.

$$$$	tot €15 000
$$$	vanaf € 200
$$	tot € 200
$	tot € 80

2 EMIRAAT ABOE DHABI

Aboe Dhabi (☎ 02)

$$$$ **Emirates Palace Hotel**, aan de toegangsweg naar het Breakwater-schiereiland, tel. 690 9000, fax: 690 9999, info.emiratespalace@kempinski.com, www.emiratespalace.com. Het gigantische Emirates laat zich hoogstens meten met Doebais Burj Al Arab. Wie zich interesseert voor werkelijkheid geworden super de luxe, first class-accommodatie als fenomeen, maar er niet wil overnachten, kan in een van de 12 restaurants een tafel reserveren en zichzelf een vorstelijk diner gunnen. Zeer fraai, ruim opgezet zwembadlandschap. Als u in Europa een geheel verzorgde reis met vlucht boekt waarbij het hotel is inbegrepen, is het ronduit betaalbaar, bij boeking en betaling ter plekke echter erg duur.

$$$ **Sheraton Abu Dhabi Resorts and Towers**, aan het noordelijke einde van de Corniche Road, tel. 677 3333, fax: 672 5149, www. Starwood.com/sheraton/index.html. Het Sheraton dateert uit de eerste generatie luxeuze accommodatie in de Emiraten en heeft niets van zijn klasse en goede service verloren. Het hele complex en de kamers zijn tiptop in orde (werden tussendoor gerenoveerd.) Voor het hotel bevindt zich een beschutte lagune om te zwemmen, en u kunt direct van het hotel de lange wandeling langs de Corniche beginnen.
InterContinental Hotel, vlak bij de jachthaven aan het westelijke eind van de Corniche, tel. 666 6888, fax: 666 9153, auhha-reservation@interconti.com, www.intercontinental.com Het 'Intercon' behoort, hoewel op leeftijd, tot de eerste garde van de accommodatie in de hoofdstad. Al jarenlang troont het boven de jachthaven. De hoger gelegen kamers bieden een fantastisch uitzicht op de zee of over de stad.
Le Meridien Abu Dhabi, tel. 644 6666, fax: 644 0348, reservations@lemeridienabudhabi.ae, www.lemeridien-abudhabi.com. Gelegen aan het noordelijke einde van de stad bij het touristvillage, biedt het hotel sinds zijn renovatie nog meer comfort, maar de inwoners van Aboe Dhabi waarderen het meest de goed uitgeruste fitnessvertrekken en de restaurants in de 'Culinary Village'.
Le Royal Meridien Abu Dhabi, aan het noordoostelijke einde van de Khalifa bin Zayed Road, tel. 674 2020, fax: 674 2552, www.royalabudhabi. lemeridien.com. Het hotel behoort pas sinds kort tot de Meridien-keten, heette vroeger Abu Dhabi Grand – en grand, dus groots zijn service en het uitzicht uit de bovenste kamers over de Corniche. U herkent het meteen – de ronde ufo op het dak is het enige draaiende restaurant van de stad.
Hilton International Hotel, direct aan de Corniche, tegenover de toegangsweg tot het Breakwater-schiereiland, tel. 681 1600, fax: 681 9696, www. hilton.com. Het Hilton waakt sinds jaar en dag over de toegangsweg naar het golfbrekereiland, die weliswaar een beetje dicht langs het kleine strand loopt, maar verder eigenlijk niet stoort. Het Hilton behoort tot de meest geliefde hotels, vanwege de centrale ligging en zijn beide bars.
Beach Rotana Hotel & Towers, aan de Tourist Club Road, tel. 697 9000, fax: 644 2111, www.rotana.com/property-4.htm. Het Rotana ligt prachtig – voor zowel zonaanbidders als

winkelfans, want het heeft een eigen strand en vlak ernaast liggen twee grote winkelcentra. De haven is eveneens om de hoek, en voor de liefhebbers van Duits eten: dit hotel biedt ook een Germaanse keuken.

Crowne Plaza Hotel, midden in de stad, vlak bij de hoek Umm al Nar/Sheikh Hamdan bin Mohamed Street, tel. 621 0000, fax: 621 7444, www.crowneplaza.com. U logeert weliswaar niet direct aan het strand, maar om tijdens het zwemmen over de rand van het bad op de stad te kijken heeft ook wat. In 2000 won het hotel de Quality Excellence Award. Het biedt o.a. aangepaste kamers voor gehandicapten.

$$ **Al Ain Palace Hotel**, heet als de woestijnstad, staat echter in de hoofdstad, en wel direct aan het noordelijke eind van de Corniche, tel. 679 4777, fax: 679 5713, www.alainpalace-hotel.com. Het is een van de oudere hotels van Aboe Dhabi en niet zo heel erg luxueus, behoort meer tot de driesterrencategorie en is een aan te bevelen alternatief voor de minder dikke portefeuille.

$ **Al Diar Mina Hotel**, aan de weg naar de Sjeik Zayed-haven, tel. 678 1000, fax: 679 1000, www.aldiarhotels.com. De Al Diar-keten heeft meerdere hotels in de hoofdstad die een goede prijs-kwaliteitsverhouding aanbieden in de eenvoudiger categorie. De atmosfeer is los en ongedwongen, het personeel vriendelijk en de kamers niet zo heel groot, maar gezellig.

Al Ayn (☎ 03)

$$$ **Hilton Hotel**, in de Khalid bin Sultan Road, tel. 768 6666, fax: 768 6888, www.hilton.com. Het Hilton ligt niet ver van het stadscentrum en biedt zijn gasten al sinds 1971 het bekende, goede Hilton-comfort (geen zorgen, de kamers werden tussendoor gerenoveerd!). 's Avonds zijn de bars voor de Europese inwoners van Al Ayn een populair trefpunt voor een biertje.

Al Ain Rotana Hotel, in de Mohammed bin Khalifa Street, tel. 754 5111, fax: 754 5444, www.rotana.com/property-5.htm. Omdat het in het centrum van de tuinstad ligt, zijn de routes naar de toeristische bezienswaardigheden kort. De 100 ruime kamers zijn gezellig ingericht en de fitnessruimte behoort tot de mooiste in zijn soort. Het culinaire aanbod reikt van Libanese tot aan Polynesische Trader Vic's.

Hotel Intercontinental, in de Khalid bin Sultan Road, tel. 768 6686, fax: 768 6766, www.intercontinental.com. Met een financiële injectie van enkele miljoenen is uit het voormalige hotel een luxeoase van rust gecreëerd met zwembaden, prachtige tuinen en voortreffelijke restaurants.

Mercure Grand Jebel Hafeet Hotel, boven op de Jebel Hafeet, tel. 783 8888, fax: 783 9000, www.mercure.com. Na zeven jaar bouwen was het zo ver, het hotel met de allerbeste ligging en een grandioos uitzicht over de oase Al Ayn, met mooi zwembad en zomerrodelbaan opende zijn deuren. Ook niet-hotelgasten wordt een diner hoog daarboven aanbevolen en wie al gegeten heeft, kan een wandeling door de tuin van het hotel maken.

3 EMIRAAT DOEBAI

Doebai (☎ 04)

$$$$ **Burj Al Arab Hotel**, aan de Jumeirah Beach Road, tel. 301 7777, www. burj-alarab.com. Hotel aan het strand. Hoewel de internationale categorieën van tophotels eindigt bij 5, spreekt men bij dit hotel van het enige 'zevensterrenhotel' ter wereld. Naar verluidt was deze chique, 321 m hoge hoteltoren in zee, in de vorm van een zeil, zo duur dat hij zelfs bij een permanente bezetting van honderd procent vermoedelijk pas over 50 jaar rendabel zal zijn.

Park Hyatt Dubai, bij de Dubai Creek Golf & Yacht Club, tel. 602 1234, www.dubai.park.hyatt.com. Stadshotel in groene omgeving. Halverwege 2005 opnieuw geopend hotel, waarvan de architectuur wordt gekenmerkt door een mengeling van oost en west. De kamers bieden uitzicht op de Creek en een groot plasma-beeldscherm. Met het voortreffelijke culinaire aanbod (Thais, Frans, Arabisch) kunt u ook eens een gezellige avond in het hotel doorbrengen.

Jumeirah Beach Hotel, aan de Jumeirah Beach Road, tel. 348 0000, fax: 348 2273, info@

thejumeirahbeachhotel.com, www.jumeirahbeachhotel.com. Het strandhotel is het opvallendste in Jumeirah, want het ziet eruit als een reusachtige golf. De kamers zijn erg geschikt voor families met kinderen en het beschikt over een omvangrijk sport- en recreatieprogramma. Op de 24ste verdieping is een bar met fantastisch uitzicht over de zee en het naburige Burj Al Arab Hotel. Bovendien is er een regelmatige shuttleservice naar de binnenstad.

Jumeirah Emirates Towers, markante 304 m hoge hoteltoren aan de Sheikh Zayed Road, tel. 330 000, www. jumeirahemiratestowers. com. In het jaar 2000 geopend stadshotel. Vierhonderd luxekamers met multimediavoorziening, health club en fitness club. Topservice, ook voor zakenreizigers. Panoramarestaurant Vu's op recordhoogte. Eén etage is gereserveerd voor vrouwen (Chopard Ladies Floor). Talrijke luxe boetieks op de begane grond.

$$$ **Madinat Jumeirah**, tel. 366 8888, www.jumeirah.com. Madinat betekent in het Arabisch 'stad'. Dit is een kleine vakantiestad aan zee, met kanalen waarop abra's varen; daartoe behoren naast twee vijfsterren hotels (**Al Qasr** en **Mina al Salaam**) ook een eigen souk en vooral veel restaurants – op dit moment een van de meest trendy plaatsen voor een aardige avond.

SAS Radisson, Baniyas Rd., Deira, tel. 222 71 71, fax 228 4777, www.radissonsas.com. Centraal, aan de Creek, kamers met balkon met uitzicht op de dhows en abra's. Grote lobby, met aansluitend winkels en restaurants. Origineel en voortreffelijk: het restaurant The Fishmarket. Dakterras met zwembad, o.a. jazzbar, wijnbar en nachtclub.

The One & Only Royal Mirage, Al Sufouh Rd., ten zuiden van Jumeirah, tel. 399 9999. www.oneandonlyresorts.com. Zeer exclusief resort in oriëntaalse paleisstijl met goed onderhouden hotelstrand, elegante restaurants en drie overnachtingsmogelijkheden: **The Palace** met 240 luxekamers, **Arabian Court** met bedoeïeneninterieur, het **Residence & Spa** biedt luxesuites met eigen butlers. Royaal zwembadlandschap, fraaie tuin. In zee voor het uitgestrekte hotelcomplex wordt momenteel gebouwd aan het eiland Jumeirah Palm.

Atlantis The Palm, op de punt van het Jumeirah palmeiland, tel. 426 2000, reservations@atlantisthepalm.com, www.atlantisthepalm.com. Ontworpen, gebouwd en net nog voor de beurskrach voltooid – het Atlantis is een zoveelste voorbeeld van het streven van Doebai om zijn gasten iets uitzonderlijks voor te zetten. Het eigenzinnige monumentale gebouw domineert het palmeiland en bestaat o.a. uit twee brede torens die verbonden zijn met een brug, waarin zich een van de mooiste en (bijgevolg) duurste suites van de stad bevindt. Daar heeft men een geweldig uitzicht op de zee en – aan de andere kant – op de skyline. Het hotel biedt een breed spectrum van allerlei geneugten: van gezellige cafés en een internationale fijnproeverskeuken in acht verschillende restaurants tot en met de welhaast obligate nachtclub. Het inpandige winkelcentrum met exclusieve boetieks en andere extravagante faciliteiten ontbreekt net zomin als een schier onuitputtelijk recreatie-aanbod met een Aquapark waar met dolfijnen kan worden gezwommen.

$$ **Gulf Pearl**, Omar Bin al Khattab Rd. (beim Burj Nahar R/A), tel. 272 8333, fax: 273 4888. Met zwembad en shuttle-bus naar het Al Mamzar Beach Park.

Al Khayam, Sikkat Al Khail St., Deira, tel. 226 4211, fax: 226 5825, khayamh@emirates.net.ae. Originele ligging midden in het gewoel van de souk, met café en restaurant.

Marco Polo, Al Muteena St, Deira, tel. 272 0000, fax: 272 0002, www.marcopolohotel.net. Stadshotel met pub, zwembad en fitnessruimte.

Riviera, Baniyas Rd., Deira, tel. 222 2131, fax: 221 1820, www.rivierahotel-dubai.com. In de buurt van de souk en het Sabkha-abra-station, daarom niet erg rustig, maar wel met uitzicht op de Creek.

Palm Beach Rotana Inn, Khalid bin Al Waleed Rd., Bur Dubai, tel. 393 1999. palmbhtl@emirates.net.ae. Centraal, mooie kamers. Goed restaurant in het hotel.

$ **Al Khail**, Naif Rd., Deira, tel. 226 9171. Zeer centraal in Deira, aardige kamers, klein, maar schoon.

Pacific, Sabkha St, Deira, tel. 227 6700, fax: 227 6761, www.pacifichotel-dubai.com. Vlak bij het Sabkha-busstation, kamers met balkon, met bad, tv, airconditioning en ijskast. Goed en niet duur.

Florida International, bij het Al Sabkha busstation, Deira, tel. 224 7777, www.floridahotels.co.ae. Niet duur.

Dubai Youth Hostel, Al Qusais (Al Nahda) Rd. 39 (in de buurt van de Lulu-hypermarket), tel. 298 8161, fax: 298 8141, www.uaeyha@emirates.net.ae, De jeugdherberg heeft een oud- en een nieuwbouw, de laatste lijkt op een 4-sterrenhotel, met zwembad en tennisbaan; met jeugdherberglidmaatschap nog goedkoper (oudbouw: v.a. € 10 in 2-persoonskamer, nieuwbouw: 1-persoonskamer vanaf € 30).

HOTELAPPARTEMENTEN: Wie liever op zichzelf woont, graag kookt en niet zoveel waarde hecht aan luxehotels, die wordt de hotelappartementen met gemeubileerde kamers en keuken aanbevolen. De verschillen betreffen de ligging en inrichting van de kamers.

$$$ **Rihab Rotana Suites**, aan de Creek Golf & Yacht Club, tel. 294 0300, www.rotana.com.

$$ **Flora**, Baniyas-plein in Deira, tel. 222 2003, www.floridahotels.com.

Al Faris Hotel App., Bur Dubai, tel. 393 5847, afarisre@emirates.net.ae.

Woestijnresorts buiten Doebai (☎ 04)

$$$$ **Al Maha Desert Resort**, te bereiken via de snelweg richting Al Ayn, tel. 303 4222, fax: 343 9696, almaha@emirates.com, www.al-maha.com. Het Maha Resort is pure luxe midden in de woestijn. De bungalows zijn kopieën van bedoeïenententen (maar stabieler) en hebben een ongestoord uitzicht over de duinen van het Lege Kwartier. Bij de suites zijn ook 'persoonlijke' butlers bij de prijs inbegrepen. Dat klinkt naar verkwisting – is het ergens ook – maar men is bij het bouwen van deze exclusieve oase volgens zeer strenge ecologische richtlijnen te werk gegaan, en tot het programma van het resort behoren deskundige rondleidingen door natuurbeschermers. Een dagbezoek is echter niet mogelijk, alleen gasten die hebben geboekt krijgen toegang tot het terrein.

$$$ **Jumeirah Bab al Shams Desert Resort & Spa**, het resort ligt goed 50 km buiten de stad, tel. 809 6100, www.jumeirahinternational.com, reservations@babalshams.com. Dit resort is ook voor gewone stervelingen en dagjesmensen bedoeld en wekt het verlangen nog een poosje op deze aarde te vertoeven. De stijlelementen zijn afkomstig uit de gehele Arabische wereld en mooi aangebracht. 's Avonds verlichten kaarsen de met palmen begroeide binnenplaats. Het bijbehorende restaurant ligt op 150 meter afstand in de duinen. Men eet er uitstekende Arabische specialiteiten.

Hatta (☎ 04)

$$$ **Hatta Fort Hotel**, Hatta, aan de grens met Oman, tel. 852 3211, fax: 852 3561, hfh@jaihotels.com. De oase Hatta is een populair excursiedoel in de weekends – het hotel niet minder. Dat ligt niet in de laatste plaats aan het mooie grote zwembad in de uitgestrekte tuin (met grandioos bergdecor) en het terrasrestaurant. Er zijn 50 gezellige chalets met eigen terras, waarop men zo goed als ongestoord zit.

4 EMIRAAT SJARDJA

Sjardja (☎ 06)

STRANDHOTELS: De volgende drie strandhotels liggen in het stadsdeel Al Khan aan de Al Meena Road en delen met elkaar het lange zandstrand. Ze bieden min of meer dezelfde service, alleen de inrichting van de kamers verschilt. Ze zijn een voordelig alternatief voor de dure strandhotels van Doebai.

$$ Het **Sharjah Carlton Hotel**, tel. 528 3711, fax: 528 4962, www.sharjahcarlton.com, carlton@emirates.net.ae, is al wat ouder en zou een nieuwe verfbeurt goed kunnen gebruiken.

In het **Sharjah Grand Hotel**, tel. 528 5557, fax: 528 2861, www.sharjahgrand.com, sales@

sharjahgrand.com, kunt u zich al beter voelen – als u tenminste geen overdreven eisen heeft. Het **Beach Hotel**, tel. 528 1311, fax: 528 5422, www.beachhotel-sharjah.com, beachhtl@emirates.net.ae, is een eveneens eenvoudig, maar keurig strandhotel.

Populair is het **Lou Lou'A Resort**, tel. 528 5000, fax: 528 5222, www.loulouabeach.com, loulou@emirates.net.ae.

STADHOTELS: $$$ Aan het noordoostelijke einde van de stad, aan de Corniche Road en aan de Creek, vlak bij de haven, ligt het **Radisson SAS**, tel. 565 7777, fax: 565 7276, www.radissonsas.com, rdsasshj@emirates.net.ae. Het hotel is makkelijk te herkennen aan zijn opvallende façade met het schuine glazen dak en behoort zonder meer tot de beste adressen.

Voornaam gaat het toe in het **Holiday International Hotel**, tel. 573 6666, fax: 572 5060, www.holidayinternational.com, holintsh@emirates.net. ae. Het ligt direct aan de grote lagune in de Buhaira Corniche, op ca. 10 minuten loopafstand van de centrale markt. Hotelgasten worden met een gratis shuttlebus naar het strand gebracht.

$$ Slechts weinig kamers, in plaats daarvan een bijzondere sfeer biedt het **Dar al Dhyafa**, tel. 569 6111, fax: 569 6222, daraldhyafa@liberty.ae, want het ligt direct in de Souk al Arsah. Alle musea liggen op loopafstand; op verzoek zijn er bijzondere specialiteiten uit de Arabische keuken en de kamers zijn met meubels in oude stijl ingericht.

Naast het Holiday International ligt het **Marbella Resort**, tel. 574 1111, fax: 572 6050, www.marbellaresort.net, maresort@emirates.net.ae, een appartementencomplex in een groene tuin midden in de stad. De kamers zijn gezellig ingericht en goede restaurants doen het ontbreken van een strand welhaast vergeten. Daar gaat een gratis shuttle-service naar toe.

$ Het **Summerland Motel**, tel. 528 1321, fax: 528 0745, bustansh@emirates.net.ae, in de Meena Road, maar niet direct aan het strand, is meer iets voor de kleine portemonnee en het bijbehorende verwachtingspatroon.

5 NOORDELIJKE EMIRATEN EN MUSANDAM

Adjman (☎ 06)

$$$ Met het **Ajman Kempinski Hotel en Resort**, tel. 7451555, fax: 7451222, www.ajmankempinski.de, bezit het kleine emiraat Adjman een grandioos, kindvriendelijk hotelcomplex direct aan het strand, met duikschool, wellnesscenter en een gratis transferbus naar de nabijgelegen winkelparadijzen van Sjardja en Doebai.

$$ Daarnaast zijn er nog twee voordeliger alternatieven: het **Ajman Beach Hotel**, tel. 742 3333, fax: 742 3363, www.ajmanbeachhotel.com, aan de Corniche, aan het strand, en het **Landmark Suites Resort**, tel. 742 9999, fax: 742 1999, weliswaar ook aan het strand, maar er tussenin loopt de Corniche Road – geen luxe, maar in plaats daarvan niet duur.

Oem al-Koewain (☎ 06)

$$ Over een hotel in de luxeklasse beschikt de stad nog niet, daarvoor ligt ze te ver weg. Wie een paar (zeer) rustige stranddagen wil doorbrengen, zou een kamer kunnen boeken in het **Flamingo Resort**, tel. 765 0000, fax: 765 1186, flaming1@emirates.net.ae in het Tourist Resort. Het sportaanbod is zeer omvangrijk, het gehele complex erg mooi van groen voorzien en de restaurants bieden een goede keuken.

$ Wie zich meer aan het strand dan in de kamer ophoudt en wil sparen, zou het **Pearl Hotel** kunnen kiezen als accommodatie, tel. 766 6678, fax: 766 6679. Het ligt aan het strand van de lagune en beschikt over meerdere bars.

$$ Nog verder weg ligt het **Barracuda Resort**, tel. 768 1555, fax: 768 1556, nabij het 'Dreamland Aqua Park'. Het complex is meer bedoeld voor mensen die zelf koken, want elk appartement is uitgerust met een keuken.